0 8 AOUT 2017

FR
RADEM

L'ASSASSIN DES RUINES

Cay Rademacher

L'ASSASSIN DES RUINES

*Traduit de l'allemand
par Georges Sturm*

ÉDITIONS DU MASQUE
17, rue Jacob 75006 Paris

Titre original
Der Trümmermörder
publié par DuMont Buch Verlag, Cologne

Couverture : © Bert Hardy / Intermittent
Conception graphique : Sara Baumgartner

ISBN : 978-2-7024-4563-1

© 2011, DuMont Buchverlag, Cologne

*Cet ouvrage a été proposé à l'éditeur français
par l'agence Editio Dialog, Lille.*

© 2017, Éditions du Masque, un département
des Éditions Jean-Claude Lattès, pour la traduction française.

Pour Françoise et nos trois Hambourgeois –
Léo, Julie et Anouk

Réveil glacial

Lundi, 20 janvier 1947

Encore à moitié endormi, l'inspecteur principal Frank Stave cherche sa femme en tâtonnant, quand il se rappelle qu'elle a péri dans un incendie trois ans et demi plus tôt. Il serre le poing, repousse la couverture du lit. Un air glacial chasse les derniers voiles du cauchemar.

Une lumière grisâtre, crépusculaire, se traîne à travers les pans de rideaux damassés que Stave a dégotés dans les ruines de la maison voisine. Depuis cinq semaines, chaque soir, il les fixe aux cadres des fenêtres avec quelques punaises achetées au marché noir. Les vitres ne sont pas plus épaisses qu'une feuille de papier journal et une croûte de glace en tapisse l'intérieur. Stave craint qu'un jour le verre se brise sous le poids. Peur absurde : les fenêtres ont vibré et cliqueté sous les ondes de choc d'un nombre incalculable de bombes, et jamais aucun carreau n'a été soufflé.

Dans la trouble clarté du petit matin, les murs de la chambre semblent couverts d'une pellicule de peau calleuse, tellement le dépôt de givre est épais. Par endroits, la couverture du lit est collée au mur par la glace. On distingue par transparence des bandes de papier peint déchirées, un motif moderne pour 1930, des plaques de crépi taché, et pour finir, de place en place, le mur nu, de la brique rougeâtre et un mortier gris clair.

Stave se dirige avec lenteur vers la cuisine exiguë, le sol dallé glacé lui coupe la plante des pieds malgré les deux paires de vieilles chaussettes qu'il a enfilées l'une par-dessus l'autre. Les doigts gourds, il s'active à sa Brennhexe, ce minuscule et primitif fourneau de survie cylindrique, jusqu'à ce que le feu ait pris. Ça pue le vernis brûlé, car le bois avec lequel Stave nourrit l'appareil faisait partie d'une commode de chambre à coucher, récupérée dans la maison mitoyenne soufflée par une bombe en ce mois de juillet 1943.

Par *la* bombe, se dit Stave. Celle qui lui a pris sa femme.

Tandis qu'il attend que le bloc de glace fonde dans la vieille marmite de l'armée et que le fourneau diffuse un peu de chaleur dans l'appartement, il se débarrasse du vieux pull-over de laine, puis du survêtement de police, et enfin des deux tricots de corps et des chaussettes qu'il met pour dormir. Il les range soigneusement sur la chaise branlante à côté de son lit. Comme il n'a droit qu'à 1,95 kilowatt d'électricité par mois – une énergie précieuse qu'il économise pour son réchaud électrique et son repas du soir –, il n'allume pas la lumière. Et c'est ainsi qu'il dispose toujours ses vêtements selon le même ordre rituel, pour les enfiler dans l'obscurité, l'un après l'autre et sans risque de se tromper.

Visage et corps sont hâtivement aspergés d'eau dont les gouttes lui brûlent la peau, une eau toujours aussi froide que celle d'un lac glaciaire. Stave ne peut s'empêcher de frissonner. Il passe enfin sa chemise, enfile son costume et lace ses chaussures. Il se rase dans la pénombre, prudemment, lentement, sans savon et avec une lame au fil déjà bien émoussé. On ne devrait en trouver des neuves – si toutefois on peut se fier à ce genre de promesses – que dans quelques semaines, à condition d'avoir des bons d'achat. Sur ces entrefaites, l'eau dans la marmite commence à tiédir.

Stave aurait bien aimé un vrai café, comme avant la guerre. Mais il n'a que cet ersatz, un jus de chaussette brunâtre et fadasse. Il verse l'eau tiède sur la poudre. Afin que cette infecte lavasse ait au moins un goût d'amertume, il y joint quelques glands de chêne réduits en poudre, grillés il y a quelque temps déjà. Il avale ce breuvage insipide qu'il accompagne de deux tranches de pain grisâtre et friable. Petit déjeuner. Ses derniers vrais grains de café, il les a échangés la veille à la gare centrale contre quelques informations dérisoires.

Stave est Polizei-Oberinspektor ou inspecteur principal de police – un grade introduit par l'occupant britannique et dont la sonorité le dérange constamment, lui qui a grandi avec des grades comme «Kriminalinspektor» ou «Hauptwachtmeister».

Samedi dernier, il a arrêté deux assassins. Des réfugiés de Prusse-Orientale embarqués dans des combines de marché noir. Ils avaient étranglé une femme qui leur devait de l'argent, puis s'en étaient débarrassés dans un canal, lestée d'un bloc de béton pris dans des ruines. Pour dissimuler leur victime, ils s'étaient donné beaucoup de mal afin de briser à coups de pioche la glace d'une épaisseur de cinquante centimètres. Ils avaient eu le malheur d'ignorer les horaires des marées – et au jusant la morte était bien visible, allongée sur le fond vaseux, la glace faisant loupe.

Stave avait rapidement identifié la victime. Il avait découvert avec qui elle avait été vue en dernier, et il ne lui avait pas fallu vingt-quatre heures pour arrêter les deux coupables.

Il s'était ensuite rendu à la gare centrale, comme chaque fin de semaine quand elle n'est pas entièrement consacrée à une enquête. Il s'était mêlé au flot ininterrompu de gens qui circulaient et se bousculaient sur les quais. Hésitant, il avait interrogé des soldats à leur retour de captivité, posé des questions à voix feutrée aux voyageurs qui rentraient des villages environnants, où ils se livraient à de courts déplacements pour «hamstériser», c'est-à-dire acheter clandestinement du ravitaillement illicite. Des questions à propos d'un certain Karl Stave.

Karl, un lycéen de dix-sept ans qui s'était porté volontaire en avril 1945 pour combattre sur le front est, à cette époque déjà avancé aux portes de Berlin. Karl, qui avait perdu sa mère dans un bombardement et méprisé son père, l'accusant d'être un «mou» et un «mauvais Allemand». Karl, disparu depuis les combats autour de la capitale du Reich, fantôme dans le *no man's land* entre la mort et la vie, mort peut-être, peut-être prisonnier de l'Armée rouge, ou quelque part en fuite, passé dans la clandestinité sous un faux nom. Mais si tel était le cas, ne se serait-il pas manifesté auprès de son père, malgré leurs disputes ?

Stave était passé d'un voyageur à l'autre, s'était adressé à des individus amaigris perdus dans des manteaux bien trop grands, des hommes au «visage de Russie». Il leur avait montré une photo tachée de son fils. Hochements de tête, gestes las. Enfin quelqu'un avait prétendu savoir quelque chose. Stave lui avait proposé les derniers grains de café qui lui restaient et appris en échange qu'il y avait un Karl Stave dans un camp d'internement à Vorkouta, quelqu'un en tout cas qui aurait pu éventuellement ressembler à l'adolescent de la photo et qui se prénommait Karl – enfin peut-être! – et qui serait encore interné là-bas – peut-être, ou peut-être pas.

Soudain, trois coups brusques à la porte tirent Stave de ses songeries. L'inspecteur principal a retiré les plombs de la sonnette pour économiser quelques milliwatts d'électricité.

Pour un bref instant, l'espoir absurde qu'à une heure si matinale, Karl est sur le seuil. Puis Stave se reprend : ne te monte pas le bourrichon, se dit-il.

Stave a passé la quarantaine. Il est maigre. Il a des yeux gris-bleu. Ses cheveux blonds, où les premières touffes grises se distinguent encore à peine, sont coupés court. Il se hâte vers la porte. Sa jambe gauche le fait souffrir, comme toujours en hiver. Depuis la blessure de cette fameuse nuit de 1943, l'articulation du coup de pied est bloquée. Stave boite légèrement, quelle que soit la manière dont il lutte contre cette infirmité, colère rentrée. Il s'oblige à des courses à pied, à des étirements et quelquefois – quand les Schultz ne sont pas dans leur appartement – il s'évertue même à sauter à la corde.

Sur le seuil, un agent de police coiffé du shako, ce haut képi tronconique à visière. Impossible pour Stave de distinguer autre chose qu'une silhouette : la cage d'escalier est sombre depuis que quelqu'un a dévissé toutes les ampoules. Le policier a certainement gravi les quatre étages en cherchant, à l'aveugle, chaque marche du pied.

— Bonjour, monsieur l'inspecteur principal. Nous avons une morte. Il faut que vous veniez tout de suite.

La voix semble jeune, frémissante d'émotion.

— Bien, répond Stave machinalement, avant de se rendre compte de l'incongruité de sa remarque.

De la compassion ? Ces dernières années de guerre, il a vu bien trop de cadavres mutilés – dont celui de sa propre femme – pour que la nouvelle d'un assassinat l'indigne. De l'inquiétude, ça oui – celle, excitée, du chasseur qui sent la piste furtive d'un animal sauvage.

Il enfile un lourd manteau de laine et saisit son chapeau.

— Comment vous appelez-vous ? demande-t-il à l'agent.

— Ruge. Brigadier Heinrich Ruge.

Stave jette un coup d'œil sur l'uniforme bleu, sur l'insigne en métal épinglé à gauche sur sa poitrine. Encore une trouvaille des Britanniques que tous les policiers allemands détestent : le numéro matricule à quatre chiffres à l'emplacement du cœur, une cible parfaite pour tout criminel armé. L'agent qui porte cet uniforme bien trop grand pour lui est mince et jeune, à peine plus âgé que le fils de Stave.

Dès l'occupation, en mai 1945, les Britanniques ont licencié des centaines de policiers – tout individu membre de la Gestapo, ou qui avait occupé des postes d'influence, ou qui s'était fait remarquer par son orientation politique. On a gardé des gens comme Stave, mis au placard sous le Troisième Reich car classés «à gauche». Et on a engagé de nouveaux fonctionnaires – des bleus comme ce Ruge, qui ne savent encore rien de la vie, et encore moins des tâches de la police. Huit semaines de formation, un uniforme sur le dos et au travail sans autre forme de procès ! Des débutants qui doivent apprendre le métier sur le tas. Parmi eux, des frimeurs qui, l'uniforme à peine revêtu, maltraitent les gens et paradent dans les ruines, hautains comme des hobereaux

13

prussiens. Des personnages louches aussi, qu'on aurait pu croiser jadis dans les locaux de la police, au temps de l'empereur comme sous la république de Weimar – non pas derrière un bureau, mais derrière les barreaux d'une cellule.

— Cigarette ? demande Stave.

Ruge hésite un instant avant de prendre la Lucky Strike, assez finaud pour ne pas demander d'où l'inspecteur principal tient cette cigarette américaine.

— Faudra vous l'allumer vous-même, s'excuse Stave, il ne me reste presque plus d'allumettes.

La cigarette disparaît dans une des poches de l'uniforme de Ruge. Stave se demande si le jeune homme la fumera plus tard ou s'il s'en servira comme monnaie d'échange. Mais contre quoi ? Puis il se reprend : je finis par croire que tout le monde est suspect.

Il est prêt. Déjà à moitié tourné vers la porte, il se décide à décrocher l'étui de son pistolet suspendu à droite de l'entrée. Le jeune policier le fixe des yeux tandis qu'il boucle à la ceinture la courroie de cuir avec le FN Herstal 1910/22, calibre 7,65. Les gardiens de la paix portent au ceinturon des matraques de quarante centimètres de long, pas d'arme à feu. Les Britanniques les ont presque toutes confisquées, jusqu'aux carabines à plomb des stands de foire. Seuls quelques fonctionnaires de la police judiciaire ont le droit de porter un pistolet.

Ruge a l'air encore plus nerveux à présent. Peut-être, se dit Stave, parce qu'il se doute que les choses sérieuses vont commencer. Peut-être aussi parce qu'il aimerait avoir une arme. Puis il chasse ces pensées.

— Allons-y, dit-il en tâtonnant des pieds sur le palier. Attention aux marches, vous risquez de glisser. Et ça me fera un mort de plus.

Les deux hommes descendent l'escalier en trébuchant. Stave entend un juron proféré à voix basse, mais il ne sait pas si Ruge a glissé ou s'il a heurté un obstacle. Il connaît les marches qui craquent toujours au même endroit, et pourtant, dans le noir le plus complet, il n'avance pas sans agripper la main courante.

Ils quittent l'immeuble. Stave habite sur la rue, dans l'appartement du dernier étage droite d'un immeuble Art nouveau de quatre étages de la Ahrensburger Strasse : murs crépis lilas très pâle, même si la teinte est difficile à reconnaître sous la couche de crasse; ornements de façade, hautes fenêtres blanches. Chaque appartement a son balcon de pierre avec sa balustrade à volutes et un garde-corps en fer forgé. Un bel immeuble semblable au voisin, mais au revêtement plus clair. Celui qui se dressait entre les deux était identique lui aussi, mais il n'en reste que quelques chicots de murs, des miettes de briques et des monticules de gravats, des éléments de charpentes calcinées, un corps de fourneau tellement coincé dans les éboulis qu'aucun pillard n'est encore parvenu à le voler.

L'ancien immeuble de Stave, numéro 91. Il y a habité pendant dix ans, jusqu'à cette nuit de l'été 1943 où les bombes de «l'opération Gomorrha» sont tombées et ont rasé au hasard les maisons de la rue, une ici, une là, trous dans l'alignement des façades comme dans une denture ébréchée.

Pourquoi le 91, et pas le 93 ou le 89 ? Question absurde. Et pourtant, Stave se la pose chaque fois qu'il sort. Et il pense aussi au moment où il a extrait sa femme des décombres – du moins ce qu'il en restait. Quelque temps plus tard, quelqu'un, il ne savait même plus qui – en vérité, il était incapable de se rappeler clairement cette semaine de juillet 1943 –, lui avait proposé cet appartement au numéro 93. Où avaient bien pu passer les anciens habitants ? Stave avait préféré ne pas y penser.

— Monsieur l'inspecteur principal ?

La voix de Ruge lui parvient de très loin. Puis la surprise quand il lève les yeux : devant lui, une voiture de service, un des cinq véhicules encore en état de marche de la police de Hambourg.

— C'est ce qui s'appelle du luxe, grogne-t-il.

Ruge approuve de la tête.

— Dépêchons-nous, avant que quelqu'un se rende compte de l'aubaine.

Il est fier comme un paon, se dit Stave.

Il ouvre vite la portière de la Mercedes 39. Ruge n'a pas fait un pas pour la lui tenir, il est déjà derrière le volant.

Il démarre en louvoyant. Avant la guerre, la Ahrensburger Strasse était une quatre-voies rectiligne un peu trop large, les immeubles et les arbres qui la bordaient un peu trop petits pour ce superbe boulevard ! À présent, la chaussée est bouleversée, obstruée par des décombres; des façades entières se sont écroulées en avant comme des soldats fauchés par la mitraille, des cheminées, des tas de gravats indéfinissables. Puis des cratères de bombes, des crevasses, des chaînes de chars arrachées, rouillées, des souches d'arbres calcinées par les bombes, deux, trois voitures réduites à l'état de carcasses carbonisées.

Ruge zigzague entre les obstacles. Il roule trop vite, estime Stave. Le jeune homme est nerveux. Les lampadaires, quand ils sont encore debout, sont brisés. Le ciel est bas, un vent piquant souffle du nord-est. La lunette arrière de la vieille Mercedes doit être fêlée quelque part, le courant d'air sibérien s'infiltre dans l'habitacle. Stave frissonne et remonte le col de son manteau. Quand a-t-il eu chaud pour la dernière fois ?

Les phares de la voiture frôlent des remblais brunâtres. Malgré l'heure matinale et les − 20 °C, des êtres humains à la démarche privée d'énergie cheminent déjà comme des spectres au bord de l'étroite chaussée : des hommes amaigris engoncés dans des manteaux de la Wehrmacht teints en brun sur ordre des vainqueurs, des silhouettes d'unijambistes enveloppés dans des entassements de loques, des femmes, tête emmaillotée dans des écharpes et des lainages qui dissimulent la bouche et le nez, bardées de paniers, de cageots et de boîtes en fer-blanc − plus de femmes que d'hommes, bien plus.

Stave se demande où ils vont tous si tôt. Les magasins, quand toutefois on y trouve quelque chose à échanger contre des tickets de rationnement, ne sont ouverts qu'entre 9 heures et 15 heures, pour économiser l'électricité, réservée à l'éclairage.

Vivent à Hambourg presque un million cinq cent mille personnes. Cent mille sont mortes à la guerre ou écrasées sous les tapis de bombes, beaucoup ont été évacuées à la campagne, remplacées par des réfugiés et des DP, des personnes déplacées, ainsi que des détenus libérés des camps de concentration, des prisonniers de guerre, en majorité russes, polonais, juifs, dont aucun ne peut ou ne veut rentrer chez lui. Officiellement, ils vivent dans des campements installés et aménagés par les Britanniques, mais beaucoup d'entre eux préfèrent se débrouiller seuls dans la métropole dévastée des bords de l'Elbe.

Stave regarde par la vitre : les restes déchiquetés d'un immeuble éviscéré, des murs semblables à ceux d'une ruine du Moyen Âge, moins épais toutefois. Et derrière, d'autres murs encore, et d'autres encore et encore d'autres. Il faudra bien cent ans pour reconstruire tout ça, se dit-il. Puis il sursaute.

— Centrale à voiture 1.

Une voix métallique, plus aiguë que le huit cylindres qui renaude. La radio.

Depuis un an, les Britanniques ont donné l'autorisation d'émettre de l'hôtel de police vers les voitures d'intervention. Mais si les cinq véhicules peuvent bien recevoir des messages, aucun n'a d'émetteur à bord, si bien que l'hôtel de police ne sait jamais si le message est parvenu à destination.

— Centrale à voiture 1, crachote à nouveau la voix. Signalez votre arrivée sur les lieux.

— Nom de Dieu de bureaucrates, commente Stave. Ça veut dire qu'il va falloir trouver un téléphone en arrivant. Au fait, où allons-nous ?

Ruge freine : une jeep des Anglais cahote à leur rencontre. Il se range et salue le conducteur qui les ignore et poursuit sa route, soulevant un nuage de poussière dans l'air sec.

— Baustrasse, à Eilbek, répond le policier. C'est...

— ... près de la gare de Landwehr. Je connais, complète Stave.

Son humeur s'assombrit. Il ne reste plus une seule maison debout dans tout Eilbek. Qu'est-ce qu'ils croient, ces abrutis ? Comment veulent-ils qu'on les appelle ? Qu'on leur envoie un pigeon voyageur ?

Ruge se racle la gorge.

— Je suis désolé de vous dire que nous ne pourrons même pas aller jusque là, monsieur l'inspecteur principal.

— Comment ça ?

— Trop de ruines. Il faudra qu'on fasse quelques centaines de mètres à pied.

— Grandiose! murmure Stave. Il ne reste plus qu'à espérer qu'on ne marchera pas sur une bombe non explosée.

— Il y a tellement de monde qui piétine la scène de crime que tout danger d'explosion est écarté.

— La scène de crime ?

Ruge rougit.

— Là où on a trouvé le corps.

— Donc, le lieu de découverte du corps, le corrige Stave, tout en s'efforçant d'adopter un ton conciliant.

Il est de meilleure humeur tout à coup. Il oublie le froid et les ruines et les silhouettes spectrales au bord de la chaussée.

— Au fait, vous savez ce qui nous attend ?

Le jeune policier opine avec zèle.

— J'étais présent quand l'information est tombée. Des enfants en train de jouer – Dieu seul sait ce qu'ils faisaient là si tôt, mais j'ai ma petite idée. Bien. Peu importe. Ils ont trouvé un cadavre. Féminin, jeune et (Ruge hésite, rougit à nouveau) heu, nu, quoi.

— Nue par – 20 °C! C'est la cause du décès ?

Le policier devient de plus en plus cramoisi.

— On ne le sait pas encore, murmure-t-il.

Une jeune femme, nue et morte – Stave a le sentiment qu'il va avoir affaire à un crime odieux. Depuis que Breuer, le patron de la police judiciaire, l'a nommé il y a quelques mois chef d'une petite cellule spéciale d'investigation criminelle, Stave s'est occupé de plusieurs affaires de meurtre. Mais cette fois-ci, il s'agit d'autre chose que de ces banales rixes au couteau entre trafiquants de marché noir ou de ces drames de la jalousie dus au retour de prisonniers de guerre.

Ruge tourne à gauche dans la Landwehrstrasse et s'arrête face aux ruines de la voie ferrée qui barrent la rue. Stave descend de voiture et jette un coup d'œil aux alentours. Il est frigorifié.

— L'hôpital Sainte-Marie n'est pas loin, dit-il. Ils ont certainement le téléphone. Allez y signaler notre arrivée dès que vous m'aurez conduit sur le lieu de découverte du corps.

Ruge claque des talons. Une jeune femme qui tire une charrette à bras chargée d'une souche d'arbre déchiquetée s'arrête et les observe, l'air méfiant. Stave remarque les engelures aux mains gonflées par le froid. Dès qu'elle prend conscience de son regard, elle empoigne les poignées de sa charrette et file en hâte.

Stave et Ruge escaladent les voies : le ballast forme une masse compacte de grands blocs soudés entre eux par le froid. Des rails démantelés et tordus dessinent d'inquiétantes sculptures. Puis c'est la Baustrasse. Du moins la devine-t-on, ligne sinueuse à la limite du grand ensemble des cités-casernes calcinées aux toits crevés, bâtiments défoncés dont les murs noircis s'étendent sur des centaines de mètres. Tant de mois ont passé, et toujours cette odeur âcre et amère, écœurante, de bois et d'étoffes brûlés, d'incendies éteints.

Deux gardiens de la paix, qui piétinent sur place et claquent des mains pour se réchauffer, montent la garde devant un mur de guingois d'une hauteur de trois étages, qui a l'air de vouloir s'écrouler et les écraser au moindre souffle de vent.

Stave se contente d'un signe de la main pour les saluer. Il gravit prudemment les décombres. À quelque chose, malheur est bon, il n'est pas obligé de dissimuler sa claudication, impossible de marcher normalement, nulle part.

Un des deux gardiens le salue, la main au shako, et lui montre le chemin à suivre.

— La morte est étendue devant le mur.

Stave suit du regard la direction que lui indique le policier.

— Sale histoire, murmure-t-il à part soi.

Un corps sans nom

Une femme, jeune. Stave lui donne entre dix-huit et vingt-deux ans ; taille 1,60 m, cheveux mi-longs d'un blond jonquille, yeux bleus grands ouverts sur le vide.

— Mignonne, murmure Ruge, qui s'est avancé aux côtés de Stave.

L'inspecteur principal lui lance un regard sévère jusqu'à ce qu'il se détourne, puis il observe de nouveau la morte. Inutile de mettre ce jeune collègue au supplice : il cherche tout simplement à masquer sa peur.

— Allez à l'hôpital et rendez compte, lui ordonne-t-il.

Il se penche sur la morte en prenant garde de ne pas toucher le corps, ni de piétiner les éboulis sur lesquels elle est allongée comme sur un lit.

On dirait une mise en scène, se dit-il machinalement. Et bien dissimulée en plus, cachée derrière le mur et quelques gros tas de tuiles cassées qui s'élèvent alentour. Le corps, pour autant qu'il puisse s'en rendre compte, est presque intact, pas même une égratignure ou un hématome ; les mains sont soignées. Elle ne s'est pas défendue, se dit-il. Et : ce ne sont pas là des mains d'ouvrière. Pas une de ces nombreuses femmes qui déblaient les ruines, ni une femme de ménage.

Son regard descend lentement le long du corps. Le ventre est plat, une mince cicatrice à droite, une ancienne appendicite, bien guérie. Stave sort son calepin et prend des notes. Sur la peau blême de la morte, cette marque qui fait le tour du cou à hauteur du larynx, un filet rouge foncé d'à peine trois millimètres de large, plus marqué à gauche qu'à droite.

Tandis qu'il griffonne son observation, il fait remarquer aux deux gardiens qui grelottent de froid :

— On dirait qu'elle a été étranglée. Peut-être avec un fin nœud coulant. Fouillez les environs, cherchez un fil de fer. Ou un fil électrique.

Ils se mettent à fureter dans les ruines en renâclant. Pour le coup, Stave en est débarrassé. Il ne croit pas que les deux agents vont trouver quelque chose. Des traces parallèles sombres sur la couche de givre, malheureusement brouillées ou en partie effacées par des policiers négligents, laissent penser que le corps a été traîné sur le sol. Le meurtrier a vraisemblablement déplacé sa victime en la remorquant. Il l'a abandonnée là, mais l'a tuée ailleurs.

— Beau cadavre, dit quelqu'un derrière lui.

La voix rauque d'un fumeur acharné. Stave n'a pas besoin de se retourner pour savoir qui est arrivé dans son dos.

— Bonjour, docteur Czrisini, répond-il en se redressant. Ravi que vous soyez déjà là.

Le Dr Czrisini – petit, chauve, des yeux agrandis par les verres puissants de lunettes à monture d'écaille – ne prend pas la peine d'éloigner de ses lèvres bleuies par le froid la Woodbine au bout incandescent.

— D'après ce que je vois, je n'avais aucune raison de me presser, marmonne-t-il. Une morte nue avec un froid pareil – j'avais tout mon temps.

— Congelée.

— Mieux qu'à la morgue. Ça ne va pas être facile de déterminer le moment exact de la mort. Depuis six semaines, la température n'est jamais montée au-dessus de – 10 °C. En théorie, elle pourrait être là depuis des jours et être toujours fraîche comme une rose.

— Ce n'est pas tout à fait l'image que j'emploierais pour qualifier son état, bougonne Stave.

Il regarde autour de lui. La Baustrasse faisait naguère partie d'un quartier de petites gens : des dizaines de blocs d'immeubles de cinq étages, avec un parement de brique rouge, des maisons bien entretenues, des arbres en bordure des rues, un lieu où vivaient des ouvriers, des artisans, des petits commerçants. Tout a disparu. Le regard de Stave se porte sur les restes de murs pulvérisés par les bombardements, les souches d'arbres carbonisées, les amoncellements de ruines. Seul au bout de la rue, à droite, le foyer pour enfants Saint-Mathieu avec son crépi jaune est encore debout, un établissement qu'un miracle a sauvé du déluge de bombes explosives et incendiaires. Un des policiers a bien interprété le regard de l'inspecteur et s'est rapproché, curieux.

— Ce sont deux garçons du foyer qui ont trouvé la morte.

— Bien. Je vais les interroger. (Stave se tourne vers le légiste.) Voilà qui va faciliter la recherche du moment du décès, docteur : si cette femme était là depuis longtemps, il y a longtemps que ces gamins l'auraient découverte.

Il aime bien Czrisini. Le légiste a dû avaler bon nombre de mauvaises plaisanteries du fait de son nom – qui se prononce Tschisini. Après 1933, à cause de son nom polonais, il a eu droit à des allusions, jusqu'à un certain point menaçantes. Czrisini travaille vite, c'est un célibataire qui a pour seules passions les cadavres et les cigarettes.

— Vous pensez à la même chose que moi ? demande le médecin.

— Viol ?

Czrisini opine.

— Jeune, belle, nue et morte. Ça irait bien ensemble.

Stave dodeline de la tête.

— Par – 20 °C, même le plus cinglé des violeurs protège ce qu'il a de plus précieux. Possible aussi qu'on lui ait fait ça dans un endroit chauffé, une chambre par exemple. Et on s'en sera débarrassé ici ensuite, ajoute l'inspecteur en désignant les deux traînées qui ont scarifié le givre.

22

— Quand elle sera sur ma table, on en saura vite plus, réplique le légiste d'un air jovial.

— Oui, mais pas son nom, grommelle Stave. Et si le meurtrier n'avait pas déshabillé la victime parce que c'est un pervers sexuel, mais par simple calcul, mise en scène ? Une femme nue au milieu d'un champ de ruines, dans un endroit désert depuis des années. Elle ne va pas être si simple à identifier.

Peu de temps après, le technicien de l'identité judiciaire fait son apparition. Il fait aussi fonction de photographe – la brigade criminelle manque de personnel qualifié. Stave lui montre les marques sur le sol. Le photographe se penche sur le cadavre. À l'instant même où l'intense éclair de magnésium illumine la scène, la vive lumière provoquée par les tirs des batteries d'artillerie lourde de la défense antiaérienne explose tout à coup aux yeux de Stave. Il est en banlieue, face à l'éblouissant reflet des torches qui descendent lentement soutenues par les parachutes, grâce auxquelles les « avions éclaireurs » des Anglais repèrent et balisent leurs cibles aux bombardiers. Il cligne des yeux un instant.

— N'oubliez pas les traînées, insiste-t-il.

Le photographe approuve de la tête – l'ordre de Stave sonne plus rude qu'il ne l'aurait voulu.

Il fait ensuite amener les deux gamins qui ont découvert la morte. Ils n'ont pas dix ans, ils sont maigres, pâles, les lèvres bleuies, tremblotantes, et certainement pas uniquement à cause du froid. Des orphelins. Stave se demande un instant s'il doit jouer au méchant, mais il se décide vite pour le rôle du gentil. Il se penche vers eux, leur demande tranquillement leur nom, leur promet qu'ils ne seront pas punis pour être sortis si tôt du foyer.

Cinq minutes plus tard, il a appris tout ce que savent les deux gamins. Ils ont filé dans les ruines avant même le petit déjeuner, en quête de balles de mitrailleuses et de ces douilles brillantes des batteries antiaériennes. Presque tous les jours, des enfants s'estropient dans les ruines de la ville en manipulant des munitions non explosées. Mais inutile de rappeler ces deux-là à l'ordre. Stave se souvient encore bien de sa propre enfance. N'aurait-il pas cherché ces débris avec la même fascination ? Et il aurait été bien inutile qu'un adulte lui interdise l'aventure. Il demande aux deux garçons s'ils s'adonnent souvent à cette chasse au trésor. Silence embarrassé. Puis ils secouent la tête : non, c'était la première fois. Et d'ailleurs aucun enfant du foyer n'a pu le faire, car Saint-Mathieu n'a rouvert que depuis quelques jours. Stave note les noms des gamins, puis les renvoie à leur foyer.

— Pas de chance qu'ils soient là depuis si peu, grommelle-t-il en direction du légiste, qui observe deux employés de la morgue en train de hisser le corps gelé sur un brancard.

— Finalement, vous n'avez aucun témoignage certifiant que l'inconnue a été déposée ici cette nuit. Vous aurez bien besoin de mes conclusions d'autopsie…

Le Dr Czrisini a fait ce constat avec sobriété, mais avec un soupçon de satisfaction dans la voix.

Stave jette un regard interrogateur au collègue de l'identité judiciaire qui trace des cercles de plus en plus grands autour du lieu de découverte du corps.

— Rien, lui lance-t-il. Pas le moindre lambeau de vêtement, pas de mégot de cigarette, pas d'empreinte de pied, pas d'empreinte digitale et, surtout, pas de fil métallique. Mais on va encore passer tout ça au peigne fin.

Au même moment, légèrement essoufflé, Ruge s'approche en trébuchant sur les tas de gravats.

— Ces putains de médecins de l'hôpital Sainte-Marie…, commence-t-il en cherchant son souffle.

— Épargnez-moi vos réflexions, lui rétorque Stave, qui souligne sa désapprobation d'un bref signe tranchant de la main. Vous avez appelé l'hôtel de police, oui ou non ?

— Oui, mais il m'a fallu d'abord palabrer, répond-il d'une voix toujours aussi indignée.

— Et alors ?

Un instant, Ruge le regarde d'un air étonné, puis il comprend.

— Il faut que nous, enfin vous, vous vous présentiez à Herr Breuer dès que vous en aurez terminé ici.

Stave ne répond pas. Depuis un an, Carl «Cuddel» Breuer est le nouveau directeur de la police judiciaire. Il avait quarante-six ans quand les Britanniques l'ont mis en place, ce qui est très jeune pour un poste de cette importance. Sous la dictature nazie, il passait pour social-démocrate. En 1933, il avait même disparu un certain temps à Fuhlsbüttel, la prison de la banlieue de Hambourg très vite transformée en camp de concentration. Il n'a plus été inquiété jusqu'à la fin de la guerre. Un type qui non seulement parvient à nettoyer la boutique des nazis et qui, de plus, obtient de ses collègues précision et professionnalisme dans le travail. L'inspecteur principal se demande pourquoi Cuddel le convoque si vite, alors que l'enquête commence à peine : ce n'est pas dans ses habitudes. Il doit avoir une raison importante, se dit Stave. Mais laquelle ? Il glisse à Ruge :

— On reste encore un peu sur le terrain, on ira à l'hôtel de police après.

L'inspecteur principal tourne lentement sur ses talons et scrute les abords. Que des ruines, partout. À plusieurs centaines de mètres seulement, de l'autre côté de la voie ferrée, un énorme cube de béton que l'on devine à peine dans la lumière grise du matin. Le bunker d'Eilbek. Un monolithe massif de sept étages, avec des murs qui peuvent atteindre six mètres d'épaisseur. Les nazis en ont construit environ quatre-vingts pendant la guerre, partout où le niveau des eaux souterraines affleure quasiment la surface du sol. Pour des dizaines de milliers de personnes, ces blockhaus dépourvus de fenêtres ont constitué la seule protection contre les avalanches de bombes. À présent, quasiment indestructibles, ils servent de refuges provisoires à des sans-abri victimes des bombardements, à des réfugiés et à tous ceux qui y échouent. Personne ne sait exactement combien de personnes y vivent dans la promiscuité, respirant un air vicié, dans le bruit, la saleté et la puanteur.

— Sûr que personne n'aura vu quelque chose depuis les fenêtres ! grogne le policier, qui a suivi le regard de Stave.

— S'il fallait que je vive dans une casemate pareille, confie l'inspecteur principal, je ne m'y traînerais que pour dormir, le reste du temps, je le passerais dehors, même par ces températures, pour respirer le bon air.

Ruge devine ce à quoi pense l'inspecteur.

— On peut presque aller jusque-là en voiture, lance-t-il sans grand enthousiasme.

— Bien, répond Stave. Allons donc écouter ce que les troglodytes du bunker ont à nous dire.

Retourner à pied par les ruines, traverser les voies de chemin de fer, puis en voiture suivre prudemment les rues dévastées pleines d'ornières : il leur faut presque un quart d'heure avant de progresser en cahotant sur les pavés défoncés de la minuscule Von-Hein-Strasse, qui semble presque écrasée par la masse du blockhaus. Stave descend de la Mercedes et jette un regard circulaire. Des ruines jouxtent le bâtiment, juste en face de deux garages pas plus grands que des baraques, miraculeusement intacts, aux portails condamnés puisqu'il n'y a plus de voitures à réparer. Derrière eux, traversé par un ruisseau, un square aux arbres incendiés pour la plupart jusqu'à la souche, ou hachés menu par des gens en quête de bois de chauffage.

Le vent glacé du nord-est lui mord les joues. Un unijambiste lutte contre la bise et mollit sur ses béquilles. Il disparaît dans l'abri antiaérien. Stave le suit. Un passage muré couvert mène à l'ouvrage en béton. Le règlement intérieur, la discipline à observer en cas d'alerte aérienne, est encore accroché sur la porte d'entrée blindée. À l'intérieur, un escalier à vis en acier, et un air pestilentiel à couper au couteau : oppressant, confiné, humide. De l'eau ruisselle sur les murs de béton fissurés. Ça pue la sueur, les produits de désinfection, les vêtements humides, l'odeur aigre du chou, le renfermé, la moisissure.

L'escalier mène au cœur du bâtiment. Au premier étage, un chiffre romain grossièrement tracé à la peinture à l'huile blanche sur une porte en acier. Stave contemple le mince trait tremblé, un barbouillage terne qui a dégouliné : dans la lueur d'une ampoule nue de 15 watts, le I ressemble à une cicatrice sur une peau gercée. Derrière cette porte, des cloisons de grossières planches de récupération ont transformé l'étage en un labyrinthe. Les habitants se partagent de minuscules «appartements», des constructions rudimentaires dans lesquelles quatre, six personnes voire plus mènent une existence précaire. Des vestes et des pèlerines mouillées pendent à des clous. Quelque part un enfant crie à fendre l'âme.

— Je prends cet étage, vous celui du dessus, ordonne Stave. Et on monte en alternance, jusqu'à ce qu'on ait passé tout le bunker au peigne fin. Interrogez tout le monde pour savoir si quelqu'un a remarqué quelque chose d'anormal sur le lieu de découverte du cadavre. Même un détail apparemment très banal. Ne vous intéressez pas qu'aux dernières vingt-quatre heures, remontez aux jours précédents. Il est possible que notre morte soit là depuis longtemps. Si on refuse de répondre, allez-y carrément. Les troglodytes des bunkers n'aiment pas se confier, et surtout pas à la police.

Ruge ricane, claque des talons et de la main droite caresse sa matraque. Stave a enregistré le geste, mais se tait. Il est trop fatigué pour jouer les nounous auprès d'agents trop zélés.

Stave frappe aux planches du premier réduit. Pas de réponse. Il repousse la couverture sale qui bouche l'entrée. Un brancard de l'armée calé sur de vieux cageots à fruits en guise de lit ; des vêtements sales en tas sur le sol ; punaisé sur la cloison en bois, un diplôme de fin d'études au papier jauni et déchiré. À même les lanières du brancard est allongé un jeune homme amaigri. Il ronfle. Stave lui secoue l'épaule. Il gémit et se retourne contre le mur. Il pue le schnaps distillé clandestinement. Ce type est soûl. De la main droite, Stave lui heurte violemment l'épaule. Peine perdue, le dormeur se contente de grogner.

La cabane voisine est vide. Il frappe à la grossière porte en bois de la suivante. Une voix éraillée lui intime :

— Si tu veux roupiller, va à côté, y a personne. Mais te fais pas piquer par le syndic, et fais pas de bruit !

— Police, répond Stave, en soulevant le lourd vieux manteau qui masque l'entrée, un ciré qui appartient peut-être à un marin.

Contre le mur, des lits en fer superposés, rouillés, sans matelas. Pas de sommier métallique à celui de l'étage. Quelques planches posées sur le cadre forment une sorte d'étagère qui fléchit sous le poids d'un sac de marin bourré jusqu'à la gueule. Stave craint qu'elles ne cèdent et que la charge ne s'abatte sur le lit de dessous, où traîne une couverture chiffonnée ; un vieux havresac fait office d'oreiller. Devant cette couchette, un antique fauteuil de salon roussi, crasseux. Impossible de deviner les teintes du motif du tissu en lambeaux. Le butin d'une maison bombardée.

Un homme y est assis. À première vue, l'inspecteur principal lui donne dans les soixante-dix ans. À y regarder de plus près, cinquante, peut-être. Des cheveux blancs, pas lavés depuis des semaines. Des mèches graisseuses qui lui tombent aux épaules. Sur le pull-over marin bleu sombre en laine épaisse, un arc de cercle pointilliste de pellicules luisant comme des flocons de neige. Un pantalon noir, de grosses bottes de travail ferrées. Un homme qui a dû être grand et fort dans sa jeunesse : ses muscles encore imposants sont à moitié dissimulés sous une peau ridée, amollie et flasque. Des yeux bleus, des sourcils broussailleux, une cicatrice de la largeur d'un doigt, qui s'étend de la commissure gauche des lèvres au cou, juste sous l'oreille. Les manches de chemise retroussées révèlent des tatouages sur les avant-bras, nus malgré le froid : une ancre de marine, une femme nue, un mot que Stave ne parvient pas à déchiffrer. Un marin qui a fait naufrage, note l'inspecteur. Il effleure la poignée de son pistolet en sortant sa carte de police pour justifier de sa qualité.

— Anton Thumann, dit instantanément l'homme, qui ne bouge pas du fauteuil.

La seule possibilité de s'asseoir serait le lit de dessous. Stave ne se résout pas à s'y installer. C'est donc debout qu'il rapporte qu'on a trouvé non loin du bunker un cadavre de femme nue...

— Qu'est-ce que vous voulez que ça me fasse ? l'interrompt Thumann.

— Est-ce que vous êtes allé dans la Baustrasse ces derniers jours ? Ou à la gare de Landwehr ? Est-ce que vous avez remarqué quelque chose de suspect ?

— Je ne sors pratiquement jamais d'ici. Trop froid. J'hiberne dans le bunker. Dès que le port aura dégelé et que les Britiches autoriseront enfin à nouveau la navigation, je mettrai les voiles. Jusque-là, je me suis fait tout petit dans ce trou et j'essaie de bouger le moins possible.

Stave décrit tout de même la morte, aussi bien que possible.

— Cette femme vous dit quelque chose ?

Thumann rit d'un air vicelard.

— Je connais beaucoup de femmes jeunes, nues, qui me disent quelque chose. Des bon marché et des plus chères. Elles ressemblent toutes au portrait que vous venez de me faire.

L'inspecteur principal prend une profonde respiration malgré l'air empuanti.

— Est-ce que par hasard une jeune femme qui correspond à cette description habiterait ici ? Cheveux blond jonquille, mi-longs, yeux bleus, dans les vingt ans ?

Rire édenté, puis haussement d'épaules.

— Comment voulez-vous que je le sache ? Je suis content quand j'connais pas mes voisins. Deux cages plus loin, il y a cette jeune épave, soûl comme un cochon vingt-quatre heures sur vingt-quatre. Juste à côté, il y avait quelqu'un, un tuberculeux, qui a fini par se tuer à force de tousser. Un peu plus loin, il y a quelques semaines, est arrivée une famille dont personne ne parlait allemand. Des Français apparemment. Peut-être des DP d'un camp de concentration. J'ai pas échangé un mot avec eux, mais j'les ai entendus qui faisaient des messes basses. Les cloisons sont bien minces. Et puis, un de vos collègues est venu et a embarqué toute la bande. Et le réduit est à nouveau vacant. Quelqu'un va bien s'y terrer, mais ça m'est égal. Toutes les nuits, y a une femme qui hurle comme si on lui tranchait la main à la hache. Horrible ! Mais vous croyez que je sais pourquoi elle hurle ? Ou d'où viennent les hurlements ? Aucune idée. Et je ne suis pas monté une seule fois dans les étages. Et pourquoi donc ? Je connais personne ici et je m'occupe pas des affaires des autres, même pas de celles d'une jeune nana blonde. La seule chose que je veux, c'est avoir la paix. Et ici, on peut dire que c'est pas facile.

— Merci pour ces renseignements, réplique Stave, qui file sans saluer.

Une heure plus tard, il retrouve Ruge à l'entrée du blockhaus. Stave respire profondément.

— Je n'aurais jamais cru que ce putain de vent polaire qui souffle en tempête me ferait plaisir, s'exclame-t-il.

Il se trémousse dans son manteau pour l'aérer. Il a l'impression que la puanteur du bunker s'est accrochée à ses vêtements, une odeur de désespoir veule, de torpeur et de deuil. Ruge lui aussi est pâle, il a l'air un peu las, quelques gouttes de sueur perlent à son front.

— Les troglodytes! halète-t-il, comme si cela expliquait tout.

L'inspecteur principal opine. Dans ces tanières de béton armé échouent les laissés-pour-compte, les réprouvés, ceux qui baissent les bras face à l'adversité, les loups solitaires. Tous ceux qui ont encore un reste d'énergie décampent au bout d'un certain temps. Au lieu de se laisser enterrer vivants derrière six mètres de béton, ils préfèrent se bricoler une cabane avec des cartons et des déblais quelque part dans les ruines, dans des caves.

— Je viens juste de choper un petit vieux, rapporte Stave, en train d'arracher deux images du mur du réduit d'un type qui dormait. Des dessins d'enfant. Quand je lui ai demandé pourquoi il faisait ça, il a simplement répondu qu'il avait en horreur tout ce qui embellissait le bunker. C'est fou, non ?

— Personne n'avoue avoir remarqué quelque chose dans les ruines d'en face, expose Ruge. Personne n'y est allé ces derniers temps. Personne n'a vu quoi que ce soit de suspect. Personne ne connaît une jeune femme. En fait, j'aurais envie d'arrêter toute la bande.

Stave répond d'un geste las en tapant de la paume de la main sur le mur de béton :

— Mais ils sont déjà en prison! À moi non plus, on ne m'a rien dit de sensé. Et je les crois. Il y en a effectivement très peu qui mettent le nez dehors.

— Il semble donc, monsieur l'inspecteur principal, qu'on n'a aucun témoin.

Sur ces entrefaites il n'est pas loin de midi. Stave a faim et il est fatigué. Heureusement, se dit-il, pour une fois, je ne suis pas obligé de marcher.

Au volant de la Mercedes, Ruge longe des monceaux de décombres couleur de ciment qui mordent sur la chaussée. Il se concentre avec obstination sur la conduite. La lourde berline tangue d'un nid-de-poule à une ornière et Stave doit s'accrocher à la poignée de la portière pour ne pas glisser du siège.

— Excusez-moi, bafouille le jeune policier, ça va bientôt aller mieux.

Effectivement, à Altstadt et à Neustadt quelques avenues ont été déblayées. Stave s'adosse et ferme les yeux jusqu'à ce qu'ils se garent devant l'hôtel de police.

Le building de la Karl-Muck-Platz est un colosse en brique de onze étages qui date des années 1920. Des pierres rougeâtres encadrent des fenêtres blanches, modernes, sobres. Avant la police, l'immeuble abritait une compagnie d'assurances. La plupart des policiers ont peu d'estime pour ce bâtiment sans caractère, même s'ils l'apprécient parce qu'il n'a quasiment pas été touché par les bombardements : à Hambourg, il est rare d'avoir des fenêtres qui ferment correctement. Stave l'aime bien : c'est l'exact contraire de la Philharmonie, qui se dresse en face avec ses allures néo-baroques, ses formes bouffies, compliquées – comme si la police voulait opposer à la frivolité et à la légèreté de l'art la sévérité et la rigueur de la loi.

Stave prend congé de Ruge d'un bref salut de la main. Douze imposantes colonnes carrées supportent une sorte de porche. Au plafond, des carreaux de faïence vernis bleus, blancs et jaunes composent des motifs géométriques colorés, taches de couleur dissimulées dans cette ville uniformément grise. Le hall d'entrée est lui aussi orné de blasons et de figures allégoriques en céramique, ainsi que d'un éléphant en bronze d'une hauteur de trois mètres, que même les ferrailleurs qui travaillaient pour les nazis n'ont pas osé fondre pendant la guerre et que les policiers surnomment Anton. Au-dessus de l'entrée principale, une jeune femme porte un cogue aux couleurs vives, doré, brun, bleu et blanc. Certains agents l'ont surnommée la «fiancée des marins» ou, quand ils sont mal lunés, la «radasse du port». Stave ne sait absolument pas ce que cette figure symbolisait à l'origine.

L'inspecteur principal emprunte la double porte, tellement haute qu'un voilier pourrait la passer. Il boitille en montant l'escalier aux marches agrémentées d'innombrables petits carreaux disposés en motifs de lignes brunes, rouges, blanches et noires. Et cette fois encore, il s'imagine qu'il foule une gigantesque peau de serpent.

Il parvient enfin au sixième étage, bureau 602.

Dans le secrétariat, quasiment masquée par une énorme machine à écrire noire, Erna Berg est assise sur une chaise qui semble prête à rendre l'âme. Stave salue sa secrétaire et se fend d'un sourire. Il n'a aucune raison de faire preuve de mauvaise humeur parce qu'il a vu une morte nue. Il aime bien Erna Berg. Blonde, un peu potelée, l'œil bleu enjoué, c'est une éternelle optimiste. Dieu sait comment elle réussit à rester aussi bien enveloppée malgré les cartes d'alimentation et leurs rations de famine.

Erna Berg est débordante d'énergie, quoique veuve de guerre. En 1939, elle a épousé un soldat, juste avant qu'il ne parte pour le front. Son fils, un «enfant de permission», est né un an plus tard. L'homme est porté disparu depuis 1945, des prisonniers de guerre de retour au pays lui ont annoncé qu'il était mort. Mais comme elle n'en a pas la preuve, elle ne touche pas de pension. Stave sait qu'elle ne se contente pas de son maigre salaire de secrétaire, qu'elle se livre de temps à autre au marché noir, mais il ferme les yeux.

— Il faut que vous alliez chez le patron, lui lance-t-elle en clignant des yeux, et elle ajoute aussitôt à voix basse : j'ai entendu à propos de la morte.

32

— Les nouvelles vont vite, grogne Stave. Vous pouvez déjà ouvrir un nouveau dossier : «Morte inconnue. Baustrasse.» J'écrirai mon rapport plus tard. Et faites une demande d'autopsie auprès du procureur. Le Dr Czrisini est au courant.

Sa secrétaire lève les yeux au plafond.

— Il faut que vous me l'épeliez, celui-là, soupire-t-elle. Je ne me rappelle jamais comment ça s'écrit.

Stave écrit le nom du légiste sur un bout de papier, cherche vainement une place sur le minuscule bureau et finit par le punaiser au mur, dans le dos de sa secrétaire.

— Je suis chez le patron, prévient-il en tirant la porte derrière lui.

Quelques instants plus tard, il est dans le bureau du chef de la police judiciaire de Hambourg. Cuddel Breuer est un homme de taille moyenne, cheveux clairsemés sur une tête ronde, regard chaleureux. Il pourrait passer pour un honnête et cordial guichetier d'un bureau de poste de province. Et c'est ce que pensent de lui beaucoup de policiers et de criminels, quand ils le voient pour la première fois.

Le regard est vif, les épaules bien trop larges pour un homme bienveillant. Stave admire son patron, mais il reste toujours sur ses gardes.

— Asseyez-vous, Stave, lui propose Breuer en désignant une chaise devant son bureau.

Ils ont tous les deux gardé leur manteau, la température du bureau avoisine au maximum les 10 °C.

— Café ? De l'ersatz – mais enfin, c'est chaud.

Stave opine, reconnaissant. Il se réchauffe les mains à la tasse émaillée. Breuer désigne une feuille dans la corbeille à courrier de son bureau.

— Les chiffres de l'année dernière. En 1946, il y a eu 29 meurtres à Hambourg, 629 attaques à main armée, 21 696 vols avec effraction et 61 033 vols simples. Soyons précis : ce sont là les crimes et délits qui nous ont été signalés. S'y ajoutent des viols, des blessures corporelles, de la contrebande de toute sorte. Le procureur appelle ça «la criminalité de la misère», et je crains qu'il ait raison. Je crains surtout que l'année 1947 ne s'annonce guère meilleure, surtout pour ce qui concerne cet hiver.

Stave confirme d'un hochement de tête. Il y a quelques jours, une patrouille a surpris deux DP transportant de la viande d'un animal abattu clandestinement. Les deux criminels, d'anciens travailleurs forcés polonais, ont sorti leurs pistolets et tiré sans crier gare. L'un des deux policiers est mort sur le coup, l'autre est encore à l'hôpital, grièvement blessé. Les deux DP ont été arrêtés peu de temps après, un tribunal militaire britannique les a condamnés à mort et ils attendent leur exécution.

— Mais on n'avait pas encore de femme nue étranglée, poursuit Breuer. (Le ton est resté aimable.) Ça va faire du bruit, comme si on n'avait pas déjà assez d'ennuis ! Des appartements gelés, presque pas d'électricité, des rations de famine. Des trains de charbon bloqués on ne sait où dans les tempêtes de neige. Ou pillés quand ils arrivent à destination. Des officiers britanniques ont réquisitionné les plus belles villas et planté des écriteaux : «Interdit aux Allemands»! Tous les jours, de nouveaux réfugiés débarquent en ville, venus de la zone d'occupation soviétique ou de camps d'hébergement de DP. Des prisonniers de guerre libérés. Où caser tout ce monde ? Impossible de construire : avec ce froid, on ne peut même pas gâcher du mortier. La population est très en colère.

— Et comme ils ne trouvent personne pour se défouler, ils vont nous pourrir la vie si nous ne mettons pas rapidement la main sur le meurtrier, commente Stave.

Breuer approuve d'un mouvement de tête satisfait.

— Vous m'avez compris.

Stave campe l'affaire en peu de mots : la jeune morte nue, inconnue, les ruines, les maigres témoignages.

— C'est le Dr Czrisini qui pratiquera l'autopsie ? demande Breuer.

— Aujourd'hui même.

Breuer se laisse aller contre le dossier de sa chaise et croise les mains derrière la nuque. Il se tait durant de longues minutes, mais Stave a appris à rester patient. Le chef de la police finit par hocher la tête, allume une Lucky Strike dont il inhale la fumée avec délice.

— Il y a sept cents officiers de police judiciaire à Hambourg, dit-il en laissant échapper une bouffée de fumée entre ses lèvres. La plupart sont des débutants, beaucoup d'autres sont marqués politiquement.

Stave ne fait aucun commentaire. Avant 1933, la majorité des policiers étaient déjà classés très à droite ; par la suite, environ deux cents hommes ont continué à travailler rien qu'à la Gestapo. Quand les Britanniques sont arrivés, ils ont immédiatement renvoyé plus de la moitié des hauts fonctionnaires, des activistes nazis. Sans cette dénazification, Breuer n'aurait jamais obtenu ce poste – et Stave n'aurait plus fait carrière non plus. Ce n'est pas le genre de choses qui vous attire la sympathie des collègues, ceux qui n'ont pas été écartés mais qui sont passés de justesse à travers les gouttes.

— Une morte dont nous ne connaissons même pas le nom. Une femme jeune, nue. Un assassin qui, même par ces temps très difficiles que nous traversons, ne tue pas par nécessité mais, manifestement, parce qu'une monstrueuse pulsion le pousse au crime. Un criminel, dont nous n'avons aucune trace et une ville qui exige de nous des résultats rapides, poursuit Breuer, la mine songeuse. C'est un boulot pourri, usant, Stave. Je ne peux pas le confier à un débutant. Et aucun ancien ne se bat pour.

Donc, c'est pour moi. De toute façon, je suis déjà mal vu, se dit Stave tout en déclarant à haute voix :

— Je m'en occupe, patron.

— Bien. Vous parlez anglais ?

Stave se redresse brusquement.

— Un peu. Pas très bien, je le crains.

— Dommage, réplique Breuer. (Il ajoute, mine de rien :) Bon, pas grave. D'après ce qu'on m'a dit, votre homme parle parfaitement l'allemand.

— Mon homme ?

— Les Britanniques ont délégué un officier de liaison pour l'enquête.

— Merde, laisse échapper Stave.

Breuer poursuit sans se laisser démonter.

— Ils ont déniché un spécialiste de la psychologie des masses, vu les implications politiques de l'affaire et son côté, disons, sensible. En plus, je fais détacher un collègue des mœurs. Il travaillera avec vous. Sous vos ordres, naturellement.

— Des mœurs ?

— La morte est nue, rappelle Breuer d'une voix douce.

— Qui ?

— L'inspecteur Lothar Maschke. Il s'est tout de suite porté volontaire.

— On ne peut pas dire que c'est mon jour de chance, grommelle Stave.

Breuer sourit et lance à sa secrétaire :

— Faites entrer ces messieurs !

L'homme qui pénètre en premier dans le bureau porte l'uniforme brun-gris d'un lieutenant de l'armée britannique. Stave lui donne vingt-cinq ans, même si son visage au teint clair, presque rose sous des cheveux blonds coupés court, lui donne l'air plus jeune encore ; pas très grand, l'allure dégagée et le pas élastique du sportif. Stave se demande machinalement pourquoi l'uniforme, pourtant impeccablement repassé, a l'air porté avec un peu trop de désinvolture, pourquoi la mine de l'officier, au demeurant cordiale et charmante, paraît un peu trop blasée. Breuer le présente :

— Lieutenant James C. MacDonald, du gouvernement militaire britannique de Hambourg, Public Safety Branch.

D'un geste vif, l'officier porte la main à sa casquette et salue Stave, qui a l'air embarrassé, ne sachant que faire d'un salut militaire.

MacDonald sourit, lui serre la main.

— Très heureux, monsieur l'inspecteur principal.

Il s'exprime avec un léger accent anglais, mais Stave soupçonne que c'est là son seul défaut. M'étonnerait pas que ce gaillard soit plus à même que la plupart des collègues de rédiger correctement un rapport, se dit-il. Puis, à haute voix :

— Bienvenue à la police judiciaire, lieutenant.

Le deuxième homme a franchi la porte du bureau du patron de la criminelle d'un pas plus hésitant. Stave lui donne trente ans. C'est un grand escogriffe à l'air maladroit, qui flotte dans un costume civil un peu miteux, bien trop large. Il a des cheveux blond-roux et une moustache plus rousse encore. L'index et le majeur de sa main droite sont jaunis par la nicotine, ses gestes sont saccadés, nerveux – un grand fumeur, qui n'a jamais assez de tabac par les temps qui courent.

Stave lui adresse un salut de la tête. L'inspecteur de la brigade des mœurs Lothar Maschke, il le connaît de réputation. Il est sorti il y a peu de l'école de police, mais il a déjà réussi l'exploit de se faire mal voir de la plupart de ses collègues de la judiciaire, sans qu'on sache vraiment pourquoi. Stave imagine que Maschke se laisse pousser la moustache pour se vieillir. Et il ricane furtivement parce qu'il habite encore chez maman. Pour un policier de la brigade des mœurs, c'est le bouquet !

Breuer élève la voix tout en se frottant les mains.

— Messieurs, je suis impatient de connaître les résultats de votre enquête.

— Allons dans mon bureau, propose Stave.

Il quitte son patron sur un bref mouvement de la tête, puis indique le chemin aux deux hommes. Manquait plus que ces deux-là, se dit-il, résigné, en marchant derrière eux dans le couloir obscur qu'éclaire faiblement une unique ampoule de 15 watts.

Son bureau en revanche est lumineux. La fenêtre donne sur la Philharmonie et les ruines au-delà. Le plateau en bois de la vieille table de travail est débarrassé, comme si on y avait passé la balayette. L'inspecteur principal serre méticuleusement tous les dossiers dans les tiroirs de son bureau, range ses classeurs, sur le dos desquels il a collé des étiquettes quasi calligraphiées, dans une imposante armoire métallique grise pour dossiers suspendus.

Erna Berg entre et dépose devant lui une chemise cartonnée verte dans laquelle elle a glissé une feuille dactylographiée concernant le nouvel homicide. L'inspecteur principal présente sa secrétaire aux deux hommes.

Maschke se contente d'un bref signe de tête et grommelle quelques mots incompréhensibles. MacDonald en revanche lui serre la main.

— Heureux de faire votre connaissance, dit-il.

Stave remarque avec étonnement que sa secrétaire rougit.

— Je vous apporte une chaise, répond-elle de manière un peu trop précipitée.

— Laissez, j'y vais, proteste MacDonald.

Erna Berg lui sourit. Il se rue dans le secrétariat.

D'un signe de tête discret, Stave signifie à Erna Berg de se retirer et de refermer la porte derrière elle. Et subitement il pense à Margarethe et à leur première rencontre. Cette timidité et cette excitation. Il envie le jeune officier britannique. Sottise. Il repousse le souvenir de sa femme, de toutes les femmes – exceptée une : la morte nue.

— Prenez place, dit-il en y mettant les formes. Voici donc les faits.

L'inspecteur principal rend compte avec méthode. Le cadavre nu avec la cicatrice de l'appendicite et les traces de strangulation, le lieu de découverte du corps, les deux gamins, l'interrogatoire des habitants du blockhaus, les pistes de recherche qui sont autant d'impasses. Lorsque Stave a terminé son rapport, MacDonald sort un paquet de cigarettes anglaises. Stave et Maschke hésitent à en prendre une, comme si chacun attendait la décision de l'autre. Puis l'inspecteur principal se lance, accepte une cigarette et remercie. En réalité, il ne fume plus. Manifestement, l'inspecteur des mœurs a attendu de voir si Stave, son supérieur pour la durée de l'enquête, accepte ce cadeau d'un ancien ennemi. Il inhale aussitôt la fumée à pleins poumons – avec une telle voracité que MacDonald, sourire moitié poli moitié ironique, le pousse à en accepter une autre. Maschke est pris d'une telle quinte de toux qu'il s'étouffe et ne contrôle pas la fumée qui fuse brutalement de sa bouche et des narines.

— Et maintenant, que fait-on ? demande le Britannique.

Stave lui lance un regard étonné.

— Je suis soldat, pas flic, explique MacDonald en souriant. Je fais la guerre, pas des enquêtes.

Stave esquisse un sourire contraint.

— Plus nous en saurons sur la victime, plus nous en saurons sur le coupable, commence-t-il. Car souvent victime et coupable se connaissent. Nous allons donc essayer de percer l'identité de la morte. Nous allons pratiquer une autopsie.

— *Nous* allons pratiquer une autopsie ? l'interrompt Mac-Donald, qui ne sourit plus.

— C'est le médecin légiste qui va s'en occuper, le rassure Stave.

Pour la première fois, il lève un œil bienveillant. Le naïf sursaut d'effroi du jeune Anglais le lui rend tout à coup sympathique. Tu me fais un beau soldat, se dit-il, avec ta peur des morts.

— Nous ne nous intéresserons qu'à son constat médico-légal. Et nous en saurons peut-être plus, par exemple, sur le moment exact de la mort. Mais je crois qu'aucun médecin ne nous apprendra quelque chose de l'identité de notre inconnue.

— Excepté celui qui a pratiqué cette appendicite, intervient Maschke.

— Effectivement, reconnaît Stave, c'est une piste. Nous allons commander des clichés au photographe et les distribuer aux hôpitaux de Hambourg. Quelqu'un reconnaîtra peut-être cette femme. Cela dit, une appendicite fait partie de la routine, et je crains qu'aucune infirmière ni aucun chirurgien ne se souviennent de celle-ci en particulier.

— Pour autant que les hôpitaux soient encore debout… et les chirurgiens encore en vie. Vu que ces dernières années, ils ont eu beaucoup de travail, ajoute perfidement Maschke.

L'inspecteur principal adresse un regard d'avertissement à son collègue. Il est déjà assez rageant d'avoir un officier des forces d'occupation dans l'équipe. Inutile, en plus, de le provoquer.

Mais MacDonald joue les sourds.

— Et si les médecins ne peuvent pas nous aider ? demande-t-il.

— Nous allons faire imprimer des affiches avec la photo de la morte et en couvrir la ville. Même si ça a l'air un peu (Stave hésite, cherche le mot exact) risqué, termine-t-il en baissant la voix.

Comme le Britannique lève le sourcil d'un air interrogateur, il explique :

— D'un côté, il faut qu'on obtienne des renseignements de la population. Pas impossible que quelqu'un connaisse la morte. C'est même probable. Mais je ne tiens pas informer si brutalement les gens qu'un assassin rôde dans la ville. Cela pourrait causer des troubles.

— C'est exactement pour cette raison que j'ai été détaché, dit MacDonald avec une sincérité désarmante. Le gouvernement militaire britannique, lui aussi, a intérêt à ce que l'enquête aboutisse aussi rapidement que possible et qu'elle soit menée le plus discrètement possible.

— Je comprends.

Stave toussote et éteint sa cigarette à moitié fumée. Maschke, qui a depuis longtemps terminé la sienne jusqu'à s'en brûler les doigts, lui lance un regard outré et désapprobateur.

— Excepté ceux que j'ai évoqués, nous n'avons pas beaucoup d'indices sur lesquels nous appuyer, concède l'inspecteur principal, si ce n'est un vague soupçon.

Il remarque que l'officier britannique s'est soudain légèrement penché en avant sur sa chaise, plus attentif, tendu presque. Maschke, en revanche, fixe toujours le mégot qui achève de se consumer dans le cendrier. Il a anticipé ce que je vais dire, pense Stave.

— Une apparence soignée, des mains propres, aucune trace de lésions, une belle peau, aucune insuffisance alimentaire – notre femme n'est pas une ouvrière. Je ne pense pas non plus qu'elle soit arrivée à Hambourg durant ces dernières semaines avec un convoi de réfugiés venant de l'Est : elle serait plus maigre. Elle ne m'a pas non plus l'air d'une personne déplacée : leur corps est souvent marqué par d'anciens (l'inspecteur une fois de plus cherche le mot approprié) stigmates.

— Stigmates ? s'étonne MacDonald.

Stave soupire. Inutile de tourner autour du pot. Pas dans une petite cellule spéciale d'investigation criminelle, pas dans une affaire de meurtre de cet acabit.

— Pas de numéro tatoué sur l'avant-bras, ce qui indiquerait qu'elle serait passée par un camp de concentration nazi, continue-t-il. Excepté cette cicatrice d'opération, aucune trace de meurtrissures, aucune marque de coups, aucun signe de blessures, rien qui indique qu'elle aurait été battue, pas de preuve d'extrême malnutrition. Il est possible, naturellement, qu'elle soit polonaise, ou russe ou ukrainienne, déportée dans le Reich comme travailleuse forcée. Possible qu'elle ait été attribuée à un paysan, quelque part dans le Schleswig-Holstein ou en Basse-Saxe, ou qu'elle ait été affectée à une usine quelconque. Qu'en 1945, elle ait décidé de rester ici comme DP, au lieu de retourner chez le petit père des peuples. Mais, une chose est sûre : elle n'a pas des mains d'ouvrière.

— Une fille de bonne famille ? tente MacDonald.

Le voilà qui semble prendre plaisir à l'enquête, se dit Stave.

— Possible. Mais en général la disparition d'une jeune fille de bonne famille est assez rapidement signalée. Ce qui, pour l'instant, n'est pas le cas pour notre morte. Cela dit, peut-être qu'on finira par nous signaler une disparition. Mais, si on n'a rien d'ici ce soir, on s'économisera une visite dans une villa de Blankenese.

— Alors, qui peut être cette morte ?

— Une pierreuse, lance Maschke, enfin sorti de sa contemplation frustrée du mégot.

— Je n'ai pas appris ce mot dans mes cours d'allemand, avoue MacDonald.

Maschke éclate de rire.

— Une putain, quoi. Une fille de joie. Une pros-ti-tuée. C'est même pour ça que je fais partie de l'enquête, pas vrai ?

Stave approuve de la tête. Il a compris pourquoi Maschke était si mal vu des policiers de la judiciaire.

— Si l'on s'en tient aux apparences, ça pourrait effectivement coller, convient-il du bout des lèvres. Les circonstances de sa mort aussi. Ce qui nous fait assez d'indices pour aller prendre le pouls des clientes de Maschke.

— Qu'est-ce que ça veut dire ? s'étonne MacDonald.

— Que nous allons nous transporter à la Reeperbahn, déclare Stave en souriant d'un air pincé.

MacDonald fait une moue ravie.

— Les camarades du Club des officiers ne me croiront jamais, quand je leur dirai que j'ai eu le droit d'y aller pendant les heures de service.

— Ça vaut toujours le coup de gagner une guerre, murmure Maschke.

Il a dit ça d'une voix si retenue que Stave se demande si le Britannique l'a compris. L'inspecteur principal ajoute vivement et d'une voix un peu trop forte :

— Il faut que je vous dise, lieutenant : je ne suis pas certain que ces messieurs de la Reeperbahn soient si ravis de nous voir. Et, malheureusement, ces dames non plus.

Puis il appelle sa secrétaire.

— Il nous faut des photos. Uniquement avec la tête de la victime, pour qu'on puisse bien reconnaître le visage. Mais, si possible, que ça n'ait pas l'air trop sinistre.

— Combien ? demande Erna Berg, les yeux fixés sur l'officier britannique.

Un coup de canif dans mon autorité, se dit Stave.

— Une douzaine pour l'inspecteur Müller. Qu'il prenne quelques agents et qu'ils aillent les montrer dans les hôpitaux à tous les chirurgiens qu'ils pourront dénicher. La victime a subi une appendicite, peut-être qu'un de ces messieurs se la rappellera. Il nous faut aussi des clichés pour les affiches. Mille exemplaires (il hésite, réfléchit) non, cinq cents suffiront. Je rédige le texte tout de suite. Prévenez les services de police compétents qu'après-demain des patrouilles pourront les coller. Et il me faut encore trois clichés pour ces deux messieurs et moi-même.

— C'est comme si c'était fait, patron, lance Erna Berg d'une voix flûtée en sortant du bureau.

MacDonald la suit du regard. Puis, se sentant surpris par Stave, il jette un regard circulaire sur les lieux et dit :

— C'est pas mal, chez vous.

Stave sourit avec indulgence. Il extrait une feuille de papier d'un tiroir de son bureau ainsi qu'un moignon de crayon.

— Je rédige le texte pour l'affiche. On se retrouve dans une demi-heure à l'entrée. Pour une sortie sur la Reeperbahn.

Vingt-neuf minutes plus tard, Stave est dans le hall, devant l'immense porte. Il a faim, il a froid, et il a en tête bien d'autres choses que d'aller interroger des marlous et des putains.

MacDonald attend déjà. Irrité, Stave constate que Maschke dévale l'escalier avec deux minutes de retard, manteau battant aux mollets. Il se demande ce que son collègue des mœurs a bien pu fabriquer durant cette demi-heure. Alors qu'ils sortent, MacDonald jette un regard étonné autour de lui.

— Où est votre voiture, Stave ?

— L'essence est encore rationnée, même pour la police, lieutenant. La plupart du temps, nous allons à pied ou nous prenons le tram. D'ici, la Reeperbahn, c'est une petite promenade.

— Si j'avais su, j'aurais pris une jeep, rétorque MacDonald en claquant de la langue, navré.

— Et c'est dans une jeep britannique que nous aurions descendu la Reeperbahn, de bordel en bordel, grogne Maschke. Et toutes les patrouilles anglaises nous auraient salués...

Stave hoche la tête d'un air bourru. Puis il distribue les clichés de la morte. Ils sentent encore l'encre.

— Allons-y.

Il relève le col de son manteau. Il est plus de midi et depuis son misérable petit déjeuner, il n'a rien mangé. La bise glaciale siffle toujours à travers les ruines. Stave a l'impression d'avoir été battu comme plâtre. MacDonald, uniforme dans les plis et visage au teint rose, a l'air de partir pour une promenade digestive – ce qui doit être le cas, se dit Stave. Maschke a déjà coincé entre ses lèvres sa deuxième cigarette anglaise et les suit à quelques pas en traînant les pieds, comme s'il ne les connaissait pas.

Sur le mur sale d'un immeuble sont collés des bouts de papier jaunis et des affiches, dont quelques-unes de la taille d'un drap, au texte en anglais et en allemand : «Military Governement – Germany/Law Nb 15», «Militärregierung – Deutschland/Gesetz Nr. 15», lit Stave en passant. L'inspecteur principal jette un coup d'œil routinier sur les proclamations et les annonces. Rien de neuf. Des affiches comme celles-ci, des bouts de papier manuscrits et des gribouillis à la craie sur des murs nus, voilà les journaux que nous méritons, se dit-il. La presse ne paraît qu'une ou deux fois par semaine, quelques maigres feuilles. On manque de papier pour imprimer davantage de pages. S'il se fie à la rumeur, il faudra encore attendre quelques semaines pour qu'une radio émettant en langue allemande soit autorisée. Et au cinéma, on ne voit en priorité que les actualités filmées hebdomadaires, britanniques et américaines.

Comment communiquer avec la population sinon en apposant des messages et des déclarations sur les façades ? Le gouvernement militaire couvre les murs encore debout des rues les plus passantes et les colonnes d'affichage de règlements inédits, de décrets et d'arrêtés stipulant de nouveaux rationnements, annonçant des changements d'horaires de couvre-feu – surtout qu'aucun Allemand ne puisse, cette fois, prétendre qu'il ne savait pas! Et les Allemands eux-mêmes imitent leurs nouveaux maîtres : puisqu'il est impossible de faire autrement, ils apposent sur les murs de brique des avis de recherche de parents disparus, des propositions de troc, des annonces pour des appartements. Le maire en fait autant pour ses proclamations. Et nous, les membres de la police judiciaire, se dit Stave, nous agrémentons le tout avec nos propres avis de recherche, ornés de portraits de criminels et de photos de morts assassinés.

Ils parviennent au Heiligengeistfeld, une immense place sale, ouverte à toutes les rafales du vent polaire. Deux blockhaus gris-noir s'élancent vers le ciel, blocs massifs semblables aux temples d'une sombre religion disparue. Une méchante petite pancarte indique qu'au rez-de-chaussée de l'un de ces abris antiaériens est logé le siège de la rédaction des *Cahiers de l'Allemagne du Nord-Ouest*, mais à cette heure, il n'y a personne. Au-dessus de l'entrée du second bunker, un écriteau à peine plus grand attire les regards : *Scala*. Et juste en dessous, le programme du lieu : « Mille et une femmes ». Une revue de music-hall dans un bunker de presque mille places, avec des filles peu vêtues dans des costumes fantaisie en Cellophane peinte et des rengaines à l'eau de rose ! Stave pense que l'endroit est bien pervers pour abriter ce genre d'établissement. Mais à cette heure, tout est aussi désert qu'à côté.

La Reeperbahn, l'« avenue des péchés » de Hambourg, a l'air plus fantomatique encore. Quoique la lumière du jour soit déjà sur son déclin, aucune enseigne n'est encore allumée, par manque d'électricité. Quelques établissements, bars et cabarets, ont été soufflés par des bombes ; le Panoptikum, l'imposant Volksoper, le Café Menke sont en ruines. Dans les éboulis, des patrons de bars ont bricolé des baraques de planches et de briques, des endroits minables où, le soir venu, des hommes qui ne sont pas encore las de tirer au fusil peuvent viser des cibles en carton avec des arbalètes. Mais à cette heure, personne n'y cherche son bonheur.

Reste qu'il y a tout de même beaucoup de monde sur la Reeperbahn. Des femmes et des hommes, beaucoup d'enfants aussi, dans des manteaux délavés et élimés, qui traînassent sans but apparent sur les trottoirs, au carrefour de l'avenue et du Hamburger Berg, qui tournent en rond, lèvent les yeux au ciel, mine de rien. Marché noir.

Lorsque les trois enquêteurs approchent, on leur cède la place, on s'écarte de quelques pas comme s'ils avaient la gale. Stave jure en silence : stupide uniforme britannique. Seul, il aurait pu déambuler parmi des dizaines de flâneurs sans se faire remarquer, alors qu'il ne perçoit que des gestes furtifs lorsque des cigarettes, ou des bouteilles de schnaps, ou Dieu sait quoi encore, disparaissent précipitamment sous des manteaux. Des femmes et des adolescents tournent le dos aux trois hommes, tout le monde les évite, quelques types louches s'éclipsent dans des ruelles. Seules deux jeunes filles les ont vus de loin, hésitent et finissent tout de même par venir vers eux. Dix-huit ans, estime Stave, même pas adultes. Blondes, fourrure de putois autour du cou, sourire faux. Une trentaine de mètres encore, et ils seront face à face.

De plus en plus contrarié, l'inspecteur principal fait quelques pas sur la Reeperbahn. Le poste de police de la Davidwache est resté intact, au grand dam de tous les maquereaux de Hambourg. Le restaurant Zillertal a survécu aux grêles de bombes ainsi que quelques rares établissements : l'Onkel Hugo, l'Alcazar. Quelques dizaines de mètres plus loin, direction Talstrasse, le Kamsing, le seul restaurant chinois de Hambourg qui, même par ces temps difficiles, propose des soupes pimentées et du riz avec des épices exotiques d'origine obscure. Stave sent qu'il a faim en pensant au Kamsing. Puis il prend une décision.

— Ça ne mène à rien, déclare-t-il, seules les filles viennent vers nous, tout le monde détale.

— Mieux vaut ça que le contraire, remarque MacDonald avec un sourire en direction des filles.

Ce type, je le perdrais en plein jour, si je n'y prenais garde, se dit Stave.

— Nous allons nous séparer, ordonne-t-il. Lieutenant, nous allons faire les cabarets et les bars pour cuisiner leur clientèle. Maschke, vous restez et vous questionnez ces dames et leurs protecteurs. Rendez-vous dans deux heures devant la Davidwache.

Un bon moyen pour éloigner l'officier britannique du feu des projecteurs. Stave n'a plus envie que tous les regards soient braqués sur lui pour le fuir. Bien entendu, MacDonald se fera aussi remarquer dans les bars et les bordels, mais il sera difficile de leur échapper, et par ailleurs Maschke pourra interroger plus facilement les filles et leurs macs. Sans compter que l'inspecteur des mœurs restera deux heures dans le froid, tandis qu'avec le Britannique ils pourront se réchauffer. C'est la première fois depuis des heures que Stave sourit.

Il prend congé de Maschke d'un simple signe de tête, puis s'en va avant l'arrivée des deux blondinettes. L'une des filles lui jette un regard déçu, l'autre paraît vouloir lui envoyer un salut amical. Mais elle ouvre tout à coup de grands yeux effrayés. Elle a reconnu l'inspecteur des mœurs qui leur tournait le dos.

— Bonjour, mesdemoiselles, lance-t-il d'un air aimable. *Vous avez la bonne chance de trouver un vrai cavalier*, ajoute-t-il en français.

Trop tard, mignonnes, pense Stave. Et, interdit, il se demande où son collègue a si bien appris cette langue. Du coin de l'œil, il voit encore Maschke tirer sa carte de police de la poche de son manteau et la glisser sous le petit nez des deux dames, puis il remorque MacDonald en direction du Zillertal, dont il pousse la porte.

Air pestilentiel, relents de vieux tabac froid, remugle de schnaps bon marché et de soupe aux choux. La plupart des tables sont vides. À l'une d'elles, quatre hommes relativement âgés au visage empourpré. Devant eux, des verres à eau où luit un liquide incolore. Deux filles fatiguées à la table voisine font semblant d'ignorer leurs remarques salaces. Elles réchauffent leurs mains maigres à des assiettes creuses en émail dans lesquelles fume une soupe où flottent des débris de trognons de choux. Deux hommes, jeunes, sont attablés dans le fond de la salle. Manteaux opulents, bonnes chaussures, de la qualité d'avant-guerre. Ils fument des américaines, jettent un bref regard à Stave et MacDonald, leur tournent le dos, rapprochent leurs têtes et murmurent. Des trafiquants du marché noir.

Derrière le zinc, le tenancier du bar, jeune encore et naguère gros. La masse fluctuante de ses bajoues flasques tremblote quand il retire vivement du comptoir les bouteilles non étiquetées pour les fourrer dans une armoire. La vente de boissons alcoolisées est strictement réglementée par les autorités, mais tout le monde sait que les tauliers de Sankt Pauli servent du schnaps de contrebande, ou distillé clandestinement, sous l'appellation « eau minérale ».

Pas mon problème, se dit Stave en se dirigeant vers le patron, dont les joues sont encore un peu plus blêmes qu'auparavant. Il lui présente sa carte de police, puis brandit la photo de la morte.

— L'avez déjà vue quelque part ?

L'homme le fixe du regard, contemple la carte, puis la photo et enfin MacDonald, en qui il espère un sauveur. Mais le Britannique ne sourit plus. Au contraire. Stave remarque qu'il observe l'homme avec des yeux sans complaisance. Le regard d'un bourreau, se dit-il, en se demandant si MacDonald a été délégué auprès de la police judiciaire allemande pour ses seules connaissances de la langue de Goethe. Ou s'il n'aurait pas, en prime, de tout autres compétences. Le patron finit par capituler. Concentré, quelque peu blasé, il porte ses efforts sur la photo, puis secoue la tête.

— Je ne la connais pas. C'est qui ?

— Merci, répond Stave.

Il le salue brièvement et lui tourne le dos. Il murmure à MacDonald :

— On va interroger ces deux jeunes gens aux cigarettes. Mais veillez bien à ce que les deux dames continuent à manger gentiment leur soupe. Il ne faut pas qu'elles s'éclipsent.

— Et s'il y en a une qui va aux toilettes ?

— Vous la suivez.

Stave se dirige vers la table du fond. Les deux trafiquants lui tournent toujours le dos, alors qu'ils l'ont repéré depuis longtemps.

Sans un mot, il tire une chaise à lui et s'assied. MacDonald reste un pas en arrière.

L'inspecteur principal voit enfin les deux visages rasés de près, bien nourris, au sourire narquois et aux yeux froids. Des types de vingt ans à peine, mais qui ont déjà tout vécu durant la guerre. Des têtes d'assassins. Stave se contient pour ne pas les interpeller sur-le-champ. Cette fois encore, il se contente de sortir sa carte et la photo, qu'il leur brandit alternativement.

— Connaissez-vous cette dame ? demande-t-il poliment.

Les deux hommes sont si stupéfaits qu'ils arrêtent de ricaner bêtement pendant quelques secondes. Ils s'attendaient à autre chose : des questions à propos de cigarettes, d'argent, de médicaments, des interrogatoires de routine concernant le marché noir. Stave remarque qu'ils sont plus détendus.

— Non, dit le plus grand. Désolé, va-t-il même jusqu'à ajouter.

Son compagnon prend plus de temps, mais lui aussi secoue la tête.

— Pas une fille de la Reeperbahn, ça ; sûr et certain, monsieur le commissaire.

— Et une cliente ?

Stave s'abstient de préciser : du marché noir.

Les deux hommes échangent un bref regard, puis se décident à comprendre sa question.

— Difficile de s'y retrouver, si vous voyez ce que je veux dire, répond le plus grand. Je ne peux pas être certain à cent pour cent. Mais je ne pense pas avoir jamais vu cette femme.

— Elle devait être mignonne, complète l'autre, comme si sa remarque avait un quelconque intérêt.

Stave ferme les yeux. Il croit les deux trafiquants. Il croit aussi le patron – l'affaire se présente mal.

— Merci, dit-il gentiment.

En se levant, il sent combien il est fatigué. Il aurait aimé rester assis avec ces deux-là, à partager un verre. Absurde.

— Demandons encore aux filles. Après, on sort vite fait, siffle-t-il en direction de MacDonald.

— Et les buveurs ? demande le Britannique.

— Soit. Vous questionnez ces quatre héros, je m'occupe des deux filles.

— Je préférerais l'inverse, murmure MacDonald – il sourit finement et prend le chemin des hommes attablés devant leur verre.

La plus âgée des deux femmes apostrophe Stave dès qu'il approche :

— Qu'est-ce que je peux pour vous, commissaire ?

Elle a eu le temps de deviner qui je suis, se dit Stave, et elle sait depuis longtemps que je n'ai rien d'un micheton. Futée, la fille. Il la regarde un moment, fixement, sans un mot. Elle lui renvoie un sourire taquin. La plus jeune est gênée. Toutes deux ont à peu de chose près l'âge de la morte.

— Votre collègue, là, il fait un de ces zèles! dit la plus âgée, main droite tendue vers la fenêtre.

Stave suit son geste et reconnaît Maschke avantageusement campé devant une prostituée d'un certain âge qui le regarde, l'air pitoyable.

— Le rouquemoute, là, je le connais. Il interpelle toutes les femmes, y compris celles qui n'ont qu'un soupçon de rouge à lèvres. Il est incapable de faire la différence entre une femme bien et une putain. Un de ces quatre, il va arrêter la femme du maire! Mais vous, je ne vous connais pas, et je ne connais pas non plus votre collègue britannique.

Elle parle avec un fort accent, le débit est lent. Prusse-Orientale, estime Stave. Il garde sa carte de police dans la poche, ne décline pas non plus son identité, se contente d'exhiber la photo. La plus âgée reste impavide, la plus jeune blêmit et met la main devant sa bouche, effrayée.

— Quelle est l'ordure qui a fait ça? questionne la plus âgée.

— J'aimerais bien le savoir, répond Stave. Mais j'aimerais aussi savoir qui est cette morte.

— Jamais vue.

Stave tend la photo à la plus jeune.

— Et vous?

— Je me sens mal, gémit-elle, j'ai envie de gerber. Enlevez-moi cette photo!

Stave ne bouge pas.

— Vous pouvez vomir si vous voulez, mais pas avant de m'avoir dit si vous avez déjà vu cette femme.

— Non! crie-t-elle presque, en se levant brusquement pour partir en courant, courbée en deux, vers le fond de la salle, en direction d'une porte crasseuse.

MacDonald s'est levé d'un bond. Stave sursaute quand il voit que le Britannique a sorti son arme. Un type très rapide, se dit-il, tout en lui signifiant d'un geste vif de rengainer.

Le lieutenant s'assied à nouveau avec les hommes, qui sont devenus très pâles et le regardent, la peur aux yeux.

— Hildegard n'est dans les affaires que depuis une semaine, murmure la plus âgée des deux femmes pour excuser sa compagne. Elle vient d'un endroit où l'on ne voit pas ça tous les jours.

— Parce que vous, vous voyez ça tous les jours ?

Elle rit pour dissimuler son dégoût.

— Je suis venue de Breslau dans un convoi. J'ai vu tellement de morts en route que ce n'est pas une photo qui va m'impressionner. Vous pensez qu'elle était des nôtres ?

Stave veut lui répondre sèchement que cela ne la regarde absolument pas. Mais il a perçu cette pointe de peur dans sa voix effrontée, la peur qu'a toute putain : qu'un client exige plus qu'un coup rapide sous un porche. Quelque chose de plus laid. De mortel. Et c'est d'une voix douce qu'il lui demande son nom. Elle hésite un instant, puis :

— Ingrid Domin, finit-elle par murmurer. Mais pour mes clients, Véronique. Ça fait plus exotique. Français, vous comprenez, explique-t-elle, écœurée, avec un geste de mépris.

Stave se rappelle que Maschke a salué les deux filles en français. Il arrache une feuille à son calepin et y griffonne ses coordonnées téléphoniques : Tél. 34 10 00, poste 8451-8454. Il y ajoute son nom.

— Faites-moi une faveur : si vous entendez parler de quelque chose, appelez-moi ou passez à l'hôtel de police. Peu importe si ce que vous entendez vous paraît bizarre, ou insensé – dites-le-moi. Promis ?

Elle hoche la tête en signe d'assentiment et le papier disparaît dans son sac à main. L'inspecteur principal se lève.

— Je ne sais pas si la morte (il cherche l'expression adéquate) est une dame qui exerce le même métier que vous. Il y a quelques minutes, je le croyais encore. Maintenant, je n'en suis plus si sûr, même si ça reste une possibilité. Faites donc bien attention à vous. Et parlez-en aussi avec vos collègues.

— Je suis une brave fille, et je vais faire bien attention à moi, promet Ingrid Domin, qui, pour la première fois, sourit.

— Vous avez du succès auprès des femmes, murmure MacDonald quand il le rejoint.

Les commissures des lèvres de Stave frémissent.

— Je vous rappelle, lieutenant, que la première à qui j'ai parlé est sortie pour vomir, lui chuchote-t-il.

— Mais l'autre a été plus aimable avec vous que les quatre soiffards avec moi.

— C'est donc un coup d'épée dans l'eau.

— Sur toute la ligne. Jamais vue, la dame. Sans compter que l'un d'entre eux était si soûl qu'il n'aurait sans doute même pas reconnu sa propre mère.

— Il arrive souvent que des enfants ne reconnaissent pas la photo mortuaire de leur propre mère, précise Stave.

— Et maintenant ?

— En route pour l'établissement suivant. Puis le suivant et encore le suivant.

— Heureusement qu'il n'en reste pas trop debout, murmure MacDonald. Je n'aurais jamais pensé qu'un jour j'aurais l'occasion de remercier les camarades du Bomber Command pour leurs raids.

Stave ne répond rien. Il se contente d'ouvrir la porte.

Une heure et demie plus tard, ils entrent au Kamsing, la dernière station de leur tournée d'inspection. Rien. Ils ont questionné six ou sept bistrotiers, quelques clients, une vingtaine de filles au moins, un bon nombre de marlous et de trafiquants de marché noir. Pas un n'a déclaré avoir vu la morte.

— Je vous invite à déguster une de ces affreuses soupes chinoises, dit MacDonald. Il se peut qu'ils servent aussi de la cervelle de singe ou des cuisses de rats.

— Tant que c'est chaud…, murmure Stave, reconnaissant, et il prend place sur une chaise bancale devant une petite table de bistrot tout en fouillant la salle du regard.

Le restaurant est plein. En tout cas, il y a plus de monde que dans les lieux qu'ils viennent de contrôler. Dans une sorte de niche, assis autour d'une grande table ronde, huit hommes, jeunes, habillés comme des mannequins, jouent aux cartes. Poker. Et les billets qui passent de main en main sont des billets de mille Reichsmarks.

Bande de salopards, se dit Stave.

Il sait pourtant bien que cette indignation morale est aiguillonnée par l'envie. Des trafiquants du marché noir, qui flambent des nuits entières. Un de ses collègues a baptisé «croix de fer du trafiquant» la montre en or qui brille à leur poignet. Il a appris à Stave qu'ils planquent des cartes d'alimentation sous leur col de manteau, que bijoux et médicaments passent d'un côté de la table à l'autre, emballés dans du papier journal. Mais il est encore trop tôt dans la soirée. Et en plus, ce n'est pas mon problème, se dit-il. Il avale prudemment la soupe chaude.

— Aucune idée des épices qu'ils mettent là-dedans, bredouille un MacDonald étonné entre deux cuillerées, mais ça réchauffe presque autant qu'un whisky single malt.

Stave renonce à confier au lieutenant qu'il n'a pas bu une goutte de whisky depuis huit ans.

— Bien, se contente-t-il de murmurer.

Pour la première fois de la journée, il sent qu'il a plus chaud, la bouche le brûle et elle est anesthésiée par les épices exotiques. Il devine que tous ses muscles se détendent. Si je ne me lève pas maintenant, je vais m'endormir devant MacDonald, se dit-il. Il fait donc l'effort de se lever, lentement.

— Retour au front. Vous vous occupez d'une moitié des clients, je prends l'autre, on se retrouve devant la porte, ordonne-t-il en partageant la salle en deux d'un geste de la main.

Quelques minutes plus tard, ils sortent du Kamsing tout aussi malins qu'en y entrant. Ils déambulent sur la Reeperbahn en direction de la Davidwache, où Maschke les attend déjà. Des bouffées de fumée s'échappent de sa bouche, il a le bout du nez bleu de froid, il tape dans ses mains. Stave le prend soudain en pitié.

— Personne n'a vu notre victime sur la Reeperbahn. C'était sans doute une jeune fille bien sage, commente l'inspecteur des mœurs.

Le cynisme de Maschke irrite Stave. Est-il vraiment aussi endurci qu'il en a l'air ? Ou n'est-ce qu'une façade ? La timidité d'un adulte qui vit encore chez sa mère ? Ou bien, alors même qu'il n'est dans la police que depuis si peu de temps, a-t-il développé envers «ses» filles ce côté ange gardien qu'affectent beaucoup de collègues des mœurs, plus anciens que lui ? Son attitude bravache manifeste-t-elle une sorte de soulagement ? Se sent-il réconforté parce qu'aucune des filles de la Reeperbahn n'a disparu ?

— On retourne au bureau à pied, on fait rapidement le point et on rentre à la maison, décide l'inspecteur principal.

Arrivé à son bureau, Stave est épuisé. Il regarde par la fenêtre. Il a sous les yeux une ville presque aussi sombre qu'au temps du black-out. Deux, trois lueurs jaunâtres quelque part dans quelques maisons, vraisemblablement les villas que les Britanniques ont réquisitionnées. La clarté vacillante, incertaine, de feux de bois dans des fourneaux bricolés, un danger mortel dans les petits bâtiments à moitié démolis par les bombes. Le rougeoiement de bougies. Son bureau est plongé dans la lumière grise d'une méchante ampoule fuligineuse. Stave lui lance un regard soucieux. Si elle claque, il ne sait pas quand elle sera remplacée. Peut-être pas avant le printemps prochain. Il soupire et se tourne vers ses deux collègues assis devant son bureau.

Erna Berg est partie depuis longtemps. Elle a déposé le rapport de l'inspecteur Müller. Stave le lit en diagonale et finit par annoncer qu'aucun chirurgien n'a reconnu la morte.

— Naturellement, en un après-midi, Müller n'a pas vu tous les chirurgiens concernés, il continue demain. Mais, pour le moment en tout cas, même la cicatrice de la morte ne semble mener à aucune piste. Et aucune disparition n'a été signalée.

Avec ses doigts jaunes de nicotine, Maschke tambourine impatiemment sur le plateau du bureau.

— À mon avis, ce n'était pas une prostituée, déclare-t-il.

— Peut-être venait-elle tout juste d'arriver à Hambourg ? propose MacDonald.

— Il y a un mètre de glace sur l'Elbe, le port est fermé, rappelle Stave. La plupart des voies de chemin de fer sont gelées : aiguillages bloqués par le froid, congères.

— Ponts bombardés, gares détruites, ajoute hargneusement Maschke.

MacDonald l'ignore.

— La plupart des trains qui peuvent encore circuler transportent du charbon ou des pommes de terre, pas des voyageurs. Et dans le peu de trains de voyageurs qui roulent encore, les prisonniers de guerre libérés sont prioritaires. Cela dit, il n'est pas impossible, même si c'est bien invraisemblable, qu'une étrangère ait pu venir jusqu'ici ces derniers temps, mais certainement pas dans un aussi bon état physique que celui de notre victime.

— À moins qu'elle ne soit venue en voiture, murmure MacDonald, songeur.

Stave admire l'honnêteté du lieutenant : il a déjà pensé à cette hypothèse, mais n'a pas osé la formuler aussi directement.

— Effectivement. L'essence est rationnée, les Allemands ont besoin d'un ordre de mission obligatoire, tout trajet long est soumis à autorisation. Il n'y a en outre presque plus de voitures ou de camions intacts. Il n'est donc pas très réaliste de penser qu'un Allemand aurait transporté notre inconnue. Un Britannique, en revanche...

— Intéressante théorie, souffle Maschke avec un malin plaisir.

MacDonald reste impassible.

— J'ai un cliché de la morte. Je vais demander à mes camarades.

Stave sourit.

— Merci. Heureusement, «la piste britannique», appelons-la comme ça, n'est pas la seule. Si on prend pour hypothèse que notre morte n'est ni une prostituée, ni une fille de bonne famille disparue, ni une ouvrière, ni quelqu'un qui vient d'arriver en ville – il nous reste encore quelques possibilités. Notre inconnue était peut-être une secrétaire, des services municipaux par exemple, ou bien elle travaillait pour les autorités d'occupation, ou encore pour une entreprise qui a déjà repris ses activités.

— Ou bien c'était une vendeuse, remarque Maschke, d'un magasin de mode. Le C&A de la Mönckebergstrasse est ouvert.

L'inspecteur principal approuve d'un signe de tête.

— Poursuivons : notre inconnue gagne donc sa vie honnêtement. En tout cas, elle a suffisamment d'argent pour subvenir correctement à ses besoins et soigner sa personne. Elle disparaît, mais personne ne signale le fait à la police. Ce qui voudrait peut-être dire qu'elle n'a ni amis ni parents ici. (Il pense à Erna Berg.) Une veuve de guerre, peut-être ? Ou la femme d'un réfugié, mais qui serait arrivée à Hambourg il y a un ou deux ans ?

Stave se lève et arpente le bureau à grands pas. Tout d'un coup, il n'est plus fatigué.

— D'un autre côté, elle a peut-être un petit ami, un parent, mais qui se gardera bien de venir nous voir... parce que c'est lui qui l'a assassinée! Comme je l'ai déjà dit, dans la majorité des cas, victime et coupable se connaissent. Faut-il alors que nous recherchions le fiancé de notre inconnue ? Ou son oncle ? Pourquoi pas.

— Que proposez-vous ? demande MacDonald.

— D'attendre. Nous allons avoir le procès-verbal d'autopsie. Nos affiches vont être placardées partout dans la ville. De la patience : cette affaire n'est même pas vieille d'un jour.

— Un jour éprouvant, grogne Maschke.

Stave sourit fraîchement.

— On se retrouve ici demain matin. Bonne soirée.

Une heure plus tard, il est dans son appartement glacé et attise son feu. Il est descendu à la cave pour soustraire trois pommes de terre à ses maigres provisions. Elles sont gelées et, tandis qu'elles ramollissent, il en suinte une substance gluante, aigrelette. Il les cuisine sur son fourneau de survie et y ajoute son dernier trognon de chou vert. Puis il passe pommes de terre et chou dans le hachoir à viande, ajoute du sel, pétrit la masse pâteuse obtenue en une longue miche qu'il met dans une poêle à frire. La voisine qui lui a devoilé cette recette a baptisé ce plat «saucisse plâtreuse». Et même si la cuisson sur le petit foyer dure plus d'une heure, Stave patiente le temps nécessaire. Quand tout sera prêt, il aura au moins l'illusion d'être récompensé de la peine qu'il s'est donnée, et il aura quelque chose de nourrissant et de chaud dans le ventre. En plus, cuisiner l'empêche de ruminer.

Quand il a enfin mangé, il s'allonge sur son lit en pull-over et pantalon de survêtement. Enveloppé dans beaucoup de couvertures, il fixe la fenêtre où les rayons de la lune se réfractent sur la croûte de glace en formant d'étranges dessins verdâtres.

Stave veut penser à la morte. Il veut peser le pour et le contre de toutes les hypothèses, chercher des pistes qui auraient pu être négligées. Mais l'image de sa femme se superpose inéluctablement à celle de l'inconnue, et son esprit est prisonnier de cette nuit de bombardements qui remonte à presque quatre ans.

Si au moins j'avais du schnaps, se dit-il, je pourrais me soûler.

Sol gelé

Une mer de flammes, jaunes, rouges, blanches, bleues. Une chaleur de braise qui grille le visage, une respiration douloureuse. Des bois de charpente qui craquent, des briques qui éclatent avec plus de bruit qu'un tir de mitrailleuse, des morceaux de maçonnerie. La puanteur de cheveux qui s'enflamment, de peau qui grille. Stave au milieu des ruines, partout le feu, une tempête de feu, il court et court, sa putain de jambe claudique, chaque pas est une torture, et pourtant il sait que Margarethe n'est plus qu'à quelques mètres. Ses cris. Elle l'appelle. Et il reste coincé quelque part, des murs le cernent, des poutres brûlent. Il veut hurler son nom, mais sa bouche est envahie par la fumée, il s'étrangle et tousse par quintes. Margarethe est silencieuse à présent, si terriblement silencieuse.

Stave se dresse dans son lit, le corps tout entier baigné de sueur froide. De la glace sur les vitres, un appartement sombre, glacé – mais il sent encore la chaleur de la braise, la lumière trop vive des flammes qui montent à une hauteur de cinq étages. Saloperie de cauchemar, se dit-il en se frottant les yeux. En réalité, durant cette nuit de malheur, il était de service à l'autre bout de Hambourg, certes lui aussi prisonnier d'une maison effondrée – sa jambe raide lui rappelle tous les jours la scène. Mais aux décombres de sa propre maison, il n'y est parvenu, blessé et à demi paralysé par la peur, que des heures plus tard, bien après le tapis de bombes, et il n'a jamais entendu Margarethe crier.

D'autres sont hantés la nuit par des événements qu'ils ont effectivement vécus et dont ils ont directement souffert : la peur de mourir au front, dans le confinement d'un sous-marin, une cave, une cellule de la Gestapo. Possible de venir à bout de ça, se dit Stave – avec le temps, la guerre finie, il est peut-être pensable de se rendre sur certains lieux de la terreur. Mais comment se débarrasser d'un cauchemar, le cauchemar d'un événement qui n'a jamais eu lieu tel qu'il le subit dans son rêve ?

S'apitoyer sur soi-même ne sert à rien, se dit-il, et il se lève prudemment. Les couvertures craquent discrètement quand la croûte de givre se fendille. Il va falloir que je trouve du bois, se dit Stave en allumant son fourneau.

Peu de temps après, il se met en route pour la longue marche qui le conduit à l'hôtel de police. Il n'y a pas d'essence pour les bus. Si quelques lignes de tramway ont déjà été remises en état de marche, les trams ne roulent que quelques heures par jour. Je m'habituerais facilement aux services de Ruge et de sa voiture, se dit l'inspecteur principal.

Mais, en réalité, il est heureux de cette heure de marche à pied. Il y a longtemps qu'il s'est habitué au spectacle des ruines, aux affiches jaunies, aux messages à la craie sur les montants de portes d'immeubles, aux fantômes qui trottinent sur la chaussée. Tout cela ne le déprime plus. Il savoure cette marche à pas rapides qui lui réchauffe le sang tandis que l'air glacé lui dégage le cerveau. Pendant une heure, il n'a plus aucun souci, ne ressent plus aucune inquiétude.

De bonne humeur, il entre enfin dans le building de la Karl-Muck-Platz. Erna Berg est déjà arrivée, lui sourit, un peu plus joviale que d'habitude, lui semble-t-il.

— Le lieutenant attend dans votre bureau.

Maschke est là, lui aussi, mais manifestement la secrétaire a déjà oublié sa présence, à moins qu'elle ne l'ait pas nommé volontairement. L'inspecteur principal salue ses deux collaborateurs et s'assied. Il préfère garder son manteau. Erna Berg les rejoint en hâte, dépose deux feuilles polycopiées sur le bureau, lance un regard timide à MacDonald et disparaît.

— Le constat médico-légal du Dr Czrisini, annonce Stave.

MacDonald et Maschke se taisent tandis qu'il l'étudie.

— Bon, en tout cas, quelques faits sont d'ores et déjà établis, finit-il par dire. La mort a probablement eu lieu entre le 18 et le 20 janvier, plutôt vers la fin de cette fourchette. Prenons le 20 comme hypothèse. Cause de la mort : strangulation. L'assassin s'est sans doute servi d'un fil métallique. Selon toute vraisemblance, il était placé dans le dos de la victime et il l'a étranglée dans cette position. Il ne semble pas que la femme se soit défendue. Sinon, aucun fait qui mérite d'être signalé, aucun indice, ni sur le corps, ni aux organes du cadavre.

— Rapport sexuel ? questionne Maschke.

Stave secoue la tête.

— Aucune trace de viol. Ni aucune trace de sperme ou quoi que ce soit qui pourrait laisser penser à un acte sexuel consenti peu avant le décès. Même si, naturellement, cette hypothèse n'est pas totalement à exclure.

MacDonald toussote, perplexe.

— Qu'entendez-vous par là ?

Maschke sourit d'un air morne.

— S'ils ont baisé par consentement mutuel, il n'y a aucune marque de lésion notable. Sous la ceinture, s'entend. Et si l'heureux homme qu'elle a laissé faire en dernier a utilisé une capote, il n'y a pas non plus trace de sperme.

— On peut dire ça comme ça, grogne Stave. Il est évident aussi qu'elle n'est restée là que deux jours avant d'être découverte, peut-être même moins. L'assassin n'a donc pas encore eu le temps de filer.

MacDonald sourit.

— Sans compter que seul un nombre réduit de trains peut quitter la ville, et aucun navire. Il doit même encore être à Hambourg.

— Ce qui ne va pas particulièrement tranquilliser nos braves concitoyens, remarque Maschke.

— Mais qui, j'espère, devrait nous faciliter le travail, déclare Stave. (Se retournant vers MacDonald, il ajoute :) Vous avez interrogé vos camarades ?

— Ils ont fait une drôle de tête hier soir au Club, quand je leur ai présenté la photo d'une femme étranglée, répond le lieutenant. Mais personne n'a vu cette dame. Les officiers vont demander aux hommes de troupe, mais je crains que ça ne mène à rien non plus.

Maschke respire bruyamment, l'air arrogant, mais il se tait quand il prend conscience du regard sévère de Stave.

— Poursuivez donc quand même votre enquête, bougonne l'inspecteur principal. C'est comme avec les chirurgiens et l'appendicite : tant que nous n'aurons pas interrogé tous les témoins potentiels, nous n'aurons aucune certitude réelle.

Le lieutenant hoche la tête en signe d'assentiment et sourit.

— Avec plaisir.

Pour lui, cette enquête ressemble à un sport, une espèce de chasse au renard, se dit Stave, et ce n'est peut-être pas la manière la plus stupide d'envisager les choses. Il soupire.

— Il faut que j'aille au rapport chez le procureur. Lieutenant, seriez-vous assez aimable pour questionner encore un peu vos camarades ? Les soldats britanniques sont en effet les seules personnes qui peuvent sortir de Hambourg sans problème. Le temps presse.

MacDonald approuve de la tête.

— Maschke, vous allez rendre visite aux collègues chargés des agressions à main armée. Il s'agit peut-être d'une affaire de vol aggravé par un meurtre. Une victime entièrement détroussée. Par les temps qui courent, la moindre petite culotte peut s'échanger au marché noir. Demandez-leur s'ils n'ont pas quelque chose dans leurs dossiers.

Maschke se racle la gorge, soudain embarrassé.

— Vous savez bien, monsieur l'inspecteur principal, que les dossiers...

Stave jure à voix basse. À dater du 20 avril 1945, alors que les Britanniques étaient aux portes de la ville, la Gestapo a brûlé des dossiers, certains dans les fours crématoires du camp de concentration de Neuengamme. Ils n'ont pas seulement détruit les preuves de leurs crimes, mais aussi bon nombre de documents concernant des crimes et des délits de droit commun. Donc, si avant 1945 un criminel a commis un meurtre selon le même mode opératoire – strangulation à l'aide d'un fil métallique, victime détroussée, y compris les sous-vêtements –, ils ne trouveront vraisemblablement rien.

— Essayez tout de même, ordonne Stave.

Maschke se lève, salue Stave d'un signe de la tête et sort en ignorant le lieutenant.

MacDonald s'est levé, lui aussi. Il demande incidemment :

— Comment s'appelle le procureur chargé de l'affaire ?

— C'est le Dr Ehrlich. Je n'ai encore jamais eu à faire à lui.

Le lieutenant le regarde, malicieux, avec toutefois une lueur de compassion dans l'œil.

— Je le connais, je l'ai rencontré en... Angleterre. Attendez-vous au pire. Un dur à cuire, même s'il n'en a pas l'air. Je crois qu'Ehrlich n'est pas très bien disposé envers la police de Hambourg.

Stave se rassied et offre une chaise à MacDonald.

— Il nous reste encore quelques minutes. Je vous serais reconnaissant d'éclairer ma lanterne.

MacDonald sourit.

— Ça reste entre nous.

— Naturellement.

— Herr Ehrlich, poursuit le lieutenant, songeur, est au parquet de Hambourg depuis 1929. C'est un homme très cultivé, très érudit, musicien. Il collectionne l'art contemporain, avant tout les expressionnistes. Et, malheureusement pour lui, il est juif.

L'inspecteur principal ferme les yeux ; il devine ce qui va suivre. MacDonald continue d'un air décontracté.

— Évidemment, en 1933, il a été promptement remercié. Il s'est d'abord débrouillé comme correcteur pour une maison d'édition d'ouvrages de droit. Sa femme – soit dit en passant, une Aryenne tout droit sortie d'un opéra de Wagner – a donné des leçons de piano. Ils ont envoyé leurs deux fils dans une pension en Angleterre pour les éloigner de la ligne de feu. Et puis ce fut la Nuit de cristal.

Stave hoche la tête. Il se rappelle cette nuit du 9 novembre 1938. Aux premières informations sur les incendies de synagogues, il avait voulu se précipiter vers la plus proche du poste de police de Wandsbek. Mais, comme tous les collègues, il a reçu l'ordre de ne pas quitter son bureau. Un ordre plutôt brutal. Il a obéi. Ce qui n'est pas vraiment l'acte le plus héroïque de sa vie. Il n'en a jamais parlé à personne, même pas à Margarethe.

— Ehrlich avait déjà été arrêté le 1er novembre 1938 et déporté au camp de concentration de Neuengamme. Il a dû y passer des moments difficiles, même s'il n'y a jamais fait que des allusions. Il a été libéré au bout de quelques semaines, grâce à ses amis londoniens qui lui ont procuré un visa. Il a vendu sa collection d'art – pour un prix dérisoire, je suppose. Avec ses derniers sous, il a dégotté un billet pour l'Angleterre. Sa femme n'a pas été autorisée à l'accompagner, le visa était nominatif. Et la guerre a éclaté. (MacDonald fait un geste qui ressemble presque à un geste d'excuse…) Sa femme est restée seule, sans son mari ni ses fils. Ses voisins l'ont évitée, elle ne pouvait même plus donner de leçons de piano, aucun élève ne voulait être vu entrant ou sortant de chez elle. Ehrlich était à Londres comme un lion en cage, il a tout essayé pour la sortir de là – par la Suisse, les États-Unis, l'Espagne, le Portugal. Sans succès. En 1941, la Croix-Rouge l'a informé que sa femme s'était suicidée d'une surdose de somnifères.

« Je connaissais déjà Ehrlich à cette époque. Il avait trouvé une place à Oxford et enseignait l'histoire du droit romain. Nous sommes restés en rapport, devenus amis serait trop dire. Il y a quelques mois, je me suis entremis pour qu'il obtienne un poste au parquet de Hambourg.

— Vous avez fait ça ? laisse échapper l'inspecteur principal.

MacDonald sourit d'un air narquois, et Stave se demande jusqu'où s'étendent les pouvoirs de ce jeune officier.

— Ehrlich voulait rentrer en Allemagne – pour aider à établir la démocratie, comme il le dit. Je me suis donc informé auprès des autorités d'occupation et je lui ai proposé ce poste. On manque de juristes sans antécédents et nous sommes reconnaissants à toute personne qui n'a pas été nazie sur laquelle nous pouvons mettre la main. Pas seulement pour le parquet, pour la police aussi.

Stave voit là un compliment.

— Mais pourquoi précisément Hambourg ? Ehrlich y a beaucoup de comptes à régler. Pas un bon point pour un procureur, ça.

— Au contraire, un excellent bon point. Ehrlich représente le ministère public au procès de la Curio-Haus.

Inutile que MacDonald en dise davantage : c'est dans cette maison située Rothenbaumchaussee que, depuis décembre 1946, se tient le procès de neuf hommes et sept femmes de la SS, tous surveillants du camp de concentration pour femmes de Ravensbrück, jugés pour le meurtre de milliers de détenues.

— Et il lui reste du temps pour s'occuper de notre affaire ?

— C'est même lui qui l'a demandé. Le Dr Ehrlich travaille beaucoup.

Après que le Britannique est sorti du bureau, Stave y vaque encore. Pourquoi Ehrlich ? Avec le procès de la Curio-Haus, il a l'occasion de condamner à l'échafaud des nazis particulièrement brutaux. Mais quel peut être l'intérêt d'un procureur politiquement engagé pour un cadavre de femme nue, inconnue ? Peut-être parce que l'affaire est compliquée ? Elle n'est pas politique, en tout cas. Ou bien si ?

Stave finit par renoncer à se poser des questions et se lève en soupirant. Il est possible que ce soit le côté énigmatique de ce meurtre qui suscite l'intérêt du procureur, au-delà de raisons personnelles. À moins que, grâce à ce crime qui met la police en échec, il n'espère faire un sort à quelques inspecteurs, ceux qui, il n'y a pas si longtemps, ont collaboré trop étroitement avec la Gestapo et ont réussi à échapper à la commission de dénazification de la police en 1945.

Possible qu'il le sache bientôt. Possible aussi, malheureusement, qu'Ehrlich apprenne d'une manière ou d'une autre ce que Stave a entrepris pour empêcher le pillage et l'incendie des synagogues. C'est-à-dire rien.

Le palais de justice de Hambourg est un gigantesque château Renaissance : une façade rouge clair, des pierres de grès jaune, de hautes fenêtres blanches, certaines flanquées de colonnettes torsadées. Une bâtisse imposante du XIXe que, contre toute attente, aucune bombe n'a touchée. Le parquet y a ses bureaux.

Stave pénètre dans le bâtiment. Quelques pas lui ont suffi pour l'atteindre depuis l'hôtel de police en traversant la place, puis en longeant la Philharmonie, et pour finir en traversant un petit square retourné à l'état sauvage.

Peu de temps après, il est assis sur une chaise inconfortable dans le bureau du procureur Ehrlich. Stave est nerveux, presque de l'humeur d'un écolier convoqué dans le bureau du directeur. Il s'en veut, mais cela ne dissipe pas sa profonde inquiétude. Il regarde furtivement autour de lui, tandis que son vis-à-vis compulse les pièces d'un classeur.

Le Dr Albert Ehrlich est petit et chauve. Ses yeux flottent derrière les verres épais de lunettes surannées à monture d'écaille. Cravate, col dur, pantalon aux plis tranchants comme le fil d'un rasoir, veste de tweed anglais. Nulle photo de sa femme ou de ses fils sur le bureau, aucun objet personnel, partout des classeurs et des papiers ; sur une petite table, une machine à écrire noire, imposante. Stave fixe du regard les longs doigts d'Ehrlich, phalanges recouvertes d'un duvet de poils clairs, pas d'alliance.

Stave n'en porte plus non plus. Une nuit de l'été 1943, il l'a jetée dans le port, balancée dans l'Elbe. Il était resté un certain temps debout à la pointe du ponton. L'eau était proche, si séduisante et sombre... Mais il avait fini par tourner les talons et était rentré à la maison – si toutefois on peut appeler ainsi des ruines. Stave ferme les yeux quelques instants.

— Je regrette profondément de vous avoir fait attendre, finit par dire Ehrlich en refermant la couverture cartonnée d'un classeur. Thé ?

Une voix cultivée, douce. Stave sourit timidement.

— Volontiers.

Puis il fait de grands yeux quand la secrétaire entre avec une théière fumante d'où s'échappe un parfum agréable. Du vrai thé, constate Stave. Earl Grey, pas des orties infusées. Ehrlich verse le liquide odorant.

— Jadis, j'étais un buveur de café, avoue-t-il. Je ne me suis habitué au thé qu'en Angleterre. Et le thé est bien plus facile à trouver – surtout en zone britannique.

— C'est pour ça que vous êtes revenu spécialement à Hambourg ? demande Stave.

— Ah, je vois que le lieutenant MacDonald vous a mis au courant, réplique Ehrlich en souriant, amusé.

Ses yeux de hibou regardent néanmoins l'inspecteur principal avec application, légèrement à l'affût.

Stave s'agace de cette remarque qui lui a échappé. Imbécile, se dit-il. Marotte typique de flic : d'entrée de jeu, agresser, prendre à contre-pied, déconcerter. Pas très malin avec ce procureur.

— Merci d'avoir autorisé si rapidement l'autopsie, dit-il pour changer de sujet.

Ehrlich se détend.

— Parlons de cette affaire. Je suis tout ouïe.

Stave fait un exposé exhaustif de tout ce qu'ils ont appris ainsi que de l'état présent des investigations. Il évoque toutes les hypothèses sur la victime et l'assassin.

— Ça ne va pas être facile, dit Ehrlich, songeur.

— Il faut absolument que nous identifiions cette morte. Sinon, nous n'avancerons peut-être jamais, admet Stave.

— Vous ne croyez donc pas vous-même à cette thèse du vol aggravé par un meurtre – alors même que vous avez demandé à Maschke de compulser des dossiers, dont nous savons bien tous les deux qu'ils ont été brûlés dans certains fours.

Ce type réfléchit vite, se dit Stave, stupéfait. Dans le cas d'un vol aggravé par un meurtre, l'identité de la victime ne mène pas nécessairement au coupable, car souvent des voyous agressent des personnes qu'ils ne connaissent pas. Ehrlich a dû en conclure que la victime et son assassin se connaissaient et que Stave avait une autre idée.

— Je m'efforce d'aller au fond des choses, d'être méticuleux, réplique-t-il.

— Ah, la méticulosité! Une vertu très allemande, répond le procureur, avec un léger sourire finement ironique.

Stave en a soudain assez de ce jeu du chat et de la souris.

— Une vertu de flic dans le monde entier. Mais vous avez raison, poursuit-il sur un ton conciliant, plus détendu.

Il n'est pas loin de faire confiance à Ehrlich, mais il le doit peut-être tout simplement à ce thé chaud. Contrairement à son habitude de ne présenter que des faits solides et des hypothèses plausibles à un procureur, il décide de lui confier un soupçon à moitié fondé seulement.

— Le crime n'est pas seulement brutal, explique-t-il d'une voix hésitante, il a aussi été exécuté de manière radicale : avec une violence qui a provoqué une mort instantanée. Un geste frénétique, inouï, extrême, suivi d'un vol, d'une rapine extrêmement minutieuse.

— Le tout de sang-froid, remarque Ehrlich.

— Oui. Selon un plan déterminé, parfaitement exécuté. Un individu capable de faire ça est tout à fait impitoyable, moralement endurci – ou bien c'est un malade mental, mais qui obéirait alors à une logique implacable, tout à fait consciente.

— Après cette guerre et douze années de ce régime, il y a suffisamment d'individus de cette espèce, à l'esprit fruste, qui se promènent librement en Allemagne, et pour qui une morte de plus ou de moins n'a plus aucune importance. Il y a sans doute parmi eux des psychopathes – mais nous qualifierions certainement la plupart de ces malades de simples petits-bourgeois normaux.

— Et pourtant, ce n'est pas tous les jours qu'à Hambourg on étrangle une femme jeune avec un nœud coulant métallique, pour la déshabiller ensuite et la traîner dans les ruines.

Le procureur approuve d'un signe de tête.

— Touché ! Au fait : qu'en pensez-vous réellement, inspecteur principal ?

— Je mise sur un déséquilibré. Quelqu'un qui connaissait la victime, ou qui du moins l'a observée un certain temps, sans se faire repérer. Qui a peut-être même prémédité son sale coup pendant des semaines ou des mois. Et qui est passé à l'acte au moment choisi.

— Des indices ?

Stave pense qu'il est inutile d'en imposer au procureur.

— Excepté la violence des détails du meurtre, aucun. Il est rare que nous ayons affaire à des fous de cette espèce. Je ne suis pas expert en ce domaine. Si, comme je l'ai lu, ces individus se conforment à certains modes opératoires dans l'exécution de leurs crimes monstrueux, je n'en discerne encore aucun. C'est trop tôt.

Ils se taisent un certain temps. Inutile d'exprimer à haute voix ce qu'ils pensent tout bas : qu'il pourrait y avoir encore d'autres victimes.

— Que comptez-vous faire ? finit par demander le procureur tout en reversant du thé.

L'inspecteur principal fait un signe de reconnaissance de la tête, réchauffe ses mains à la tasse, respire le parfum du thé et sourit de contentement. Puis il tire un rouleau de papier de la poche de son manteau. La feuille sent encore l'encre d'imprimerie.

— Le premier exemplaire de notre avis de recherche, annonce-t-il en faisant glisser l'affiche vers le procureur.

Ehrlich lit à haute voix :

— « 1 000 Reichsmarks de récompense ! Vol aggravé par un meurtre, Baustrasse, Hambourg – Le lundi 20 janvier 1947, une femme à l'identité inconnue a été trouvée morte dans le champ de ruines de la Baustrasse, n° 13, Hambourg. » Bon, on ne peut pas dire que vous soyez un grand poète, inspecteur !

Ehrlich contemple le portrait de la morte, parcourt son signalement.

— Vous venez de m'affirmer à l'instant que vous ne croyez pas vraiment à la thèse du vol aggravé par un meurtre, finit-il par dire. Et pourtant, c'est écrit là noir sur blanc, comme s'il s'agissait d'une certitude.

— Je ne veux inquiéter personne, se justifie Stave. En outre, je crains qu'une allusion à un déséquilibré ne fasse pas avancer notre enquête d'un iota.

— Expliquez-moi ça.

— Si nous disons que nous cherchons un fou, nous allons avoir des centaines de témoins qui vont dénoncer leurs voisins, des collègues de travail et tous ceux qui les ont contrariés à un moment ou à un autre. Nous allons perdre du temps, et ça n'apportera que des désagréments.

— Vous avez probablement raison.

— On verra bientôt cette affiche partout en ville. Attendons que quelqu'un qui connaît la morte se manifeste, on ne sait jamais.

— Et en attendant, qu'allez vous faire ?

— Aller au cimetière, répond Stave. Cet après-midi, on enterre notre inconnue à Ohlsdorf. Je resterai à distance – peut-être y aura-t-il un proche de la défunte.

Après sa visite à Ehrlich, Stave ne retourne pas directement à son bureau. Il erre dans la ville. Il faut qu'il mette de l'ordre dans ses idées, et pour ça rien de tel que de marcher. Une fois encore, il passe tous les détails en revue. Que sait-il de la victime ? Presque rien. De l'assassin ? Moins que rien. Que faire d'autre, sinon attendre ? Attendre qu'un témoin se manifeste, qui aura identifié l'inconnue sur l'avis de recherche. Aurait-il négligé quelque chose ? Mais quoi ?

L'inspecteur principal se sent harcelé – et il déteste cette impression. Par Cuddel Breuer. Par Ehrlich. Stave préfère travailler seul. Il ne déteste pas faire appel aux spécialistes, si nécessaire. Des photographes, des collègues du service anthropométrique, des médecins légistes. Mais Maschke, que faire d'un Maschke ? Et, *a fortiori*, de ce MacDonald ? Pas un membre de la police judiciaire, pas un pro. Cela dit, le regard de quelqu'un qui n'est pas du métier peut s'avérer utile, le Britannique peut remarquer des détails qui lui échapperaient. Il semble assez malin pour ça – et en plus il a l'air d'avoir le bras long.

Quand Stave émerge de ses réflexions, il est à l'Eppendorfer Baum, à une bonne trotte de la Karl-Muck-Platz. Une buvette s'est nichée dans une maison à moitié démolie. Une bombe a ouvert en deux les étages d'un vieil immeuble, si bien que le bâtiment a l'air d'un cadavre éviscéré. Seul le rez-de-chaussée semble encore intact. Un méchant écriteau en bois maladroitement bricolé et tout aussi maladroitement cloué au-dessus de la porte fait de la réclame pour des «plats frais soignés».

Stave entre dans la salle lumineuse, hélas non chauffée, et prend place à une table. Il ignore les palpitations de l'articulation bloquée de sa cheville gauche.

Il est midi. Comme à son habitude, il embrasse les lieux du regard : quelques ouvriers et employés, une mère et ses deux enfants. Seule dans son coin, une forme efflanquée, avec la tête de quelqu'un qui rentre du front russe, un homme engoncé dans un manteau de l'armée aux couleurs passées dont la manche gauche est cousue au niveau du coude.

Stave commande le plat du jour à un Reichsmark : un hareng saur, deux minces tranches de concombre, une cuillerée de salade de légumes d'une couleur indescriptible et d'un goût indéfinissable. Il avale le tout, et il a encore plus faim que quand il a commencé à manger. Si au moins il pouvait boire un café. Il soupire, paye et sort en clopinant.

Le lieutenant MacDonald l'attend déjà au bureau – c'est du moins ce qu'il prétend. L'inspecteur principal soupçonne que, plus que l'enquête, c'est la perspective de papoter avec Erna Berg qui l'a attiré Karl-Muck-Platz.

— Quoi de neuf côté Army ? lui demande Stave.

MacDonald fait un geste d'excuse qui, pour un dixième de seconde, lui donne l'air d'un gamin.

— Tout le monde ouvre grand les yeux quand je montre la photo. Mais personne ne semble connaître la morte.

— Vous êtes venu en jeep ?

Le lieutenant fait oui de la tête.

— Une course poursuite ? Comme dans ces films américains ? Vous voulez que je trouve des mitraillettes ?

Stave ne peut s'empêcher de sourire.

— Et on cachera les colts dans un cercueil noir. On va au cimetière.

L'inspecteur principal est soulagé de ne pas être obligé de prendre le tram, puis de faire à pied le long chemin vers le nord de Hambourg. MacDonald le conduit jusqu'à une jeep qui ressemble à une sorte de caisson couleur boue, stationnée devant l'entrée principale de l'hôtel de police. Dès qu'il démarre, le pare-brise repliable s'agite, un courant d'air exécrable souffle à travers les déchirures de la capote et les ressorts sont si durs que chaque nid-de-poule est un coup de poing dans les lombaires. Peu importe. Stave ferme les yeux un instant et se masse, discrètement croit-il, la cuisse de sa jambe estropiée. Comme il a une marche crispée, les muscles sont endoloris.

— Une vieille blessure ?

MacDonald a beau conduire en regardant devant lui et en veillant au confort de son hôte, il a dû l'observer du coin de l'œil. Stave se sent pris en flagrant délit.

— Une poutre m'est tombée dessus, je n'ai pas été assez rapide, explique-t-il succinctement.

Le lieutenant se contente de hocher la tête.

— Comment se fait-il que vous parliez si bien allemand ? lui demande Stave en élevant la voix pour couvrir le vacarme du moteur – sans réelle curiosité, mais parce qu'il veut changer de sujet et qu'il n'a pas trouvé mieux.

— J'ai appris l'allemand à Oxford. Oriel College. J'y ai étudié l'histoire et je me suis spécialisé sur la Prusse. J'ai fait mon master sur l'attitude de Bismarck envers la Grande-Bretagne avant 1870. Je suis même allé à Berlin pour consulter des documents.

— Et tout ça avant la guerre ? (La question a échappé à l'inspecteur principal.) Quel âge avez-vous ?

MacDonald rit.

— Je suis né à Noël, le 24 décembre 1920. Je suis allé à Berlin en première année, j'avais dix-huit ans. Été 1939. En fait, je pensais rester quelques mois, mais en août, alors que les menaces de guerre devenaient de plus en plus évidentes, j'ai plié bagages. Il doit encore rester dans une chambre meublée quelques-uns de mes bouquins recouverts de poussière. Au cas, évidemment, où ladite chambre n'aurait pas été détruite par une bombe...

— Et comment en êtes-vous venu à vous intéresser à l'histoire de la Prusse ? C'est une matière bien exotique pour Oxford, non ?

— À Oxford, il n'y a que des matières exotiques.

MacDonald sourit avec nostalgie, puis devient tout à coup sérieux.

— Savez-vous comment fonctionne une société de classes, inspecteur ? Earls and Dukes, internats d'élite, clubs à Londres, menton levé, lèvres pincées, flegme, ancêtres dans le même bateau que Guillaume le Conquérant ?

Stave secoue la tête, puis approuve, surpris par son propre geste.

— Chez nous, ça s'appelait membres du parti, membres de la communauté nationale, aryens ou non-aryens. Il n'était pas nécessaire d'avoir des ancêtres qui remontent à la chevalerie, mais on était en bonne place si on avait été de la marche sur la Feldherrnhalle, à Munich en 1923, ou pour le moins membre du parti national-socialiste avant la prise de pouvoir de mars 1933.

— Et vous n'avez pas voulu faire partie de ceux qui avaient choisi la bonne place ?

— Membre de la communauté nationale, oui, c'était comme ça, pas le choix. Membre du parti, non.

MacDonald se tait et fixe son regard devant lui. Des plaques de béton cassées des deux côtés de la chaussée, des monceaux de briques et de tuiles, des tuyaux enfouis qui en jaillissent comme de grotesques sculptures. Un mur d'une hauteur de quatre étages se dresse, solitaire. Tout en haut, des lambeaux de papier peint flottent au vent comme des étendards. Puis un terrain déblayé avec vingt-quatre de ces baraques préfabriquées en tôle ondulée, conçues en 1916 pour les besoins de l'armée par le Canadien Nissen. Elles ressemblent à des tonneaux que l'on aurait coupés en deux dans le sens de la longueur. Les Britanniques les ont converties en hébergement de fortune pour des milliers de victimes des bombardements et des réfugiés, à deux familles par hutte de quarante mètres carrés.

— Je ne suis pas né menton levé, poursuit le lieutenant quelque temps après. Mes parents ont une épicerie à Lockerbie, un patelin dans le sud-ouest de l'Écosse. Comme je ne voulais pas passer ma vie dans ce trou, j'ai étudié et j'ai décroché une bourse pour Oxford. J'y ai pris des cours d'histoire de l'Allemagne, parce que j'étais certain qu'il y aurait encore une guerre avec l'Allemagne. J'étais persuadé qu'après la Première Guerre mondiale, vous aviez encore un compte à régler avec nous. Je me suis donc dit : apprends la langue de ton futur ennemi, et tu seras utile à ton pays.

— Apparemment, ça a marché, grommelle Stave.

MacDonald sourit.

— Au début, je me suis demandé si je n'aurais pas dû rester à Berlin en cet été 1939. Hitler avait vraiment l'air du futur vainqueur. Mais les choses se sont passées autrement – et me voici à Hambourg. Monsieur l'inspecteur principal, vous n'allez pas me croire, mais même dans l'état où est cette ville, elle me plaît plus que le patelin d'où je viens.

— Effectivement, je ne vous crois pas, répond Stave, las. Là devant, à droite. On ne va pas tarder à arriver. En tout cas, notre cimetière est plus grand que celui de Lockerbie.

Ils se garent devant un portail large et bas. Avant la guerre, le cimetière qui s'étend au-delà était un beau parc, un grand parc – si grand qu'il était traversé par des rues avec des arrêts de bus. À présent, la plupart des buissons et des arbustes, la majorité des arbres ont été hâchés menu par des ramasseurs de bois de chauffage et bien des tombes ne sont plus entretenues. L'endroit est retourné à l'état sauvage parce plus personne n'a la force de s'en occuper – ou parce qu'il ne reste plus personne pour s'y intéresser.

Stave et MacDonald longent l'allée rectiligne qui mène au centre du cimetière d'Ohlsdorf. Beaucoup de tombes récentes, se dit l'inspecteur principal. Puis son regard tombe par hasard sur un groupe de sépultures cinéraires, une sorte de jardin en plein milieu du cimetière, avec des urnes enterrées sous des parterres de fleurs. Ici, pas de nouvelles dalles avec un nom, plus personne ne brûle des corps, il est interdit de gaspiller le précieux bois de chauffage. Au centre du jardin, une statue de jeune femme en deuil assise, penchée dans son bronze. Un miracle qu'elle ait échappé aux pillards.

En regardant cette statue, Stave se rappelle tout d'un coup Margarethe, quoique les deux femmes ne se ressemblent absolument pas. Il se détourne afin que MacDonald ne se rende pas compte qu'il lutte pour garder contenance. Comme les milliers de victimes des bombardements de juillet 1943, Margarethe est enterrée au cimetière d'Ohlsdorf, mais Stave hésite à se rendre sur sa tombe en présence du lieutenant. Il se tait et poursuit sa route en accélérant le pas.

Ils sont à l'heure : un pasteur fatigué, deux croque-morts, une fosse ouverte. Le sol est gelé à plus d'un mètre de profondeur et Stave se demande comment on a creusé la tombe. Sans doute avec des pioches.

Le pasteur bredouille une prière, une bible noire dans ses mains bleues de froid. Il est pressé. Stave ne comprend pas un mot de ce qu'il marmonne. Le lieutenant à ses côtés, ils demeurent discrètement en retrait. Ils examinent subrepticement les alentours. Personne. Les porteurs charrient le cercueil jusqu'à la fosse et le déposent sur deux madriers de chêne. L'un d'eux actionne un levier. Le corps, enveloppé dans un suaire de couleur grisâtre, passe par la trappe qui s'est ainsi ouverte et tombe avec fracas, un grand bruit sourd sur le sol gelé, qui retentit dans le silence, émouvant, à glacer le sang. Les deux hommes referment la trappe du cercueil de location. Ils s'en serviront encore souvent : économie de bois,

74

là aussi. Le pasteur fait un signe de tête à Stave et MacDonald, puis il s'éloigne.

— On aurait pu se passer de la promenade, grommelle le lieutenant en se tapant dans les mains.

— Ça valait la peine d'essayer, répond Stave d'une voix neutre.

Un vieil homme

Samedi, 25 janvier 1947

Assis dans son appartement crépusculaire, Stave se réchauffe les mains à sa tasse d'ersatz de café. Il sirote lentement le breuvage au goût désagréable. En réalité, il devrait être parti depuis longtemps, à patrouiller dès l'aube sur les quais de la gare centrale pour poser des questions à propos de son fils.

Karl est un enfant unique. Ils auraient aimé en avoir d'autres, mais ça n'avait pas été possible et les médecins n'ont jamais su leur dire pourquoi. Karl a dix-neuf ans, se dit Stave. Si toutefois il vit encore.

Il regrette qu'ils se soient fâchés quand Karl s'est inscrit au dernier moment comme volontaire pour le front. Idéalisme de la jeunesse, héroïsme du combat, mépris pour son père ? Il faut qu'il ait de ses nouvelles.

D'un autre côté, Stave est fatigué. Il a beau s'être levé tôt par habitude, il n'a fait que déplacer quelques meubles, il a mâché durant une éternité ce pain friable tartiné de ce mesquin fromage blanc, qui lui sert à la fois de petit déjeuner et de déjeuner. Il est déjà plus de deux heures de l'après-midi. Il craint de vivre encore un week-end dans l'espoir vain d'un signe de son fils, à interroger inutilement des individus aux visages émaciés. Il a peur de ces regards vides, de ces gestes sans volonté.

Et sa dernière semaine de travail l'a épuisé. Rien, absolument rien de neuf. Personne ne s'est présenté suite à l'avis de recherche, même pas les cinglés habituels, ceux qui ne manquent jamais l'occassion de dénoncer leurs proches ou leurs voisins. Il fait probablement trop froid pour aller jusqu'au poste de police le plus proche, même pour des affabulateurs. Comment se peut-il qu'une jeune femme disparaisse et meure en plein Hambourg sans qu'on constate son absence ? Même sans famille ni amis – elle avait certainement des voisins. Stave connaît la vie dans les blockhaus et les autres lieux d'hébergement provisoire. Quand quelqu'un disparaît, son gîte est rapidement réinvesti, sans état d'âme ni hésitation, comme si personne n'y avait jamais vécu. Mais la photo de cette femme assassinée devrait tout de même pousser le plus endurci des occupants des bunkers à se rendre à la police.

Breuer et Ehrlich l'ont laissé travailler tranquille, mais l'inspecteur principal se doute qu'ils attendent des résultats. Il ne sait plus à quel saint se vouer. Il est rompu de fatigue et frigorifié jusqu'à la moelle, et préférerait se blottir sous les couvertures de son lit.

Il est presque soulagé quand on frappe à sa porte. Il faut qu'il se ressaisisse, même s'il ne sait pas de quel côté se tourner.

Quand il aperçoit la silhouette de Ruge sur le seuil, Stave sait que son jeu de cache-cache avec la réalité est terminé. Le jeune policier rectifie sa position, prend une profonde inspiration, mais l'inspecteur principal le devance.

— Si c'est pour m'annoncer un nouveau cadavre, entrez, lui dit-il à voix basse. Inutile d'informer tout le quartier.

Son interlocuteur sourit d'un air embarrassé, entre, retire son shako dans l'obscurité de l'étroit corridor.

— Je suis désolé, monsieur l'inspecteur principal. Apparemment, ça arrive toujours quand je suis de service. J'espère que ça ne fait pas de moi un suspect.

— Ne vous réjouissez pas trop tôt, grommelle Stave.

Il prend son pistolet, son manteau, son chapeau et son écharpe, tout en proposant une cigarette à Ruge qui, cette fois, accepte sans hésiter et remercie d'un hochement de tête.

— Où ? questionne Stave.

— Lappenbergsallee, Eimsbüttel.

— C'est loin à l'est. Pourquoi est-ce à moi de m'y coller ?

— Le mort est nu, monsieur l'inspecteur principal. Et tout indique qu'il a été étranglé. Un vieil homme, cette fois.

— Pour changer, grogne Stave en ouvrant la porte. Maschke et MacDonald sont au courant ?

— Les autres collègues sont en route pour les prévenir. Tout le monde doit se retrouver sur le lieu de découverte du cadavre. Ordre du directeur Breuer. Il viendra aussi.

Ça promet, se dit Stave. Avant qu'ils soient arrivés de l'autre côté du lac Alster, il fera quasiment nuit. Pas l'heure idéale pour inspecter les lieux, surtout si, en plus, le grand patron est là en spectateur attentif.

Une minute plus tard, la vieille Mercedes démarre, moteur pestant. Stave regarde par la vitre de la portière et essaie de découvrir des points communs entre les deux crimes : victime nue, étranglée, soit. Mais pourquoi une jeune femme, et maintenant un vieil homme ? Il est pris d'une courte nausée. Ce n'est que l'air confiné et la faim, se dit-il pour se calmer, mais il sent que quelque chose d'autre le travaille : la peur.

De Wandsbek à Eimsbüttel, il y a plus de onze kilomètres. Quoique Ruge martyrise la Mercedes, qu'il conduise le plus vite possible, elle cahote dans les nids-de-poule et les ornières, il est obligé de contourner de grands cratères de bombes, et il leur faut presque une demi-heure pour arriver sur les lieux. Quand ils se garent enfin, Stave ouvre la portière, soulagé. Il descend, respire profondément jusqu'à ce que la boule dans son ventre se dénoue, puis il embrasse les abords du regard. Encore un quartier de petites gens, durement bombardé pendant la guerre. Les arbres qui longeaient la Lappenbergsallee ont été brûlés jusqu'à la souche par les bombes incendiaires ou débités par des ramasseurs de combustible. Au loin, s'élevaient jadis des immeubles d'habitation en brique de quatre étages, dont pas un n'est resté debout. L'été passé, des équipes de déblaiement ont abattu les derniers murs branlants et les vestiges de façades qui menaçaient de s'écrouler. Le terrain ressemble à un curieux désert de remblais de briques et de décombres d'une hauteur de trois à dix mètres, de tas de gravats d'où jaillissent des monceaux d'ustensiles hors d'usage, des tuyaux de descente écrasés, des gouttières déformées, des enchevêtrements de câbles et des chevrons éclatés. Des sentiers se sont formés spontanément en peu de temps, par piétinements répétés. Ils serpentent à travers les ruines, sans plan identifiable, et viennent se connecter à l'ancienne voirie. Les maisons encore à peu près intactes se trouvent à cent cinquante mètres au moins, estime Stave.

Une jeep freine pneus grinçants et s'arrête si près de la Mercedes que Stave craint un instant qu'elle la télescope. MacDonald en descend lestement et salue d'un bref mouvement de tête. L'inspecteur principal constate avec soulagement qu'il a abandonné le salut militaire.

— Est-ce que vous avez déjà mis les pieds sur le lieu de découverte d'un cadavre, lieutenant ?

Il aimerait préparer doucement le Britannique à la découverte de la victime d'un meurtre, afin de lui éviter de tomber dans les pommes. Mais MacDonald garde son flegme.

— Tout dépend : oui, parce qu'à la guerre, j'ai ramassé des morts ; non, parce que quand on est soldat, on voit certainement les choses autrement que vous autres policiers.

Stave amorce un vague sourire et lui montre un cône de lumière dans les amoncellements de ruines : deux projecteurs mobiles, alimentés par un générateur diesel dont on perçoit le bourdonnement.

— Je pense que c'est par là que ça se passe.

Ils contournent un énorme tas de gravats en suivant un sentier qui, après quelques pas, devient invisible depuis la rue. Encore des amas de ruines, puis un cratère de bombe d'environ un mètre et demi de profondeur rempli d'eau gelée. Pris dans la glace, un vieux fût à essence bosselé.

Et juste à côté, le cadavre.

Deux agents de police se tiennent dans la lumière hésitante des projecteurs, un troisième est penché sur le générateur. Le photographe de l'identification judiciaire prépare son matériel. Non loin de lui, Maschke fait les cent pas. Il fume. Le Dr Czrisini retire soigneusement ses gants en daim et peine à enfiler des gants de caoutchouc à manches longues. Il montre le corps.

— Il ne s'agit certainement pas d'un meurtre aggravé par un viol, dit le légiste, pince-sans-rire, en guise de salut.

— Quand j'en aurai assez de ce boulot, je vous recommanderai pour mon poste, grogne Stave.

— On peut échanger, réplique jovialement Czrisini.

Ils se penchent sur le mort : un homme nu, entre soixante-cinq et soixante-dix ans, juge Stave. Pas très grand, 1,60 mètres peut-être. Maigre, mais pas sous-alimenté. Pas des mains d'ouvrier. La victime est étendue sur le dos. L'homme a l'air détendu, pieds serrés, main gauche entrouverte le long du corps, la droite coincée sous les fesses. Le corps est gelé et recouvert d'une fine couche de givre, comme si on avait saupoudré le mort de sucre glace. La peau blanche révèle plusieurs taches cadavériques.

Sans un mot, le légiste désigne la tête : une barbe grise, hirsute, un nez aquilin, relativement long. Les yeux sont clos. Lorsque Stave se penche davantage sur la victime, il remarque les paupières gonflées, comme si l'homme avait été maltraité.

— Du sang dans les conduits auditifs, annonce le Dr Czrisini d'une voix neutre. Petite lésion au côté gauche de la mâchoire, front et yeux enflés à la suite de contusions. Cet homme s'est fait tabasser, à coups de poing ou avec un objet contondant.

— Des coups mortels ?

Le légiste secoue la tête.

— Je ne le saurai vraiment qu'après l'autopsie, mais je pense qu'ils l'ont tout simplement éreinté. Il s'est peut-être écroulé sur le sol, a probablement perdu connaissance. (Il désigne la main gauche du mort.) Des écorchures. Il semble s'être défendu, au moins au début de l'agression. Mais ensuite il n'a plus eu aucune chance. Vous voyez cette petite trace de strangulation sur le cou ? On l'a étouffé, probablement à l'aide d'un nœud coulant métallique. (Stave ferme un instant les yeux.) Il a été agressé de dos ou par le côté, puis on l'a cogné, des coups violents sur la face et la tête, et c'est quand il ne s'est plus défendu qu'il a été étranglé. Il était peut-être même déjà inconscient.

Czrisini montre du doigt une barre de fer de section carrée, de la longueur d'un avant-bras, qui gît dans les débris non loin de la tête du supplicié.

— Cette altération du fer, je pense que c'est une traînée de sang séché.

— L'arme avec laquelle cet homme a été assommé ?

— Peut-être. Possible aussi que la barre de fer ne soit pas l'instrument du crime, qu'elle ait été éclaboussée de sang quand l'homme s'est effondré à côté d'elle.

Stave aimerait qu'il fasse encore jour. La lumière clignotante lui brûle les yeux. Des ombres paraissent danser partout dans les ruines, sa tête bourdonne à cause du vacarme du générateur.

Ils attendent que le photographe ait pris ses premiers clichés de la victime. Puis Czrisini déplace avec précaution le corps de l'inconnu. Il lui soulève les paupières.

— Yeux bleus.

Des deux mains, il écarte les lèvres du mort.

— Plus une seule dent, annonce-t-il. La victime avait probablement un dentier.

Il examine l'homme, lentement, systématiquement, de la tête aux pieds.

— Verrue de la taille d'un pfennig sur la hanche gauche. (Puis il désigne le bas-ventre.) Hernie inguinale, forte dilatation du scrotum. Quand on est atteint de cette infirmité, on porte un suspensoir. Mais même avec ça, pas évident de marcher.

D'un geste, Stave désigne le bord du cratère creusé par la bombe. Une canne en bambou verni brun foncé, poignée ouvragée. Elle est recouverte d'une fine pellicule de givre – à peu près aussi fine que celle qui voile le corps de la victime.

— Ce pourrait être la canne du mort, grommelle-t-il.

Dans la lumière hésitante des projecteurs, un bouton en métal scintille à côté du cadavre. Quand le légiste autorise enfin qu'on dépose la dépouille sur un brancard, ils découvrent à l'emplacement du corps une lanière en cuir déchirée, semblable à celle d'un sac à dos.

Puis Stave aperçoit un petit objet qui brille dans les gravats, à la hauteur des épaules de la victime. Il se baisse : une médaille en argent, sphérique, de la taille d'un pfennig, au bout d'une fine chaîne arrachée, elle aussi en argent.

— L'assassin ne l'a sans doute pas remarquée en le détroussant, soupçonne Czrisini.

Stave fixe des yeux le minuscule disque qu'il tient dans la paume de sa main gantée, se rapproche des projecteurs, jure en silence contre leur lumière incertaine. Nulle gravure au revers lisse, poli au long contact de la peau. Au recto, une croix dressée sur une sorte de mont aux bords dentelés. Des rochers, peut-être, ou des flammes, se dit l'inspecteur principal. En haut, de chaque côté de cette croix, pointes dirigées vers son centre, deux traits bizarres que Stave interprète d'abord comme deux croix plus petites. Le légiste, qui s'est avancé à ses côtés, les désigne du doigt.

— Des dagues, prétend-il.

— Vous êtes sûr ?

— Plus longs qu'un couteau, plus courts qu'un glaive. Forme classique de la lame.

— Ce qui signifierait que les deux dagues pointeraient directement sur le centre de la croix.

— Étrange, n'est-ce pas ? Je n'ai encore jamais vu ça.

Stave fixe la médaille. Czrisini a raison, se dit-il. Des dagues et une croix. Qu'est-ce que cela peut bien signifier ? Il fait glisser sa découverte dans un sachet en papier. Un indice. Je tiens mon premier indice. Reste à savoir où cela va nous mener.

— Le décès remonte à combien de jours ? demande Stave.

Le légiste hausse les épaules.

— Le corps a séjourné là au minimum une journée, si j'en crois les taches cadavériques, mais peut-être est-il là depuis bien plus longtemps. Difficile à dire par ces températures polaires.

— Aussi longtemps que la morte de la Baustrasse ?

Czrisini le regarde en silence.

— Possible, à peu de chose près, qu'ils aient été tués quasiment en même temps.

— Qu'en pensez-vous, lieutenant ? finit par demander Stave, tandis que Czrisini retire ses étroits gants de caoutchouc en grimaçant.

Resté discrètement derrière eux, MacDonald les a observés en silence durant toute la procédure.

— Le malheureux passe dans les ruines en longeant le sentier. Son assassin l'épie quelque part, le cogne à coups de barre de fer, l'étrangle et le détrousse complètement.

Stave se gratte la tête, perplexe.

— Un homme âgé, avec un suspensoir, et qui marche avec une canne, se promènerait-il sur un sentier accidenté comme celui-là ? s'interroge-t-il.

Le lieutenant se fend d'un sourire élogieux.

— Probablement que, dans son état, je me sentirais plus à l'aise dans une rue déblayée. Vous pensez donc que cet homme marchait dans la Lappenbergsallee ? Son agresseur l'assomme, le traîne jusqu'ici, où personne ne peut le voir, le tue et le détrousse.

— Possible, répond brièvement l'inspecteur principal. (Il pense à la jeune femme de la Baustrasse.) Admettons un instant que nous avons affaire au même assassin que celui de lundi dernier. Simple hypothèse, car certains indices ne concordent pas. D'abord une femme jeune, puis ce vieil homme. Dans le premier cas, apparemment, la jeune femme n'a opposé aucune résistance ; ici, des traces évidentes de coups montrent que la victime s'est défendue. Seules les fines marques de strangulation se ressemblent beaucoup.

— Et dans les deux cas, remarque Maschke qui s'est approché lui aussi, intéressé, nous découvrons des victimes entièrement nues parmi des amoncellements de ruines, dans des quartiers détruits par les bombardements, et jadis habités par de petites gens. L'assassin est peut-être un habitué des lieux.

Stave hoche la tête.

— Oui. Mais la première fois à l'ouest de la ville, cette fois-ci à l'est. Les lieux de découverte des crimes sont séparés par plus de dix kilomètres. L'assassin a-t-il habité jadis à Eilbek, ensuite à Eimsbüttel ? Possible. Possible aussi qu'il ne choisisse ces quartiers bombardés que parce qu'il est quasiment sûr qu'il n'y aura aucun témoin. Possible même qu'il ait tué ses victimes ailleurs et qu'il ait ensuite déposé leur corps dans ces décombres pour les dépouiller, sachant que personne ne le dérangera.

— Et la canne, le bouton de métal, la médaille arrachée, la lanière en cuir ? Est-ce que ça n'indique pas que cet homme a été détroussé sur les lieux du crime ? s'interroge MacDonald.

— Ce sont peut-être des indices, certes, mais malheureusement en aucun cas des preuves, répond Stave. Ces objets ont pu se trouver par hasard auprès du corps. Ces ruines sont pleines de ce genre de choses. Mais vous avez raison : ça pourrait être des indices, peut-être que quelqu'un pourra même les identifier. Je vais faire tirer des photos de la médaille. L'inspecteur Müller s'occupera de ça – peut-être qu'il découvrira ce que signifient cette croix et ces deux dagues.

— Et moi, je suis volontaire, annonce Maschke, l'air résigné, pour rendre visite à des dizaines de blouses blanches, c'est-à-dire à tous les dentistes sur lesquels je pourrai mettre la main. Je brûle d'impatience de leur coller des photos du mort sous le nez pour leur demander s'ils l'ont gratifié d'un dentier...

— Bonne idée, le félicite Stave en souriant d'un air las.

Et, se tournant vers les policiers :

— Mais je vais d'abord m'entretenir avec le témoin qui a découvert le corps.

— C'est une femme, monsieur l'inspecteur principal. Une pillarde.

Un troisième agent fait avancer une femme emmitouflée. Elle a attendu sous sa surveillance derrière un amas de ruines. Stave la regarde alors qu'elle pénètre dans le cercle de lumière : mince, presque aussi grande que lui. Elle relève la capuche d'un lourd manteau de laine anglais, sans doute hors de prix des années auparavant, mais à présent si dépenaillé qu'on pourrait aisément le lacérer avec deux doigts. Stave fait face à un visage aux traits fins, aux yeux foncés en amande, aux cheveux longs, noirs. La trentaine passée, juge-t-il, et issue d'un milieu aisé. Pas des mains d'ouvrière.

— Comment vous appelez-vous ?

— Anna von Veckinhausen.

Voix douce, se dit Stave, mais pénétrée de cette confiance sereine que seuls donnent dès l'enfance la fortune et le rang. Toutefois il y perçoit une dissonance due à la nervosité, comme un violon qui jouerait faux dans un grand orchestre. Ou serait-ce de l'anxiété ?

— C'est vous qui avez découvert le cadavre ?

— Oui.

Stave s'éclaircit la gorge. Il sent que Maschke, le médecin, MacDonald et les policiers l'observent. Ça pourrait devenir un interrogatoire difficile.

Il décide d'être cordial. Il se présente, s'éloigne de quelques pas. Elle le suit machinalement.

— Dites-moi ce qui s'est passé, lui demande-t-il.

Anna von Veckinhausen hésite un instant. Elle est en train de réfléchir à ce qu'elle va me raconter exactement, se dit l'inspecteur principal qui choisit d'attendre.

— J'étais dans la Collaustrasse et de là, j'ai suivi le sentier dans les ruines parce que je voulais aller dans la Lappenbergs-allee. C'est un raccourci.

Stave sort gauchement son calepin de sa poche pour gagner du temps. Pour lui laisser le temps de réfléchir et que le témoin mûrisse une fois encore ce qu'elle va dire. Une pillarde, lui a dit un des policiers. Difficile pour les agents de se faire une idée précise des individus qui errent dans les ruines. D'anciens habitants à la recherche des vestiges de leurs biens ? Des ouvriers du bâtiment qui, sur ordre, écroulent des murs qui menacent de s'effondrer ou recueillent des métaux précieux ? De simples passants qui prennent un raccourci ? Ou des pillards qui ramassent du bois, du métal, cherchent des meubles, piquent tout ce qui est encore utilisable ? Presque tous les Hambourgeois ont déjà «dégoté» quelque chose dont «on peut avoir besoin» – il suffit à Stave de penser au bois pour son fourneau de survie. Mais tout contrevenant qui se fait prendre en flagrant délit est jugé en comparution immédiate devant un tribunal britannique : un juge anglais, un interprète, une sténotypiste, quelques questions directes posées sans chaleur, un verdict, au suivant. Quarante cigarettes issues de l'approvisionnement des Alliés : vingt et un jours de prison. Un ouvrier qui avait essayé de voler dans un entrepôt frigorifique trois pieds de porc mis au rebut : trente jours. Les pillards pris à fouiller dans les décombres sont condamnés à des peines allant de cinquante à soixante jours de détention.

Il préfère ne pas parler tout de suite de pillage.

— Et ensuite, qu'est-ce qui s'est passé ?

La femme sourit le temps d'un battement de cils, manifestement soulagée. Puis le visage redevient impavide ; elle frotte ses mains fines comme si elle se les savonnait. Comme une infirmière, pense tout d'un coup Stave. Ou un médecin qui se désinfecte les mains.

— C'est par hasard que j'ai vu (elle hésite, cherche le mot qui convient) le corps. Je me suis précipitée dans la Lappenbergsallee et j'ai demandé à plusieurs reprises où était le poste de police le plus proche.

— À plusieurs reprises ?

Anna von Veckinhausen le regarde, étonnée.

— Oui, j'ai interrogé plusieurs passants, jusqu'à ce que je trouve quelqu'un qui m'indique le chemin.

Stave a encore du mal à s'habituer à cette toute nouvelle assurance qu'ont prise les femmes. Il y a quelques années encore, il eût été invraisemblable qu'une femme – une dame de surcroît – qui trouve un cadavre réagisse comme ce témoin. Elle aurait poussé un cri et se serait évanouie. Cette sérénité toute récente vient certainement du fait que, depuis la guerre, les femmes sont devenues des soutiens de famille : marché noir, achats clandestins de produits d'alimentation dans les campagnes proches, sacs à dos remplis de nourriture illicite, travaux pénibles comme le déblaiement des ruines – les femmes ont su organiser tout le nécessaire aussi bien que les hommes. Au minimum aussi bien. Mais elles payent le prix fort, et pas seulement par la fatigue, le surmenage. Bien des mariages n'ont pas tenu quand les hommes sont rentrés après des années de guerre : ils n'ont pas supporté que leurs épouses se débrouillent mieux qu'eux dans ce monde étranger de ruines et de marchés clandestins. Stave observe de nouveau discrètement les mains d'Anna von Veckinhausen : pas d'alliance.

— Il s'agit donc du poste de police 22, précise Stave. Comme vous ne le connaissez pas, je suppose que vous n'êtes pas du quartier.

La femme hésite un instant.

— Non, confirme-t-elle, j'habite une des baraques Nissen de l'Eilbekkanal.

Stave note l'adresse. Une pillarde, effectivement, présume-t-il, en train de prospecter un nouveau territoire. Mais il ne dit rien. Anna von Veckinhausen lui en impose, l'intimide même un peu. Cet aplomb. Elle n'est pas du même monde que lui. Un soupçon d'accent dans la voix, mais d'où vient-il ? Pas de Hambourg ou du nord. De l'est, peut-être ?

— Vous avez donc vu le cadavre ; vous avez couru dans la Lappensbergsallee jusqu'à ce que vous ayez trouvé le poste de police ? Avez-vous des témoins ?

Elle le regarde, déroutée, se tait.

— Ces gens, à qui vous avez demandé le chemin du poste – vous avez une idée de qui c'était ?

— Qu'est-ce que ça signifie ? demande-t-elle, indignée. Vous me soupçonnez ? reprend-elle aussitôt de sa voix douce.

Stave sourit, tout en sachant bien que ce sourire grimaçant a l'air emprunté.

— Routine, explique-t-il, simple routine.

Elle rejette la tête en arrière et le regarde droit dans les yeux, d'un air de défi.

— Des anonymes au visage invisible. Des hommes, chapeau bas sur le front et col du manteau relevé jusqu'aux yeux.

Des femmes, la tête enveloppée dans des écharpes, des chiffons, avec des bonnets. Tous pressés à cause du froid. Je n'ai relevé aucun nom, et je serais bien incapable de décrire leur visage.

Stave prend des notes dans son calepin.

— Et avant ? Quand vous avez trouvé le corps, l'avez-vous touché ?

— Vous avez de drôles de questions. Un mort nu, qu'est-ce que vous voulez que je touche ?

— Mais vous avez su tout de suite que cet homme était mort ?

— J'ai déjà vu quelques morts, étendus dans la neige, si c'est ce que vous voulez dire. J'ai su tout de suite ce qu'il en était.

Stave renonce à lui demander quand et où elle a vu ces morts.

— Vous savez de quoi il est mort ?

Anna von Veckinhausen secoue la tête.

— Non. De quoi ?

L'inspecteur principal ignore sa question, griffonne une note. Entre-temps il a les doigts comme des glaçons. Ce qu'il écrit l'est si maladroitement que c'en est presque illisible. Il se rend bien compte que sa manière de gribouiller si lentement irrite le témoin. Et c'est bien ainsi, se dit-il.

— Auriez-vous encore remarqué autre chose ? À proximité du cadavre ? Un objet peut-être ?

Elle secoue la tête. Stave sent qu'elle a très froid, elle aussi.

— Et juste avant ? Quand vous ne saviez pas encore ce qui vous attendait dans les ruines, avez-vous vu quelque chose de suspect, quelqu'un sur le sentier par exemple ? Ou avez-vous entendu un bruit ?

— Non, rien, absolument rien.

Une réponse rapide. Trop rapide. Tout d'un coup, Stave est certain qu'elle lui cache quelque chose. Ne devrait-il pas l'embarquer à l'hôtel de police pour la soumettre à un interrogatoire en règle ? Peut-être devrait-il la menacer de la signaler comme pillarde ? Il hésite. Selon son expérience, les témoins finissent par répondre. Il suffit seulement de leur en laisser le temps, et ils viennent à la police pour compléter leurs déclarations. Et si Anna von Veckinhausen ne fait pas partie de ce genre de témoins, il pourra toujours la réinterroger quand il le voudra. Et la revoir.

Manquerait plus que ça, que tu tombes amoureux, se dit Stave et il écarte cette pensée. Il lui tend un bout de papier sur lequel il a gribouillé son numéro de téléphone.

— Si quelque chose vous revenait, appelez-moi, s'il vous plaît. Vous pouvez partir.

— Merci, réplique-t-elle.

Elle plie soigneusement le papier avant de le faire disparaître dans la poche de son manteau. Elle a soudain l'air las.

Jadis, Stave aurait demandé à une voiture de service de raccompagner le témoin à son domicile. Chose impossible à présent : il y a trop peu de voitures et l'essence est rationnée.

— Au revoir, dit-il simplement.

Il aurait aimé un salut plus cordial, mais le ton a été un peu menaçant.

— Pourquoi la laissez-vous partir ? demande Maschke, alors qu'Anna von Veckinhausen a disparu derrière un monceau de décombres.

Il a rejoint Stave, suivi de MacDonald.

— Nous n'avons rien contre elle, se justifie l'inspecteur principal.

Il leur rend brièvement compte de ses déclarations.

— Elle est proche du lieu de découverte de notre second cadavre, insiste Maschke, et elle habite les baraques de l'Eilbekkanal – qui ne sont pas très éloignées du premier.

Stave soupire. Il avait déjà relevé cette coïncidence, mais n'avait pas voulu en faire mention à Anna von Veckinhausen.

— En ce qui concerne le premier meurtre, cette femme fait partie des milliers d'individus qui habitent dans les environs du drame. Et c'est elle qui a prévenu la police.

— Et par ailleurs, tente MacDonald, j'ai du mal à l'imaginer en train de passer un fil d'acier autour d'un cou.

— Pas moi, maugrée Maschke.

— Laissons les collègues faire place nette ici, ordonne Stave. Czrisini veut sans doute s'occuper du corps. Rentrons à la maison mère et voyons ce que cette nouvelle affaire nous a appris.

— Pas si vite, messieurs, accordez-moi cinq minutes.

Cuddel Breuer, silhouette massive dans un long manteau noir, chapeau à large bord enfoncé sur le front, gants de cuir noirs. Stave ne l'a pas entendu approcher.

— Désolé de n'avoir pu venir plus tôt, poursuit le directeur de la police, mais j'avais rendez-vous avec le maire. Bon Dieu de froid ! grogne-t-il, alors qu'il n'a pourtant pas l'air frigorifié.

— Je laisse un agent sur place, explique Stave après lui avoir fait un bref rapport. J'espère qu'il ne va pas geler. On ratissera tout demain matin, aussitôt qu'il y aura suffisamment de lumière.

Breuer approuve de la tête, puis il regarde les trois enquêteurs.

— Qu'est-ce que vous en pensez ? C'est le même agresseur ?

Stave a prévu et appréhendé cette question et il réfléchit avant de répondre.

— Nous continuons à ne négliger aucune piste, se lance-t-il. Certains indices font penser au même assassin – ou aux mêmes assassins, car on ne peut pas écarter l'hypothèse qu'ils aient été plusieurs. D'autres, en revanche, ne collent pas bien avec le premier meurtre.

— Qu'est-ce que vous comptez faire ?

— Trouver l'identité de la victime. Passer au crible toutes les disparitions signalées, si nécessaire faire apposer une affiche. Cette fois, en plus d'un portrait, nous pouvons mentionner la canne. Nous avons aussi la médaille. Et nous allons interroger les dentistes, l'homme portait une prothèse. (Breuer le regarde sans mot dire.) Il est impossible, dans une ville de la taille de Hambourg, que deux personnes soient assassinées sans que quelqu'un signale leur disparition, se défend Stave. S'il existe un lien entre l'assassin et la victime, nous aurons quelque chose à quoi nous raccrocher.

— Et sinon ?

— Sinon, ça ne va pas être simple, concède l'inspecteur principal. Si nous avons effectivement affaire à un meurtrier qui frappe au hasard, cela signifie que sa conduite est imprévisible. Il tue une jeune femme, puis un vieil homme. Il frappe une fois à l'est de la ville, une fois à l'ouest. La première fois, il ne rencontre aucune résistance et tue, la deuxième fois, il cogne parce que sa victime se défend.

— Et moi, qu'est-ce que je vais raconter au maire demain ?

Cuddel Breuer a dit cela sur le ton amical de quelqu'un qui inviterait Stave à un pique-nique.

— Demandez-lui de ne pas tirer de conclusions hâtives. L'affaire est compliquée. Il nous faut tout simplement du temps.

Breuer se gratte la tête et soupire.

— Je sais. Mais Hambourg est pris dans les glaces. Il ne reste plus que quelques jours de charbon pour les centrales thermiques. Nous n'avons presque plus de ravitaillement. Des gens meurent de froid tous les jours. Pas évident pour le maire de tenir sa ville, de veiller à tout. Vous voulez du temps, mais c'est exactement ce qu'il lui manque.

— Si c'est comme ça, il a encore plus intérêt à ce que tout reste calme, laisse échapper Stave.

Breuer sourit.

— Effectivement, personne n'a intérêt à crier ça sur les toits. Je vais conseiller au maire d'ignorer tout simplement cette affaire. En attendant.

Il met un doigt à son chapeau, tourne les talons et quitte la place.

— Merde, murmure Maschke quand il est trop loin pour l'entendre.

Mais ça ne trompe pas Stave. Dans la voix de son collègue, il a perçu un sentiment qui ne lui plaît pas du tout : une sorte de joie maligne, comme s'il se réjouissait du malheur des autres.

En cahotant sur la chaussée encombrée de briques cassées et de débris de maçonnerie, ils retournent à l'hôtel de police dans la jeep de MacDonald. Un paysage de désolation, où des murs éventrés se dressent comme les décors d'un film muet expressionniste dans la lumière jaune et douteuse des phares. Stave ne serait pas étonné de voir se découper quelque part sur un mur la silhouette de chauve-souris du *Nosferatu* de Murnau, et ses longs doigts en forme de serres se refermer sur lui. Reprends-toi, se dit-il. Il ne cherche pas un vampire, mais un homme à l'allure tout à fait normale, avec dans la poche un nœud coulant, un fil métallique ou électrique. Quelqu'un qui ne craint pas de s'attaquer à des jeunes femmes ou à des vieillards.

Au bout de la Karolinenstrasse, un agent en tenue frigorifié règle la circulation avec des gestes brusques et frénétiques : des jeeps, des camions britanniques, deux cyclistes intrépides qui remontent la rue en appuyant sur les pédales, luttant contre la bise glacée qui leur arrache des larmes. MacDonald avance par à-coups. Un raté d'allumage détone sous le véhicule, le policier sursaute. Le lieutenant, qui l'observe dans son rétroviseur, sourit de contentement. Trois minutes plus tard, ils sont arrivés.

Quand ils entrent dans son bureau, l'inspecteur principal constate avec étonnement qu'Erna Berg les attend et qu'elle a préparé quelque chose qui ressemble à du thé. Reconnaissant, il accepte la tasse chaude et hume. Des orties, se dit-il. L'essentiel est que ce soit chaud.

— Qu'est-ce que vous faites encore là ? demande-t-il.

— Herr Breuer m'a fait savoir qu'il y aurait encore du travail pour moi aujourd'hui, répond-elle. Je prendrai un jour de congé plus tard. Quand les choses se seront calmées.

Tu risques d'attendre longtemps, se dit Stave, morose.

— Bien, dit-il après que tous trois ont trouvé une place dans le bureau exigu, quel type d'individu allons-nous rechercher, quel profil ?

— Pas un pervers sexuel, avance MacDonald.

— Il ne nous reste donc plus, sur Hambourg, que quelque neuf cent mille coupables potentiels…

L'inspecteur principal lève les yeux au plafond comme si un avis de recherche venait de s'y matérialiser.

— Reprenons au début, dit-il, et il semble plus se parler à lui-même qu'à ses collègues. Nous n'avons aucune piste sérieuse. Qu'y a-t-il de commun entre une jeune femme à Eilbek et un vieil homme à Eimsbüttel ? Une fille et son client ? Nos amis de la Reeperbahn ne connaissent pas la jeune femme, rien n'indique donc qu'il s'agisse d'une prostituée. Qu'est-ce qui pourrait bien rapprocher les deux victimes ? Un lieu, où ils se rencontrent ? Un destin commun ?

Personne ne parle, MacDonald et Maschke savent que Stave répondra lui-même à ses questions.

— Le marché noir, évidemment, poursuit-il.

Le marché, quoique illicite, est omniprésent. Des hommes et des femmes qui s'attardent dans des rues ou sur des places, qui déambulent lentement, visages dissimulés sous des chapeaux au bord rabattu ou derrière des cols de manteau relevés. Des mots susurrés, des gestes vifs. On y trouve tout ce qu'on ne peut pas se procurer avec des tickets de ravitaillement ou des coupons d'achat – un poste de radio, une paire de chaussures pour femme, une livre de beurre, du schnaps distillé clandestinement. On s'y livre au troc, contre des cigarettes ou en payant comptant avec d'épaisses liasses de billets de cent Reichsmarks. Les descentes de police sont incessantes, mais on ne peut rien faire contre le marché noir. L'an passé, la police a saisi plus de mille tonnes de denrées alimentaires, des dizaines de milliers de litres de vin, plus de quatre mille huit cents ampoules de morphine provenant des stocks de l'armée britannique, de la pénicilline, des chevaux même et des voitures.

Pour les Hambourgeois, ce commerce clandestin a quelque chose d'inconvenant, de très avilissant. Il faut faire le pied de grue au bord de la chaussée comme une fille publique. Obtenir des sommes misérables en échange d'objets de famille laborieusement sauvés des nuits de bombardements, quelques cigarettes pour des antiquités jadis onéreuses, payer mille Reichsmarks pour quelques livres de beurre. Dans les journaux, on traite les trafiquants de marché noir et les receleurs d'«animaux nuisibles qui entravent l'alimentation de la population», un slogan bien dans le style de la propagande hitlérienne, comme si les nazis étaient encore au pouvoir. Et pourtant, quand la seule paire de chaussures qui vous reste part en lambeaux et qu'on n'en trouve nulle part contre des bons d'achat, que faire, sinon s'acoquiner avec ces individus sans scrupules qui s'adressent à vous à voix basse ?

Au marché noir, on rencontre toute la population de Hambourg : les riches, les pauvres, les vieux, les jeunes. Tout le monde peut échanger des marchandises avec tout le monde, toute rencontre devient possible, aussi absurde qu'elle paraisse. Et il y est tout aussi question de grosses sommes et d'anciens trésors que de marchandises de première nécessité sans lesquelles il est à peine possible de survivre. Raison suffisante pour tuer. D'autant qu'aucun trafiquant du marché noir n'ira à la police.

— Il y a peut-être un lien avec le marché noir, approuve MacDonald.

— N'importe quel foutu crime à Hambourg pourrait avoir un lien avec le marché noir, réplique Maschke, mais nous n'avons rien en main. Peut-être que les victimes elles-mêmes étaient des pillards ? Et elles ont peut-être dérangé des concurrents ? Des affrontements pour s'emparer des champs de ruines les plus intéressants, peut-être en est-on déjà là.

Stave approuve.

— C'est effectivement aussi une possiblité. Et j'en vois encore quelques autres : les disparus par exemple. Nous avons des centaines de cas de disparus en ville. Manifeste-ment, aucun ne correspond à notre jeune femme. En ce qui concerne le vieux, nous en saurons davantage au plus tôt demain. Il n'est donc tout de même pas à exclure que nous découvrions un point commun, peu importe lequel, entre ces victimes.

MacDonald lève le sourcil. Manifestement, il n'a pas envie de suivre les hypothèses de Stave.

— Quel point commun ?

L'inspecteur principal hausse les épaules.

— Aucune idée. Peut-être allons-nous constater lors des investigations que, ces derniers temps, beaucoup de jeunes femmes ont disparu. Ou de vieux messieurs. Ou qu'un disparu est parent d'une jeune femme ou d'un vieux monsieur. Je ne sais pas, moi !

— Ça m'a l'air d'une piste bien vague, remarque le lieutenant.

Stave ignore l'objection car, au fond, le Britannique a raison.

— Et il y a encore les personnes déplacées, poursuit-il. Des DP, déracinées, qui n'ont plus rien à perdre. Dont l'identité est même quelquefois inconnue de l'administration des Alliés, dont quasiment personne ne contrôle les déplacements et dont les trafics n'intéressent personne. Il est peut-être normal qu'aucun Hambourgeois ne se soit manifesté suite à notre avis de recherche.

— Des affiches ont aussi été collées dans les camps de DP, remarque Maschke. Les gens y vivent serrés comme des harengs. Quelqu'un aurait certainement reconnu la morte. Et même si les DP ne parlent pas, peut-être parce qu'ils ont peur, ou qu'il ne font pas confiance à l'administration allemande, un gardien britannique nous aurait signalé notre inconnue.

Maschke se lève péniblement et arpente le bureau. Il m'a l'air bien nerveux, se dit Stave. Sans doute parce qu'il commence à réaliser que nous n'avons aucune piste sérieuse et qu'on ne peut être sûr que d'une chose : ce n'est pas un crime sexuel. Et on n'a donc plus besoin d'un inspecteur des mœurs pour la suite de l'enquête. Il a donc peur que je le renvoie à ses filles et à leurs clients. Stave a soudain pitié de Maschke. C'est pourquoi il déclare à haute voix :

— Admettons que nous n'avons aucune hypothèse solide. Pour le moment. Prenons au sérieux tout indice, même vague. Je vais organiser une grande rafle. Cible : le marché noir. Et ce dès lundi. Arrêtons quelques trafiquants et voyons ce que nous allons trouver – un sac à dos par exemple, auquel manque une courroie. Ou une autre médaille avec une croix et deux dagues. Ou un suspensoir.

MacDonald et Maschke s'esclaffent brièvement.

— Vous, lieutenant, vous allez passer au crible les avis de recherche des disparus. Peut-être allez-vous découvrir un point commun dans tout ça. N'hésitez pas à me faire part de vos soupçons, aussi farfelus qu'ils vous paraissent. On ne sait jamais. Et vous, Maschke, vous tapez à la porte des dentistes. Et vous allez faire un tour au Heiligengeistfeld, du côté du service du déblaiement. Ils sont chargés d'organiser tout ce qui concerne l'enlèvement des décombres et la reconstruction. Si quelqu'un a entendu parler de conflits de territoires, ou de pillages, personne n'est mieux placé qu'eux.

Je ne t'aime pas, se dit Stave, mais tu restes à bord. Et le policier des mœurs sourit, soulagé.

— Bonne idée, apprécie-t-il.

Maschke et Macdonald quittent le bureau. Stave salue sa secrétaire d'un bref geste de la main avant de refermer la porte.

— Je n'ai pas besoin de vous pour l'instant, s'excuse-t-il.

Il se retire derrière sa table de travail. Paperasse. Il ouvre un nouveau dossier, écrit à la main le procès-verbal de la découverte du cadavre, puis le texte du nouvel avis de recherche. Et enfin la demande d'autorisation d'autopsie.

Lorsque Stave, papiers en main, sort enfin du bureau, il reste figé sur le seuil de la porte : MacDonald est encore là et discute avec Erna Berg. Tous deux se taisent en plein milieu d'une conversation, gênés aux entournures. Ça promet! se dit Stave. Et il ressent quelque chose comme une pointe de jalousie. Une toute petite aiguille qui le pique quelque part, certes pas un coup de poignard dans le cœur, mais tout de même. Absurde.

Stave tend les papiers à taper à sa secrétaire. Il prend son manteau et son chapeau, prononce quelques banalités et sort. Dès qu'il referme la porte derrière lui, ils reprennent leur conversation, comme si on avait reposé tout d'un coup l'aiguille d'un phonographe sur le sillon d'un 78 tours.

Samedi soir. Autrefois, il était à la maison avec Margarethe et le gamin, fatigué mais enjoué, au retour d'une balade en barque sur le lac Alster ou d'une longue promenade sur les bords de l'Elbe. Ils auraient couché le petit Karl – sachant que, sitôt la porte de sa chambre fermée, il allumait la lumière et lisait un roman policier. Il serait sorti avec Margarethe, au restaurant peut-être ou au cinéma. Et plus tard...

Foutaises, sensiblerie, se dit Stave, je vieillis sans doute. Ou je vois trop de morts ces derniers temps, ça rend sentimental. Il traverse sans but précis le quartier Rotherbaum, puis celui de Harvestehude. Des lieux à peine touchés, de belles villas, des endroits calmes. En longeant certaines rues, on ne croirait jamais qu'il y a eu une guerre – à condition d'ignorer les jeeps britanniques qui stationnent aux abords des villas réquisitionnées.

Bien fait pour les riches, se dit soudain Stave. Puis il s'efforce de ne pas laisser son esprit vagabonder d'une idiotie à l'autre.

Finalement, après avoir erré ainsi une bonne demi-heure, il se retrouve sur la Hoheluftchaussee, dos à la station du métro aérien en partie détruite, où plus aucun train ne s'arrête depuis des mois.

Il grelotte. La Hoheluftchaussee est une avenue à quatre voies, mais les bâtiments qui la bordent ne sont pas particulièrement imposants. Il longe le trottoir. À pas plus pressés, il se dirige vers le Capitol. Un cinéma où il est parfois allé avec Margarethe. Il est intact et a déjà rouvert. Pas d'électricité pour le métro aérien, mais pour le cinéma..., se dit Stave. Il faut bien établir des priorités.

C'est presque au pas de gymnastique qu'il franchit les quelque trois cents mètres qui vont de l'arrêt du métro au Capitol. Pas d'inscription lumineuse, une affiche difficile à déchiffrer dans cette obscurité. En revanche, le guichet de caisse est éclairé. Il achète un billet et entre, ignorant quel film il va voir. Peu importe, l'essentiel est de se réchauffer dans la salle. Et de tuer le temps.

«Welt in Film» : dans les actualités, ce sont des vues de Londres, puis de Moscou, des «Regards sur le monde». Stave laisse défiler leur bavardage, un bateau de guerre anglais dans un port, indien peut-être, Staline en uniforme. L'inspecteur principal reprend lentement des forces. Pour conclure, quatre portraits d'enfants; des enfants de réfugiés, anonymes, non encore identifiés, appréhendés dans Hambourg. C'est ainsi que les autorités recherchent des parents ou des membres d'une même famille : quatre enfants sans nom par jour. Que doit-on ressentir, assis quelque part dans une salle de cinéma, quand tout d'un coup scintille sur l'écran la photo de l'enfant qu'on a peut-être cru mort ? Stave a la chair de poule, et il se surprend à espérer que la photo de Karl papillote sous ses yeux. Absurde.

Le long métrage, *La Paloma*, une comédie musicale de Helmut Käutner avec Hans Albers et Ilse Werner. Comme si rien ne s'était passé. Stave somnole.

Il est déjà tard quand les lumières se rallument dans la salle, vacillantes. La plupart des spectateurs ont hâte de sortir. Stave jette un coup d'œil à sa montre : il est presque onze heures. Le couvre-feu est à minuit. Et jusqu'à quatre heures et demie du matin, il est interdit de circuler. *Curfew*, l'expression anglaise est bien connue des Allemands.

D'un geste machinal, Stave met la main à la poche de sa veste pour vérifier qu'il a bien sur lui la carte de police qui lui permet de circuler pendant le couvre-feu. Inutile de se presser. Il enfile lentement son manteau, en relève le col, enroule son écharpe autour du cou, enfonce son chapeau bas sur le front, force ses mains dans ses étroits gants de cuir. Il a devant lui une longue marche à pied qui le mènera de l'autre côté du lac Alster. Mais rien ne presse.

Il se demande si le lieutenant passe une agréable soirée. Avec Erna Berg ? Il aime bien MacDonald.

Il arrive que de jeunes Hambourgeois, dont certains viennent juste d'être libérés d'un camp de prisonniers des Alliés, chahutent des soldats britanniques dans les rues sombres, par «fierté nationale» comme ils disent, sans toutefois oser aller plus loin. Stave quant à lui ne ressent aucune haine des occupants, même si c'est bien une bombe anglaise qui lui a ravi Margarethe. Confusément, il se sent honteux des crimes des nazis, et c'est pourquoi, même si l'idée lui paraît perverse, il se sent libéré d'un poids face aux dévastations de la ville et à sa vie anéantie. Une perte et des privations comme punition méritée. On est devant des temps nouveaux. Peut-être.

Alors qu'il marche à pas pressés pour se réchauffer, ses pensées vont de MacDonald à Maschke. Il en sait tout aussi peu sur lui que sur le lieutenant britannique. Et l'inspecteur des mœurs lui est clairement moins sympathique. Pourquoi, au fond ? Stave n'aime pas ses sorties, son cynisme, ses moqueries, son amertume, son mépris des autres. Il se dit qu'on devient sans doute comme ça quand on a constamment affaire à des filles, à leurs souteneurs et aux clients qu'on épingle. Alors que, par-dessus le marché, on habite encore chez sa mère...

Qui sait où ils vont me muter si cette enquête n'avance pas ? se dit-il, et ses critiques dédaigneuses envers son collègue des mœurs s'éteignent comme une ampoule lors d'une panne de courant. Deux morts, pas une piste sérieuse. Tout le monde attend des résultats : Ehrlich, Breuer, jusqu'au maire. Et, nom de Dieu, lui aussi aimerait en avoir. Je ne suis tout de même plus un débutant, se dit-il.

L'inquiétude le ronge : et si ces deux meurtres n'étaient qu'un début ? Si c'était le commencement d'une série ? Si on continuait à trouver des morts anonymes dans les ruines, nus, étranglés ? Que fera-t-il ? Laissera-t-il agir l'assassin, impuissant, jusqu'à ce qu'il fasse enfin une erreur et qu'ils l'arrêtent ? Et s'il n'en commet aucune ? Que faire ? se dit Stave.

Il pense à Anna von Veckinhausen. Qu'est-ce qu'elle lui cache – si toutefois elle lui cache quelque chose ? Est-elle mêlée à ces meurtres ? A-t-elle vu quelque chose ? Je vais la réinterroger, se décide-t-il, et sous peu. Et cela n'a rien à voir avec le fait qu'elle est belle et mystérieuse, qu'on est samedi et qu'il rentre seul du cinéma.

Seul.

Il se retourne, étonné. Personne dans la rue. Forcément, il va être minuit. Il grelotte : il fait au moins – 20 °C, des rafales de vent glacial lui râpent les joues. Une demi-lune jaunâtre dans un ciel étoilé. Pas de lampadaires. Les rues qui ressemblent à d'obscurs défilés. Les montagnes de décombres tapies dans les ténèbres. Le clair de lune qui passe à travers les ouvertures sans fenêtres de carcasses d'immeubles défoncés. Des ombres bizarres. Des rues adjacentes, provisoirement murées parce qu'il est trop dangereux de s'y aventurer, car à tout instant, les restes ébranlés d'une maison bombardée pourraient s'effondrer. Pas d'odeurs. Aucun bruit. Aucune voiture au moteur qui pétarade dans le lointain, aucune voix humaine, pas de poste de radio qui braille, pas un oiseau nocturne qui ulule. Non. Stop!

Stave s'est arrêté et tend l'oreille dans la nuit. Un léger grincement quelque part dans les ruines. Un soupir. Une pierre qui roule. Le claquement d'une porte qui bat contre un mur au rythme des rafales de vent. Des pattes de rats pressés qui trottinent sur des solives en poussant des couinements aigus.

Je deviens obsédé, se dit Stave. Il repart en accélérant le pas, et cette fois il marche au milieu de la rue. Loin des ruines, de l'obscurité des murs éventrés. Il pose la main sur son FN 22 et le métal du pistolet, huileux, froid, le rassure.

Lorsque Stave est enfin rentré dans son appartement, il se laisse tomber sur le lit, trop épuisé pour se changer. Trop épuisé pour avoir encore faim. Trop épuisé pour penser encore à Margarethe et à leur fils.

Marché noir

Lundi, 27 janvier 1947

Moins 26 °C. Lorsque, tôt le matin, Stave passe la porte de l'immeuble, le vent le frappe au visage comme un coup de poing. Il remonte l'écharpe de laine jusqu'aux yeux. De sa main gauche gantée, il se masse le nez pour ne pas qu'il gèle. L'air est si sec que chaque respiration est douloureuse.

Avant d'aller travailler, Stave se précipite au point de distribution des cartes de ravitaillement. Un nom dégradant. Il faut récupérer les tickets d'achat pour février, puis il foncera dans les magasins pour voir ce qu'il pourra y trouver. Un morceau de savon, par exemple, ne serait pas inutile. Chaque adulte a droit à deux cent cinquante grammes, ni plus ni moins, pour quatre semaines. Comme, en plus, il fait bien trop froid et que le bois ou le gaz sont bien trop précieux pour prendre un bain ou une douche, beaucoup de Hambourgeois puent comme des soldats de retour du front : la sueur, le linge souillé, la gale. Stave déteste la saleté. Il se savonne, se douche même, aussi souvent que possible – même s'il tremble de froid. Du savon, donc. Du café aussi serait bienvenu, mais il n'y en aura certainement pas.

Stave prend place dans la file d'attente. Des silhouettes fatiguées. Personne ne parle. La file avance vite. Depuis 1939, il faut des tickets pour la majorité des aliments et des vêtements. Tout en gardant les mêmes fonctionnaires, les Britanniques ont simplement changé le nom de l'ancien ministère de l'Alimentation du Reich. Et comme tous les fonctionnaires, ceux-ci poussent le ridicule de la bureaucratie à l'excès. Il existe maintenant soixante-sept cartes d'alimentation différentes : vingt et une pour des usagers des diverses catégories, vingt-deux cartes complémentaires, quatorze autorisations spéciales, deux pour la farine, deux pour le lait, deux justificatifs pour les pommes de terre, trois cartes journalières, une pour les œufs. Sans compter les coupons d'allocation spéciale. Quiconque a besoin d'une semelle neuve doit présenter un bon de ressemelage au cordonnier.

Si au moins on pouvait les bouffer, toutes ces cartes, on mangerait à sa faim, se dit Stave quand, peu de temps après, il tient en main les bouts de papier rosâtre. Il est classé « usager normal sans supplément ». Avec sa carte, il a droit, pour la semaine, à 1 700 grammes de pain gris mêlé à de la sciure, à sept huitièmes de lait (une espèce de liquide bleu clair), 2,5 kilos de rutabagas (il n'y a plus de pommes de terre), 15 grammes de tranches blanc-jaunâtre d'un truc qui passe pour du fromage, 150 grammes d'une masse spongieuse qualifiée de viande, 100 grammes de matière grasse, 200 grammes de sucre, 100 grammes d'ersatz d'une confiture gluante, 125 grammes de flocons de soja – fin de la ration.

En réalité, c'est un miracle qu'il n'y ait pas plus de gens qui se mettent à étrangler la première personne croisée dans la rue pour la dépouiller, sous-vêtements compris.

Nouvel attroupement : Stave est devant une maison à moitié détruite par un bombardement. Au-dessus de ce qui reste du magasin, on a gribouillé à la craie sur le mur fissuré « Crèmerie ». Quand son tour arrive enfin, la propriétaire, encore étonnamment bien portante en ces temps de disette, lui colle dans la main les misérables tranches de fromage qui adhèrent à un morceau de papier à la propreté douteuse.

— Plus de lait, annonce-t-elle d'un ton bourru.

— Il y en aura quand ? questionne Stave, las.

— Demain, peut-être. Ou après-demain.

Il sort de la boutique sans saluer. Ce ticket, je peux en faire des papillotes, se dit-il. Heureusement que je n'ai pas d'enfants qui m'attendent à la maison. Il s'effraie de son idée et s'éloigne à grandes enjambées, comme s'il craignait que quelqu'un l'ait entendu.

Dès qu'il a fini ses courses et rangé son maigre butin, Stave quitte son appartement et se rend à l'hôtel de police. Inutile de se presser : le lundi qui précède le 1er du mois, tout le monde est occupé par ses cartes de rationnement et la quête de marchandises. Il salue Erna Berg, la seule à être déjà à son poste. Est-ce qu'elle a eu du lait pour son fils ? se demande Stave, sans oser l'interroger.

L'inspecteur Müller lui a laissé une note : « Motif de la médaille, inconnu. Je poursuis les recherches. »

Va-t-il vraiment le faire ? Ou laisser la photo de la médaille moisir dans un tiroir ?

Le procès-verbal d'autopsie est aussi sur son bureau. Il ne lui apprend quasiment rien de neuf. Le Dr Czrisini a tout de même remarqué au poignet gauche des marques de contusion rouges, semblables à celles du cou. Et le vieil homme était circoncis.

Peu de temps après, Maschke et MacDonald franchissent la porte du bureau exigu. De légères traces de givre et de neige gâtent le manteau de Maschke. Il a le visage rouge.

— Je suis retourné sur les lieux hier, rapporte-t-il. Quelques agents ont fouillé les décombres dès l'aube, mais ils n'ont rien découvert que nous n'ayons déjà remarqué la veille.

Stave informe ses deux collègues des marques au poignet découvertes lors de l'autopsie ainsi que de la circoncision du vieil homme.

— Un Juif ? demande MacDonald.

Stave secoue la tête.

— Avec au cou une médaille frappée d'une croix ? Ça ne va pas bien ensemble.

— Je ne crois pas non plus, approuve Maschke. Quand nous faisons une descente dans un bordel, nous tirons aussi du lit quelques clients. Vous ne pouvez pas savoir combien d'hommes j'ai déjà vus en costume d'Adam – et combien étaient circoncis. De bons pratiquants qui vont à la messe tous les dimanches, et sans doute aussi quelques membres du parti.

— Je pense, reprend Stave, que le vieux marchait tranquillement dans la Collaustrasse. Lentement, car il était infirme. La rue est étroite, elle passe entre les monceaux de ruines dont les décombres recouvrent les trottoirs. Elle n'est pas éclairée. L'assassin l'attend sur le sentier des ruines, à l'endroit où il rejoint la rue. Il assomme sa victime, elle est inconsciente, il lui passe le fil métallique autour du poignet et la traîne parmi les gravats.

— Ça me rappelle la manière de faire de certaines araignées, remarque MacDonald.

Maschke lui envoie un regard irrité. Stave ne se laisse pas divertir.

— Il était donc en embuscade. Il agresse la victime, l'assomme, la traîne derrière lui – ça n'a duré que quelques secondes. Puis, arrivé dans les ruines, là où il est quasiment certain de ne pas être surpris, l'assassin a plus de temps pour mener à bien son projet: il étrangle le vieil homme avec le fil métallique, détrousse le cadavre qu'il dénude entièrement. Obnubilé par ce qu'il fait, il en oublie la canne, la courroie en cuir et la médaille.

— Nous n'avons trouvé aucune trace sur le sentier, fait remarquer Maschke.

— Le sol tassé est tellement gelé qu'il est dur comme du béton et la couche de neige n'est pas plus épaisse qu'une feuille de papier journal. Il se peut que le corps soit resté un ou deux jours au fond du cratère de bombe où on l'a trouvé, des dizaines de passants peuvent avoir foulé le sentier et effacé les quelques traînées dans la neige, réplique Stave.

— Et aucun d'entre eux n'aurait vu le corps ? se demande MacDonald.

— Il était au fond d'un trou, un peu à l'écart. Invisible depuis le sentier.

— Si le vieux passait effectivement dans la Collaustrasse et qu'il avait tant de mal à marcher à cause de son infirmité, il est probable qu'il habitait dans le coin. Les gars du labo ont bien travaillé et ils ont tiré cette nuit des dizaines de photos d'identification. Ce matin, on a interrogé les riverains – ce qui était facile : ils faisaient la queue au point de distribution des cartes de ravitaillement. Il est possible que nous n'ayons pas touché tous ceux qui habitent là, mais du moins avons-nous interrogé la majorité d'entre eux. Malheureusement, personne n'a jamais vu le vieux. Une chose est sûre : la photo du mort a gâché quelques petits déjeuners...

— Mais si notre homme n'habitait pas là, qu'est-ce qu'il avait à y faire et pourquoi l'y a-t-on trouvé ?

Maschke soupire.

— Qui sait pourquoi il a cette marque au poignet. L'assassin l'a peut-être ligoté et tabassé ensuite. Peut-être qu'il l'a effectivement traîné jusque-là en le tirant par le poignet – mais après son décès. Parce que, quel que soit le moment, que ce soit ici ou là, il l'a étranglé, déshabillé, puis traîné en cachette, à l'aide du fil métallique, jusqu'aux monceaux de décombres et au cratère dans lequel il l'a basculé. Amen.

— N'oublions pas la canne, prévient MacDonald. À condition qu'elle appartienne vraiment à la victime. Elle prouve que le vieil homme a bien clopiné en s'appuyant sur elle jusqu'au lieu où on l'a trouvé. En effet : qu'on s'en tienne à l'hypothèse de l'agression sur la Collaustrasse, ou à celle du meurtre ailleurs, pour quelle raison l'assassin aurait-il emporté la canne avec lui pour la déposer à côté du corps ? Alors qu'il lui a tout pris. À mon avis, il l'assomme sur le sentier non loin du cratère, l'étrangle, le dévalise, le jette dans le trou – et en oublie la canne. Signe aussi que le méfait a été commis dans l'obscurité. Ce qui n'étonnera personne.

Stave fixe quelques instants le lieutenant du regard.

— Vous devriez devenir flic, ça vous ferait un boulot plus intéressant, finit-il par lui dire.

— Si l'assassin achève le vieux sur place, objecte Maschke, il n'a pas besoin de le ligoter ni de le traîner quelque part. Comment expliquez-vous les marques au poignet ?

MacDonald lève les bras en souriant.

— Je n'en ai strictement aucune idée.

Pour le lieutenant, tout cela ressemble à une espèce de défi intellectuel, se dit Stave. Mais il ne réussit pas à être en colère contre lui. Une bonne raison supplémentaire de résoudre cette affaire.

— On n'avance pas, conclut-il. Tous les éléments rassemblés s'emboîtent mal. Faisons imprimer mille affiches. Interrogeons tous les points de distribution de cartes de ravitaillement, et en priorité, ceux qui se trouvent près du lieu de découverte du corps. Il ne doit pas être difficile de savoir si quelqu'un n'est pas venu retirer ses cartes. Interrogeons aussi tous les médecins – peut-être que le vieil homme était soigné pour son infirmité. Pendant ce temps-là, je vais rédiger un rapport à classer au dossier. Et ensuite on s'occupera du marché noir.

Peu de temps après, l'inspecteur principal est seul. Il tape avec deux doigts sur les touches du clavier de sa machine à écrire, plus vite parfois, parfois plus lentement, avec un bruit de mitrailleuse qui aurait des ratés. Puis il survole ce qu'il a écrit. «L'obscurité confère son empreinte caractéristique à ce champ de ruines.» Il s'étonne de sa formulation. En règle générale, dans ses procès-verbaux, il ne se fourvoie pas dans de telles fioritures. Je deviens sentimental, se dit-il et il se demande ce que Cuddel Breuer ou le procureur Ehrlich vont bien pouvoir faire de ça. Faut-il tout reprendre, recommencer depuis le début ? Sottise, qu'ils le prennent donc pour un romantique attardé. Il soupire et glisse la feuille dans la chemise.

Puis son bureau devient trop étroit. MacDonald arrive en premier. Maschke entre et annonce qu'il a encore questionné quelques retardataires aux points de distribution des cartes de rationnement – personne n'a jamais vu le vieil homme.

On frappe à la porte, on marmonne des salutations et, très vite, l'air ambiant est de plus en plus confiné. C'est d'abord un collègue de la brigade d'intervention d'astreinte qui se présente, puis un de la brigade de recherche des personnes et des biens, un agent de la brigade de prévention de la délinquance juvénile, un membre de la section féminine de la police judiciaire – et, naturellement, un fonctionnaire du Chefamt S, l'Office de lutte contre le marché noir, spécialement créé et organisé pour combattre le commerce illicite.

Stave commence un bref exposé sur les meurtres, mais il se rend vite compte que tous ses collègues connaissent l'affaire. Sympa, de partager ses soucis.

— Au cours de la rafle, on trouvera peut-être quelque chose qui a appartenu à l'une ou l'autre victime. Ce serait une piste, conclut-il.

L'inspecteur de la brigade de recherche – un jeune homme pâle, avec des cernes de fatigue – le regarde d'un air sceptique.

— Nous ne connaissons pas l'identité de ces morts. Nous ne savons pas ce qui leur a été volé. Il est évident qu'au cours de la rafle, nous allons saisir quantité de marchandises – mais comment reconnaître celles qui ont appartenu à un individu que nous ne connaissons même pas ?

Stave écarte les mains, paumes en l'air.

— On fourgue de tout au marché noir. Peut-être quelqu'un cherchera-t-il à vendre un dentier ? Ou un suspensoir ? Le cas échéant, j'aimerais bien m'entretenir avec lui. Peut-être qu'on mettra la main sur quelques trafiquants en possession de cigarettes américaines ou de schnaps distillé clandestinement. Ils n'auront peut-être rien à voir avec les meurtres. Mais une fois dans la salle d'interrogatoire, il leur viendra peut-être une idée. Peut-être qu'ils ont entendu parler d'un collègue qui a cherché à refiler des vêtements de femme, puis d'homme ? Ou ils auront entendu parler d'une médaille avec une croix et deux dagues ? L'espoir est bien mince, je vous l'accorde, mais il faut que nous suivions toutes ces pistes, nous n'avons pas le choix.

Le fonctionnaire de l'Office de lutte contre le marché noir – un ex-gros qui flotte à présent dans sa peau comme dans un costume trop grand – se frotte les mains.

— Peu importe, le marché noir, c'est le marché noir, et une rafle ne fait jamais de mal. Depuis Noël, on n'a fait aucune razzia d'envergure. Le moment est venu de faire suer de frousse ces messieurs les trafiquants. Et ça fera reprendre de l'exercice à mes gars. Je propose qu'on s'occupe de la Hansaplatz. C'est là qu'on mettra la main sur le maximum de nos clients et le plus de marchandises.

Personne ne le contredit et Stave approuve de la tête. S'il y a un lieu parfaitement adapté au petit marché noir populaire à ciel ouvert, c'est la Hansaplatz, dans le quartier St. Georg. Avant la guerre, cette place était bordée de vieilles maisons de rapport bourgeoises à plusieurs étages. Comme par miracle, elles ont presque entièrement échappé aux grêles de bombes, alors que la gare centrale n'est pourtant qu'à quelques centaines de mètres.

Venus de toutes les zones d'occupation et même de l'étranger, des convoyeurs et des livreurs acheminent par la gare des marchandises volées. Des trafiquants et des « mercantis » cachent ensuite de la pénicilline, des cigarettes, de l'alcool et du café dans les hôtels bon marché proches de la place ou dans des appartements loués à cet effet. Les collègues du Chefamt S ont déjà découvert de véritables dépôts de marchandises, écoulées ensuite en petites quantités par des petits porteurs et des intermédiaires marron sur le marché parallèle de la Hansaplatz, où se rendent chaque jour des centaines de Hambourgeois qui manquent de tout ce qui n'est pas proposé sur les cartes de rationnement.

Aucun habitant de St. Georg ne dénoncerait les « échangistes » et leurs clients : ils ramassent les miettes de cette pratique commerciale frauduleuse – une livre de beurre pour la location d'une chambre par exemple, un paquet de Lucky Strike pour des gamins qui font le guet, des prix préférentiels pour du schnaps distillé clandestinement. Ils ne posent pas non plus de questions sur le contenu des caisses entreposées.

— Quand ? demande Stave.

— Aujourd'hui même, répond l'inspecteur du Chefamt S, pour que personne n'ait vent de la chose. Laissez-moi juste un peu de temps pour réunir les collègues de l'Office. Plus une centaine d'agents en uniforme, quelques camions britanniques pour rassembler discrètement les hommes et les amener à St. Georg au dernier moment. Disons, cet après-midi, 17 heures. C'est l'heure de la fermeture des magasins et des bureaux. La place est alors pleine de monde et les « rationnaires » vont se réapprovisionner pour satisfaire la demande. En plus, il commence déjà à faire nuit et on ne nous verra débouler qu'au tout dernier moment.

— Bien, approuve l'inspecteur principal. Je serai sur place une demi-heure avant pour faire du terrain. Personne ne me connaît. À 17 heures, on refermera la nasse et on emmènera tout ce beau monde au poste. Je veux que tous ceux que nous attraperons soient interrogés dans la nuit. Et je veux la liste précise et complète de toutes les marchandises saisies.

Les policiers quittent le bureau, la mine réjouie. On chuchote des consignes. Tous sont pris par la fièvre du chasseur.

Il faut à peine une demi-heure de l'hôtel de police à la Hansaplatz. Stave traverse le Lombardsbrücke, col du manteau relevé aux oreilles, tête baissée, froid glacial mordant. À sa gauche, le lac Alster est une gigantesque étendue de glace bleu clair, sur laquelle le soleil de l'après-midi dessine des motifs rosâtres. Deux enfants patinent en faisant des ronds sur la glace, quelques couples s'avancent timidement sur la surface gelée. Stave fait la grimace. Cette surface lisse est une bonne excuse pour faire semblant de glisser et se rattraper à son partenaire. Très romantique, même par moins vingt.

Le plus court chemin serait de passer par la gare centrale et de prendre à gauche direction Hansaplatz, mais Stave choisit de faire autrement. Il ne connaît certes personne sur le marché noir de St. Georg, mais il traîne souvent à la gare à la recherche de son fils. Il prend donc des chemins détournés jusqu'à ce qu'il tombe sur la Brennerstrasse qui le conduit à la Hansaplatz en contournant la gare. Il passe devant le

Würzburger Hof, où les collègues du Chefamt S ont, à l'automne 1946, saisi quelques tonneaux de formol volés à l'Institut de zoologie. Les cambrioleurs s'étaient aussi emparés des bocaux où flottaient des ténias, des serpents et des lézards. Le formol avait été bradé à cinq cents Reichsmarks la bouteille sur le marché noir sous l'appellation de «double kummel» distillé maison. Quand les agents ont fini par arrêter les trafiquants sur dénonciation, la moitié du butin avait déjà été avalée par des jobards: dix mille litres d'un bonheur ineffable... pour vers solitaires.

Deux adolescents traînaillent au bout de la Brennerstrasse – ils font le guet. Ils ne lui accordent qu'un regard ennuyé. Stave n'est pas le seul à se rendre à la Hansaplatz. Des hommes en manteaux longs coiffés de casquettes de voyous. Des vieilles femmes avec des cabats en raphia. Un soldat unijambiste démobilisé qui ramasse des mégots et menace de basculer en avant chaque fois qu'il se baisse pour en récolter un. Des ouvriers des chantiers navals. Des hommes avec des serviettes en cuir fatiguées pleines à craquer. Deux Chinois devant l'entrée du restaurant Lenz.

Stave se laisse porter par les allées et venues continuelles. Il discerne peu à peu des façons de faire typiques, comme des ondes sur un lac, des courants déviés par un galet: des mots chuchotés – la place est étonnamment silencieuse –, des manteaux qu'on ouvre tout d'un coup, des valises dont on lève vivement le couvercle, des cigarettes et des Reichsmarks qui passent de main en main, des départs précipités.

Dans l'ombre d'un porche, une jeune femme portant un foulard propose une paire de chaussures d'homme usées. «Quatre cents Reichsmarks», murmure-t-elle. Un mouvement brusque et elle fourre les chaussures dans la serviette en cuir d'un monsieur âgé qui lui glisse quelque chose dans la main. Puis on se sépare rapidement. Un vieil homme, qui jette des regards nerveux autour de lui, offre des cartes de pain à trois ménagères, manifestement horrifiées par le prix qu'il en demande. Un ex-soldat chaussé de bottes trop grandes pour lui, le manteau réglementaire de la Wehrmacht teinté, fermé par des épingles à nourrice, laisse dépasser de sa poche une boîte en fer-blanc. Du beurre. «Deux quatre vingt-dix», murmure-t-il. Deux cent quatre-vingt-dix Reichsmarks la livre. Les convoyeurs doivent en avoir passé une grosse quantité, se dit Stave, sinon il ne serait pas si bon marché. Ou alors, c'est de la margarine. Dans le renfoncement d'une porte cochère, quatre hommes chuchotent, têtes rapprochées. Soudain une odeur de café et immédiatement des billets, beaucoup de billets, changent de main. Une femme âgée, au visage émacié, disparaît dans le restaurant derrière un Chinois. «Pierres à briquet!» crie un jeune garçon déluré. Il doit avoir à peine quatorze ans. «Besoin de pierres à briquet ? Dix-huit Reichsmarks!» Un autre adolescent vend des Lucky Strike, sept Reichsmarks pièce. Peu à peu, Stave comprend les annonces et les prix murmurés: «Couverts de l'armée en inox, fourchette, couteau, cuillère à soupe, petite cuillère, très utiles pour des réfugiés – vingt-trois Reichsmarks. Une bobine de fil à coudre – dix-huit Reichsmarks. Une livre de sucre – quatre-vingts Reichsmarks. La carte d'alimentation complète – mille Reichsmarks.»

Il va falloir qu'on s'occupe sérieusement de ce vendeur de cartes d'alimentation, se dit Stave.

La majorité des ouvriers et des employés gagne à peine cinquante Reichsmarks par semaine. Lorsqu'il faut travailler six semaines pour se payer une livre de beurre, on est vraiment pauvre – et prêt à négocier de mauvaises affaires au marché noir. Ou des affaires risquées.

Des montres, des pièces de monnaie en or, des dollars dans des boîtes à cirage. Deux mètres de tuyau de descente en zinc. Trois truites qui viennent juste d'être pêchées. Un poste de radio. De fausses attestations pour échapper aux procédures de dénazification – qu'on appelle des «certificats Persil». Des passeports en blanc. Un petit tapis persan. De la pénicilline volée dans les magasins alliés. Une valise en cuir. Un corsage.

Mais ni prothèse dentaire, ni suspensoir, ni médaille.

Merde, se dit Stave. Le collègue de la brigade de recherche a raison: comment attribuer une marchandise vendue au marché noir à un mort inconnu ? Ce corsage appartenait-il à la femme ? Le vieil homme était peut-être en train d'extraire des décombres un tuyau de descente et il est peut-être mort pour ça ?

« Police ! »
Le cri vole à travers la place, horrible comme le cri d'alarme d'un homme des cavernes.

Des shakos, des manteaux gris, des matraques qui se précipitent depuis les rues adjacentes. Des femmes qui hurlent. Des adolescents qui jurent comme des charretiers. Des bousculades, des bourrades, des coups. Et d'innombrables cliquètements : des boîtes en fer-blanc jetées au sol, des jeux de couverts de la Wehrmacht, des montures de lunettes, des bagues de femme, des clés anglaises. Ainsi que des cigarettes, des formulaires de dénazification en blanc et beaucoup, beaucoup de billets de banque.

Les trafiquants chevronnés savent dans l'instant qu'ils sont pris dans la nasse et ils se débarrassent de tout ce qui pourrait les trahir. Perdu pour perdu. Si on ne trouve rien sur eux, le délit sera moindre.

Leurs clients et les débutants en revanche s'accrochent à leur butin et foncent droit devant eux, dans l'espoir de la porte la plus proche, de la ruelle, du café où s'engouffrer. Mais soudain les agents de police sont partout, certains l'œil sévère, d'autres le sourire méchant. D'autres encore brandissent une matraque menaçante, mais ils n'ont pas besoin de cogner. Des ordres sévères circulent. Les agents avancent, en rabattant tout ce beau monde dans le périmètre de ratissage, bouclant de plus en plus la souricière.

Le « mercanti » aux cartes d'alimentation. Stave jure, joue des coudes à travers la foule, se fraye difficilement un passage en cognant des pieds et des poings. Le fuyard se confie aux remous de la foule prise au piège. Imperturbable, il se laisse pousser, tirer, ballotter, sa marchandise gît sans doute depuis longtemps sur les pavés. Il est jeune, pâle, avec des cheveux bruns mi-courts. Une vilaine balafre déchire sa joue gauche comme si elle avait été frappée par la foudre.

Un ancien soldat, se dit Stave. Il faut que je sois sur mes gardes.

L'inspecteur principal bouscule une femme âgée et aborde enfin le fuyard. Il sort sa carte de police et la lui flanque sous le nez.

— Police! hurle-t-il.

Il est sur le point d'ajouter les quelques formules d'usage, mais il se prend un coup de poing en pleine figure. Une douleur aiguë et le goût salé du sang. En voilà des manières! se dit Stave, alors que le martèlement dans son crâne diminue.

Le jeune homme se retourne, veut fuir. Mais un mur de corps lui barre la route, le cerne de toutes parts. Il projette brutalement à terre la vieille dame que Stave avait déjà bousculée, son pied se prend dans son filet à provisions, il titube, sautille sur un pied et tire sur les mailles en jurant.

Stave lui chope le bras et le lui tord dans le dos, le projette si violemment sur les pavés gelés qu'il hurle de douleur. Le craquement de deux côtes qui cassent. Stave, toujours le goût du sang dans la bouche, se laisse tomber de tout son poids sur lui et lui presse les genoux contre la poitrine. Nouveau craquement, mais cette fois, l'homme aux cheveux bruns ne hurle plus, ses poumons gargouillent.

— Joli coup! le félicite-t-on.

Stave se retourne d'une pièce et reconnaît son collègue de la brigade de recherche qui a réussi à se frayer un chemin jusqu'à lui.

— Judo, répond Stave en haletant.

Il se relève et lisse son manteau. Eugen Höltzel, un homme de taille moyenne avec une monture de lunettes en écaille jaune, est arrivé à la police judiciaire de Hambourg un an auparavant, et il s'est avéré qu'il était plusieurs fois champion d'Allemagne de judo. Les Britanniques lui ont interdit de pratiquer son sport – sauf pour former des policiers. Stave, assez naïvement, avait cru que cet entraînement l'aiderait beaucoup à dissimuler sa claudication. Les tortures que m'a infligées Höltzel auront tout de même servi à quelque chose, se dit-il en voyant deux agents emmener l'homme qui titube, courbé en deux.

— Celui-là, je veux l'interroger en premier, leur crie-t-il.

Des hommes, des femmes, quelques enfants, tous alignés devant le mur d'un immeuble à la façade décrépite. La Hansaplatz saupoudrée d'une fine couche de neige piétinée, parsemée de boîtes de conserve, de ballots, de cageots, d'objets hétéroclites aux formes bizarres et de papiers qui virevoltent au gré du vent glacé. Quelques agents en uniforme courent après des billets de Reichsmarks.

Vont-ils les rendre tous ? se demande Stave, transi. Sa lèvre éclatée ne saigne plus, mais elle est enflée. J'espère que pendant les interrogatoires, je ne vais pas bafouiller comme un ivrogne. Le trafiquant de cartes de rationnement en prendra pour au moins six mois. À moins qu'on puisse prouver sa culpabilité concernant les deux morts. Ce serait l'échafaud.

Les agents de police poussent les personnes interpellées lors de l'opération de ratissage dans les fourgons stationnés entretemps dans la Brennerstrasse. L'une ou l'autre femme pleure, quelques hommes insultent les policiers, mais la plupart se tiennent tranquilles. Fatigués. Résignés à leur sort.

Stave pense tout d'un coup à d'autres personnes que la police a raflées et poussées dans des camions, en plein jour, en plein centre-ville, il y a seulement quelques années. On n'en finira donc jamais ? Et qui dit que les forces de l'ordre sont plus dans leur droit à présent que jadis ? Il s'efforce de penser aux deux morts par strangulation, que l'assassin est peut-être parmi ces personnes interpellées qui avancent deux par deux vers les camions.

— Retour à l'hôtel de police, crie-t-il à son collègue de la brigade de recherche. On a une longue nuit devant nous. J'aimerais bien que quelqu'un ramasse une livre de café pour qu'on s'en fasse une bonne tasse...

Mais, naturellement, personne ne touche à la marchandise saisie, on a affaire à de corrects fonctionnaires allemands. Et il faut dire aussi que plusieurs soldats britanniques observent la scène.

À l'hôtel de police, Stave, Maschke et quelques policiers de la judiciaire occupent les salles d'interrogatoire. Les agents en uniforme leur présenteront les personnes embarquées, dans l'ordre où ils les extrairont des cellules.

— Amenez-moi donc en premier ce jeune type aux cheveux bruns, rappelle Stave.

Cinq minutes plus tard, l'inspecteur principal se sent comme un joueur de cartes qui aurait surestimé son jeu. Et même de beaucoup.

Le suspect qui lui fait face, pâle et courbé en deux sur sa chaise, a un parfait alibi. Il a « dégoté » des cartes de ravitaillement dans d'autres villes de la zone d'occupation britannique pour les fourguer à Hambourg, où les prix sont plus élevés. Il a été filé et arrêté. Mais on n'a trouvé sur lui qu'une partie de son butin et il a écopé de quinze jours de prison. Un appel téléphonique aux collègues de Lünebourg et Stave apprend qu'à la date présumée des meurtres, il était effectivement détenu dans une cellule à soixante kilomètres des ruines de Hambourg. Il donne l'ordre de reconduire le « mercanti » et rédige une note pour le juge des flagrants délits britannique qui va traiter les dossiers dès le lendemain matin.

— Suivant! ordonne-t-il, résigné, au planton qui attend devant la porte.

Un étudiant, pâle de visage, dont le père est porté disparu à Stalingrad et dont la mère est décédée lors d'un bombardement. Il a été pris avec quatre-vingts cigarettes et 17,40 Reichsmarks. Suivant. Un intermédiaire « marron » déjà condamné pour proxénétisme. Trois mille Reichsmarks dans la poche, mais pas de marchandise illicite. Suivant. Une ménagère avec une demi-livre de beurre. Suivant. Un adolescent, pas de marchandise sur lui, pas de cigarettes, pas d'argent. Stave le renvoie sur-le-champ à ses parents. Suivant. Un vieil homme qui voulait vendre deux montres.

Deux heures du matin. Stave a l'impression qu'un char Sherman lui a roulé dessus. Lorsque Erna Berg lui apporte une tasse de thé, il croit voir trente-six chandelles au moment où le liquide chaud brûle ses lèvres enflées.

Les yeux lui font mal quand, à chaque nouveau détenu, il consulte le registre des repris de justice : état civil, empreintes digitales, signes particuliers, dernière adresse connue, photo d'identité de face et de profil.

Il a faim. Il a froid. Il ressent l'envie urgente de défoncer le crâne de la prochaine personne qui entrera dans la salle d'interrogatoire.

C'est Anna von Veckinhausen.

Un simple coup d'œil dans ses yeux bruns, et il sent qu'elle est aussi agacée que lui. Ça promet, se dit l'inspecteur principal.

Il est courtois, lui propose de s'asseoir, ne laisse pas paraître qu'il l'a déjà interrogée. Espère-t-elle, de son côté, qu'il ne l'a pas reconnue ? Elle ne laisse rien transparaître non plus de leur première rencontre.

Elle sait se contrôler, se dit Stave – elle fait preuve de sang-froid.

Il feuillette le registre. Rien. Puis il jette un coup d'œil sur la fiche qu'un agent lui a tendue, comme pour toutes les personnes interpellées. Née le 1ᵉʳ mars 1915 à Königsberg, en Prusse-Orientale. Aucune mention concernant sa famille ou les circonstances qui l'ont conduite à Hambourg, aucune date d'arrivée dans la ville. En tout cas, il sait à présent d'où lui vient son accent.

— Quel type de marchandise avez-vous trafiqué ? finit-il par lui demander.

— Je ne me suis pas livrée au marché noir, répond-elle, furieuse. Je me rendais à la gare en traversant la Hansaplatz, quand votre...

— ... rafle, propose Stave cordialement.

— Grande Opération, poursuit-elle en utilisant sciemment l'expression consacrée des nazis, s'est déclenchée. J'ai déjà dit à l'agent qui m'a arrêtée que c'était une erreur. Mais il ne m'a même pas écoutée. Des méthodes dignes de la Gestapo.

L'inspecteur principal ne se laisse pas provoquer – d'autant qu'Anna von Veckinhausen n'a pas tout à fait tort. Il baisse à nouveau les yeux sur ses papiers.

— Nous vous avons confisqué cinq cent trente-sept Reichs-marks, dit-il calmement. Pouvez-vous m'expliquer ce que vous faisiez avec une telle somme ?

— Je n'ai rien à vous expliquer. Mon argent, c'est mon argent.

— Je me demande si vous avez vendu quelque chose avant la razzia. Un objet, par exemple, qui appartenait, il y a quelques jours encore, à un vieil homme de soixante-dix ans ?

Anna von Veckinhausen paraît vouloir bondir de sa chaise. Puis elle ferme brièvement les yeux et respire profondément.

— Je pensais que vous ne vous souveniez plus de moi, murmure-t-elle.

— Si c'était le cas, je ne ferais pas ce métier, répond Stave avec un léger sourire en coin.

— Je n'ai rien vendu au marché noir, répond-elle. Vous avez arrêté tous ceux qui se trouvaient sur la place. Demandez-leur donc s'ils me connaissent. J'allais à la gare et je ne faisais que passer.

— Avec cinq cent trente-sept Reichsmarks ?

— Avec cinq cent trente-sept Reichsmarks.

— Et vous ne voulez pas me dire d'où vient cet argent, ni ce que vous aviez l'intention d'en faire ?

— Ça ne vous regarde pas.

Stave consulte à nouveau ses feuilles. Difficile de la contre-dire. D'un autre côté, le juge britannique qui statuera sur les flagrants délits pourrait tout de même lui coller quelques jours de prison au motif des circonstances de l'arrestation. Mais quel intérêt ?

— Nous n'avons pas organisé cette rafle pour arrêter quelques femmes au foyer en train d'acheter des allumettes, mais pour confisquer autant que possible des objets ayant appartenu au mort – ce mort que vous avez trouvé.

— Résultat ?

Stave ignore sa question, même s'il ne lui a pas échappé qu'Anna von Veckinhausen ne l'a pas posée ironiquement, mais parce qu'elle s'intéresse vraiment à sa réponse. À moins qu'elle ne s'en inquiète ?

— Revenons à cet après-midi où vous avez découvert le cadavre. Vous longez donc la Lappenbergsallee. Vous la quittez pour le sentier qui traverse les ruines et vous conduirait dans Collaustrasse. Et c'est à ce moment-là que vous voyez le cadavre dans les ruines.

— Oui, répond-elle, l'air las.

Stave prend note.

— Combien de temps êtes-vous restée auprès du corps ? poursuit-il.

Elle le regarde, l'air étonné.

— Vous croyez que j'ai récité une prière aux défunts ?

— Vous ne l'avez regardé qu'une seconde, et vous avez instantanément compris ce que vous aviez sous les yeux ? Et vous vous êtes immédiatement enfuie ? Ou vous avez minutieusement tout observé ?

Anna von Veckinhausen pose la main droite sur son épaule gauche, son bras lui barre la poitrine. Un geste, se dit Stave, qui indique une gêne ou un besoin inconscient de protection.

— Je ne sais pas, concède-t-elle en hésitant. Quelques secondes, peut-être. Je regarde le corps et il me faut un certain temps pour comprendre ce que je vois. Puis je pars, sans courir. Plus rien ne pressait.

Stave revient à la charge.

— Vous avez donc examiné le mort un certain temps, mais vous n'avez noté aucun détail sur les lieux de votre découverte ?

— On peut dire ça comme ça.

Stave fixe sa table de travail. Il faut qu'il prenne une décision mesurée, mais la nuit est avancée. Il fait froid, il a faim et se sent courbaturé. Il a mal à la tête aussi. Doit-il garder Anna von Veckinhausen ? Il aurait bien un prétexte : les cinq cent trente-sept Reichsmarks. Ou doit-il la laisser filer ? Être clément, attendre et observer ?

— Vous pouvez partir, finit-il par lui annoncer en se surprenant presque lui-même. Désolé pour ce désagrément.

Elle le fixe un instant, incrédule, puis lui adresse un sourire hésitant.

— Merci.

Elle se lève. Debout à la porte, elle se retourne.

— Qu'est-ce qui est arrivé à votre lèvre ?

— J'ai glissé sur une plaque de verglas.

Dès qu'elle a franchi la porte, il reprend son calepin. Le soir où elle a trouvé le cadavre, Anna von Veckinhausen avait témoigné qu'elle allait de la Collaustrasse à la Lappenbergsallee en passant par le sentier de traverse. Lorsqu'il a récapitulé ce qu'elle avait dit, Stave a volontairement interverti le nom des rues. Un truc de gestapiste. Et le témoin lui a certifié qu'elle venait de la Lappenbergsallee et qu'elle se rendait dans la Collaustrasse.

Elle était peut-être fatiguée, tout simplement. Ou son arrestation l'a tellement troublée qu'elle n'a pas fait attention. Possible aussi qu'elle lui ait servi un mensonge la première fois – et qu'elle ne se rappelait pas les termes exacts de son faux témoignage.

J'aimerais savoir ce qu'elle cherchait dans les ruines, se dit Stave.

— Suivant ! crie-il au planton.

Deux heures plus tard, tout est enfin terminé. Le dos en compote, l'inspecteur principal se lève de sa chaise et fait les cent pas jusqu'à ce que sa jambe blessée insensible soit de nouveau correctement irriguée et qu'il ne boite quasiment plus. Puis il appelle ses collègues. Celui de l'Office de lutte contre le marché noir est frais comme un gardon, comme s'il avait dormi tout son soûl pendant dix heures d'affilée. À l'en croire, au cours de cette rafle, la police aurait confisqué une citerne de schnaps et au moins une demi-tonne de pénicilline. Le policier de la brigade de recherche lui aussi est content : il a pris un gros trafiquant dans ses filets.

En revanche, Maschke et les autres se regardent, l'air las et déçu. MacDonald est le seul à avoir gardé espoir : le lieutenant n'a pas participé à l'opération et n'a mené aucun interrogatoire.

Je me demande pourquoi il n'est pas rentré chez lui, se dit Stave.

— Merci, messieurs, annonce-t-il à voix haute en leur faisant signe qu'ils peuvent partir.

Nul objet confisqué, nulle déposition qui les ferait avancer dans ces deux affaires de meurtre. Rien, rien, trois fois rien. Qu'est-ce que nous avons négligé ? s'interroge l'inspecteur principal. Il attend que tout le monde soit parti, puis il passe une fois encore en revue ses notes et les procès-verbaux d'interrogatoire, page après page. Si au moins on était en été, se dit-il, il commencerait à faire jour. Les yeux lui piquent. Rien – excepté cette minime contradiction, peut-être significative, peut-être ridicule, dans les déclarations du témoin Anna von Veckinhausen.

Stave se demande brièvement s'il ne devrait pas prendre une ou deux heures de repos dans son bureau. Mais, à la pensée de dormir à poings fermés et de se laisser surprendre par des collègues, couché à même le sol, recroquevillé pour combattre le froid matinal, il se décide à partir. Il traverse lentement le hall d'entrée de l'hôtel de police. Et tout d'un coup, il se fige.

Une ombre.

Stave retient sa respiration et inspecte un des énormes piliers du porche. Un homme est assis derrière. Stave ne distingue d'abord qu'une épaule, une jambe. L'ombre ne bouge pas, puis elle se redresse avec lenteur, sans avoir remarqué sa présence. Un ivrogne peut-être, qui cuve sa cuite. Devant l'entrée de l'hôtel de police ? L'homme titube en s'éloignant du pilier, débouche sur la place, la lumière jaunâtre de la lune éclaire son visage.

Stave reconnaît un jeune homme interpellé quelques heures auparavant. Il se demande qui l'a interrogé et laissé repartir. Puis il se rend compte qu'il n'est pas ivre, qu'il a été tabassé. Œil tumescent, lèvres éclatées, la démarche de quelqu'un qui se tord de douleur, qui a pris des coups dans le ventre et les parties. Il lui vient immédiatement un affreux soupçon : Gestapo. L'homme a été roué de coups pendant l'interrogatoire. Puis on l'a relâché pour qu'aucun autre policier ne remarque son état, et moins encore un juge du tribunal des flagrants délits britannique. Il a été tellement battu qu'il a du mal à marcher. Il semble avoir retrouvé juste assez de force pour s'éloigner du pilier en chancelant.

Stave le suit sans se faire repérer.

L'inconnu se traîne le long du Holstenwall, tourne à droite au Millerntor et aboutit au lacis de ruelles du nord de la Reeperbahn. Un immeuble à moitié démoli, des bouts de papier fixés aux sonnettes avec les noms et les dates de naissance des nouveaux locataires, des «bombardés». L'homme s'arrête, légèrement courbé en avant, se baisse, gratte un peu de neige pour se nettoyer le visage. Il veut être présentable avant que sa mère le voie, se dit Stave. Les doigts gourds, comme perclus par le froid et sans doute aussi à cause des coups, le jeune homme fouille dans la poche droite de son manteau bien trop grand pour lui. Lorsqu'il a enfin sorti sa clé et qu'il se tourne vers la porte, Stave s'avance d'un pas vif.

— Police judiciaire, murmure-t-il.

Inutile de réveiller les voisins.

L'homme se retourne d'une pièce, l'air effaré.

— Qu'est-ce que vous me voulez encore ? bredouille-t-il.

Il n'a pas vingt ans, se dit Stave. Il ne mange pas à sa faim. C'est peut-être la première fois de sa vie qu'il s'est fait méchamment rouer de coups. Mais qui sait quels crimes il a commis pendant la guerre ?

— Qui t'a fait ça ? demande Stave en pointant du doigt son œil enflé.

Il est trop fatigué pour temporiser, et il compte sur la peur du jeune homme : à question directe, réponse spontanée.

— Un policier, répond-il, pendant l'interrogatoire.

Stave ferme brièvement les yeux et étouffe un juron.

— Quel policier ?

— L'inspecteur Maschke.

Pourquoi cette réponse ne t'étonne-t-elle pas ? se dit Stave, furieux.

— Et pourquoi il a fait ça ?

Le jeune homme le regarde comme s'il lui avait posé une question idiote.

— Votre collègue a dû apprendre ça à la Gestapo, se résout-il finalement à répondre.

Stave lui propose une cigarette.

Quelques questions plus tard, il sait tout : Karl Trotzauer, dix-neuf ans, habitant à Sankt Pauli, sans travail, interpellé au marché noir avec une bouteille de kummel et une peinture à l'huile au cadre doré qui représente un chalet de montagne. Mais on ne tabasse pas les gens parce qu'ils ont du schnaps et un tableau kitsch. Maschke a dû demander à tous les interpellés où ils se trouvaient le 20 janvier. Et Trotzauer, en toute innocence, a déclaré que, ce jour-là, il était revenu de chez sa tante à Eimsbüttel et qu'il était passé par la Lappenbergsallee.

— Et c'est là qu'il a commencé à cogner, poursuit-il en désignant son œil meurtri. Sans crier gare, sans brailler, juste comme ça, de sang-froid. Des coups de pied et des coups de poing. J'ai cru que j'allais crever.

— Et ensuite ?

— Quand j'ai un peu repris connaissance, il m'a demandé comment j'avais tué le vieux.

— Le vieux ?

— Je ne savais absolument pas de quoi il parlait. Quand il a recommencé à cogner, j'ai compris que Maschke parlait d'un mort. Et j'ai fini par comprendre qu'il voulait que j'avoue le meurtre d'un vieil homme.

— Et... ?

Trotzauer lui lance un regard noir.

— Ça faisait vachement mal, mais je ne suis pas fou. Je n'ai rien avoué, évidemment, parce que je n'ai rien à avouer. Je n'ai pas tué de petit vieux. Je n'ai pas cessé de le répéter à Maschke, entre les coups. Il a fini par me laisser partir et il m'a juré qu'il m'aurait.

— Vous pouvez rentrer.

Sur le long chemin du retour, l'inspecteur principal a beaucoup de temps pour réfléchir. Il ne rencontre qu'une patrouille britannique à qui il présente sa carte de police. Comme si Hambourg, avec ses ruines et ses rues défoncées, ses magasins éviscérés et ses gares bombardées, était abandonné par ses habitants qui l'auraient quitté pour construire ailleurs une ville meilleure.

Maschke était-il un gestapiste ? Il est censé être sorti il y a peu de l'école de police, il n'a donc pas pu faire partie de la Gestapo avant 1945. Par ailleurs, Stave a du mal à s'imaginer ce grand fumeur enragé, ce grand escogriffe, en train d'enfoncer à grands coups de pied des portes d'appartements juifs à cinq heures du matin.

Mais, même au cas où Maschke aurait fait partie de la Gestapo, pourquoi tabasser des petits échangistes ? Par excès de zèle ? Si quelqu'un s'est trouvé dans les parages du second meurtre à l'heure présumée, ce n'est pas une raison pour le tabasser. Pourquoi Maschke veut-il absolument transformer en suspect un gamin de dix-neuf ans, alors que pratiquement rien ne l'accuse ? Pourquoi vouloir forcer un aveu à coups de poing, alors que, selon toute vraisemblance, Trotzauer n'a rien à voir avec le vrai coupable ?

En fait, je ne sais rien de Maschke, se dit Stave, alors qu'il est enfin arrivé devant sa porte. Il serait temps de se renseigner plus avant. Mais prudence. Demain, après quelques heures de sommeil.

Le lendemain après-midi, l'inspecteur principal a l'occasion de se procurer quelques informations – et il manque presque tout gâcher.

Une réunion dans son bureau. Tandis que MacDonald fait part des derniers échecs de l'enquête, Stave fixe du regard les cristaux de glace qui étincellent sur les vitres comme des étoiles gelées. Le lieutenant agite quelques feuilles jaunes sur lesquelles sont tapés à la machine des noms, des dates de naissance et divers renseignements administratifs. Des centaines de noms, si Stave ne se trompe pas.

— Une copie des listes des personnes portées disparues à Hambourg, explique le Britannique. J'ai passé en revue tous les noms – personne qui corresponde à nos deux cadavres. Il y a bien quelques jeunes femmes et quelques vieillards, mais leur état civil ne présente aucun point commun avec ce que nous avons observé sur les cadavres. Et je ne trouve pas non plus de point commun dans les listes d'hommes, de femmes, d'enfants disparus. Disparus en fuyant le front est, au cours des bombardements de nuit, ou tout simplement dans les remous de l'après-guerre. Parfois la disparition est signalée par un conjoint ou un parent, parfois ce sont des amis ou des voisins, parfois une entreprise ou une administration. Au cas où l'une des personnes listées serait enfouie sous des décombres avec des marques de strangulation au cou, je ne vois pas comment ces répertoires pourraient nous être utiles.

MacDonald plie les feuilles en quatre et les glisse dans une poche de son uniforme. Puis il lève les bras en signe d'excuse.

— J'en suis au même point, dit Maschke, comme s'il était furieux de ne pas faire mieux que le Britannique. Aucun dentiste n'a jamais vu les mâchoires du vieux. Et pas un médecin ne l'a examiné sous la ceinture.

Lorsque MacDonald lui lance un regard interrogateur, il ricane.

— Il n'a consulté aucun médecin pour sa hernie inguinale, il n'est allé dans aucun hôpital, on en est quasiment certain.

— Sauf si le médecin n'a pas survécu à la guerre, remarque Stave.

— Je suis aussi allé à l'Office pour le déblaiement et la reconstruction, poursuit Maschke, impavide, en ouvrant un calepin crasseux. Saviez-vous qu'à Hambourg, plus de 250 000 appartements et maisons ont été détruits lors des bombardements ? 3 500 entreprises, 277 écoles, 24 hôpitaux, 58 églises. 43 millions de mètres cube de ruines et de décombres. On dirait presque que les gars de l'Office sont fiers de leurs chiffres.

— Ça leur assure vingt ans de boulot, réplique Stave, renfrogné. Mais quel rapport avec des pillages ?

— Ça montre tout simplement qu'il y a beaucoup à piller. Mais les collègues disent qu'on n'a signalé aucune bataille entre bandes rivales pour se disputer des ruines afin d'y récupérer des trésors. Pas pour l'instant, en tout cas. Depuis qu'il fait si froid, les pierres, les briques, les plaques de béton et toutes ces saletés de décombres sont tellement gelées qu'elles se sont agglomérées en une seule masse et que, pour ces professionnels de la récupération, il est inutile de se mettre en frais pour ramasser du butin. Ils attendent le dégel. Actuellement, les ruines ne sont prospectées que par des amateurs à la recherche d'un mètre de conduit de fourneau, d'une plaque de cuisinière ou de bois de chauffage. Il ne sont pas assez nombreux pour se gêner. Pour résumer : moins de pillages qu'il y a quelques mois encore – et quasiment pas de violences en rapport avec des pillages. Quoi qu'il soit arrivé au vieux et à la fille, rien ne dit qu'il y ait un lien quelconque avec des maraudages, quelle que soit leur nature.

— Bien, conclut Stave machinalement.

Puis il se rend compte de la stupidité de sa remarque. Il soupire et se frotte le front. Une aspirine serait la bienvenue, mais on n'en trouve qu'au marché noir.

MacDonald prend congé pour le reste de la journée. Stave retient le collègue des mœurs en prétextant vouloir vérifier avec lui les résultats de ses recherches à l'Office pour le déblaiement et la reconstruction.

— Qu'est-ce que vous voulez encore vérifier ? murmure Maschke dès que le lieutenant est sorti.

— Simple routine, répond Stave.

Il emploie l'expression rituelle qui met en alerte n'importe quel truand expérimenté. Et tout policier aussi.

— Quelque chose qui cloche ?

Stave aurait pu se gifler. Il se force à sourire, réfléchit fébrilement.

— Je veux simplement m'assurer qu'on n'a rien oublié. Ce genre de recherches n'est pas spécialement de votre compétence, Maschke. Et il n'y a pas très longtemps que vous êtes dans la maison.

Son collègue hoche la tête, seulement à moitié convaincu. Stave fait semblant d'étudier les notes de Maschke. Il ne trouve évidemment rien de bien intéressant.

— Vous êtes sorti de l'école de police en 1946 ? demande-t-il incidemment d'une voix qu'il aimerait neutre. Vous avez fait le tour de toutes les administrations de la ville lors de votre formation ? De mon temps, c'était obligatoire – même s'il n'y avait pas encore d'Office pour le déblaiement et la reconstruction.

Maschke fait une tentative pour hocher la tête et la secouer en même temps, puis il abandonne.

— Oui, dit-il, j'ai passé le diplôme en 1946. Non, je n'ai jamais vécu les administrations de l'intérieur. Et je ne peux pas dire que ça me manque beaucoup.

— Au fait, qu'est-ce que vous avez fait, avant l'école de police ? demande Stave en lui rendant son calepin.

Une question bien innocente, se dit-il. Mais Maschke tressaille comme s'il lui avait fait une proposition inconvenante.

Stave retient son souffle : la question était trop directe.

Maschke s'est vite ressaisi. Il sourit, quelque peu au supplice, et agite la main.

— Oui, qu'est-ce que j'ai fait avant, murmure-t-il. J'étais soldat. Marine de guerre. Sous-marinier. La France. En 1940, dans les bases de sous-marins de la côte atlantique. 1944, adieu la France. Entre-temps, des sorties depuis la rade de Brest et, pendant des mois, des permissions de descendre à terre. *Un temps pas mal, même pour un Boche comme moi.* Ça m'a au moins servi à améliorer mon français scolaire. Et je m'y connais relativement bien en vins rouges français – mais c'est pas que ça me serve beaucoup en ce moment.

Il rit. Stave se force à sourire.

— Bon travail, grogne-t-il en désignant le calepin. À bientôt.

Il a déjà entendu quelques histoires de sous-mariniers : exiguité et humidité dans le ventre d'acier du navire. Gardes sans fin dans le froid de l'Atlantique. Grenades sous-marines, dont la menace secoue le bâtiment. Des cercueils qui basculent dans l'eau. La majorité des sous-mariniers sont morts en mer. Et soudain, il voit Maschke d'un autre œil. Son impatience brutale de la veille pendant les interrogatoires. Sa tabagie nerveuse. La barbe des sous-mariniers qui ne peuvent pas se raser des semaines durant. Le cynisme revendiqué. Le fait d'habiter chez sa mère qui lui procure la sécurité.

Après le départ de Maschke, l'inspecteur principal appelle tout de même un vieil ami du bureau du personnel qui lui doit encore une faveur. Il a dorénavant des données précises de la bouche même de Maschke et il entend les vérifier.

Cinq minutes plus tard, il repose le combiné. Une chose est sûre : Maschke n'a jamais été employé avant 1945 dans un service quelconque de la police à Hambourg, et encore moins à la Gestapo. Il a posé sa candidature après la guerre, et il a fait l'école de police, tout comme il l'a dit. Et oui, parmi les documents qu'il a fournis pour s'inscrire, son curriculum vitae et un certain nombre d'attestations confirment son passage en France comme sous-marinier. Pas de passé à la police politique, pas de service dans un Groupe d'intervention mobile de tueries sur le front de l'Est, aucune mention d'années camouflées comme gardien dans un camp de concentration ou d'extermination. Maschke est disculpé.

Le vendredi, l'inspecteur principal est convoqué chez le procureur Ehrlich.

— Au cours de la rafle, on a pris quelques gros poissons.

Le docteur Ehrlich est courtois, s'assied et croise les mains sur son ventre.

— Certes, mais malheureusement aucun de ceux que nous voulions ferrer, répond Stave.

La métaphore est bancale, mais il s'en moque. Autant en venir tout de suite à l'essentiel.

— J'avoue être perplexe, reprend Ehrlich. À votre place, j'aurais agi de même, Stave. Et moi non plus je ne saurais pas quoi faire de plus.

C'est exactement ce que j'ai envie d'entendre, se dit l'inspecteur principal.

— Nous suivons tout de même encore quelques pistes, répond-il.

— Heureux de vous l'entendre dire, inspecteur. J'ai eu peur que vous attendiez le prochain meurtre pour voir s'il vous apporterait du nouveau.

— Nous ne savons même pas si les deux crimes ont été commis par la même personne.

— Mais vous le supposez ?

Stave se tait.

Ehrlich fait un geste las en direction de la fenêtre. De longs doigts aux articulations fines, se dit Stave, des mains de pianiste.

— Je pense que le coupable que vous recherchez a trente ans, quelques années de moins peut-être, dit le procureur.

— Vous en savez plus que moi.

Ehrlich retire ses lunettes, les nettoie maladroitement. Sans elles, je suis sûr qu'il est incapable de me reconnaître, se dit Stave.

— Quelqu'un qui a trente ans aujourd'hui est né durant l'hiver 1916-1917, l'hiver des rutabagas, celui de la grande famine de la première guerre mondiale. S'ensuivirent des révolutions et des contre-révolutions, puis le putsch de Kapp, l'hyperinflation avec ses milliards de billets de Reichsmarks dans des paniers à linge, le chômage à partir de 1929. Après 1930, vint le temps des affrontements et des meurtres entre « chemises brunes » et membres du Front rouge. Puis celui de la terreur nazie. De la guerre. Des bombardements. Des camps de concentration. De l'occupation du pays par les puissances alliées. Et maintenant nous vivons ce terrible hiver. Ce que nous appelons, vous et moi, « normalité » n'existe déjà plus depuis trente ans. Ce qui est normal c'est plutôt la violence. La souffrance. La mort. C'est pourquoi je pense que quelqu'un qui étrangle avec une telle indifférence, manifestement méthodique, et qui dépouille tout aussi bien une jeune femme qu'un vieil homme, n'a pas connu autre chose dans sa vie que la violence. Il a donc trente ans ou peut-être un peu moins.

— Je ne peux pas convoquer tous les trentenaires de Hambourg, marmonne Stave. Et tous les trentenaires ne sont pas des assassins.

— Si vous incluez dans ce groupe les soldats, les gestapistes, les fonctionnaires du NSDAP, les gardiens de camps de concentration, les bourreaux des camps d'extermination et quelques hauts fonctionnaires du Troisième Reich, permettez-moi de vous contredire : la plupart des personnes âgées de trente ans sont coupables.

— Comme bien d'autres parmi les plus âgés. Ça ne m'avance pas beaucoup.

— Vous connaissez le texte de mon serment professionnel ? demande Ehrlich.

Stave secoue la tête, embarrassé.

— « Je jure devant Dieu tout-puissant et omniscient, que je n'utiliserai jamais la loi pour favoriser ou défavoriser quelqu'un, que je l'emploierai et l'appliquerai avec justice et équité envers tous, sans égards pour la religion, la race, l'origine et les opinions politiques; que j'obéirai aux lois allemandes et à tous les textes législatifs du gouvernement militaire britannique, dans la forme comme dans le fond; et que je ferai toujours de mon mieux pour préserver l'égalité de tous devant la loi, aussi vrai que Dieu m'assiste!»

« L'égalité de tous devant la loi, Stave. Savez-vous combien de fonctionnaires ont été contrôlés, uniquement à Hambourg, par le comité d'experts mis en place par les Britanniques en vue d'éliminer les nationaux-socialistes des rangs de l'administration ? Plus de soixante-six mille. Et combien de fonctionnaires ont été démis de leur fonction comme activistes nazis ? Huit mille huit cents. Savez-vous où les Juifs qui ont survécu aux camps de la mort doivent se présenter, faibles et démunis comme ils le sont, pour obtenir des rations de nourriture plus conséquentes ?

— Chez nous.

— Effectivement, à la police judiciaire. Parfois dans les mêmes bâtiments, parfois dans les mêmes bureaux où, deux ans auparavant à peine, trônaient encore des gestapistes. Et à votre avis, qui occupe encore parfois ces bureaux ?

Le procureur fait une pause, puis il poursuit à voix basse :

— La police sépare les survivants des camps en trois groupes: IA, les coupables par conviction. C'est-à-dire les communistes ou les sociaux-démocrates. Il est intéressant, n'est-ce pas, de remarquer qu'en l'occurrence on emploie toujours ce mot «coupable». Puis il y a le groupe IB – le restant des coupables politiques. Et enfin, IC – les criminels et les asociaux. À votre avis, dans quel groupe sont classés les Juifs ?

« Et quand un solliciteur a supporté patiemment toutes ces humiliations, la Croix-Rouge lui accorde une ration spéciale : un pain, un boîte de corned beef, cinq tickets repas-déjeuner dans une cantine publique, huit semaines de rations supplémentaires sur présentation de la carte. C'est tout. Parce que les praticiens de la Chambre des médecins de Hambourg ont décrété, je cite, «qu'en règle générale l'état sanitaire et le niveau d'alimentation des détenus des camps est absolument satisfaisant».

Le visage d'Ehrlich s'est empourpré, la main ne pointe plus vers la fenêtre, elle se cramponne à une tasse de thé, jointures blanchies. Stave craint à tout instant que la porcelaine se brise.

— Et pourtant, poursuit le procureur, je ferai tout pour que «l'égalité de tous devant la loi» soit respectée. Et vous savez pourquoi ? Parce que je ne veux pas la vengeance, mais l'équité. Car c'est seulement avec l'équité qu'on pourra construire un État meilleur. Car seule l'équité vaincra la peur. Car seule avec l'équité grandira un jour une génération pour laquelle la «normalité» sera de nouveau vraiment normale.

— Deux personnes étranglées, ce n'est pas normal.

— Deux personnes étranglées, ce n'est pas normal, effectivement, c'est tragique – mais cela ne constitue pas encore une menace. Que se passera-t-il à la troisième victime ? À la quatrième ? Les gens auront peur. Et des gens qui ont peur soupirent après un homme fort. Quelqu'un qui mette de l'ordre, quel qu'en soit le prix. Et ça, Stave, c'est à peu près la dernière chose dont j'ai besoin. Cela saboterait tout ce pourquoi je me bats chaque jour.

— Moi aussi, je me bats pour la même chose, remarque Stave, las.

Ehrlich sourit pour la première fois.

— Je sais. C'est pourquoi je vous parle franchement. Je ne veux pas vous mettre sous pression.

— Mais vous êtes en train de le faire.

— Mais je le fais. Les circonstances y obligent. Il faut absolument que nous stoppions cette série de meurtres. Si, au moins, c'était l'été ! Si tous ces gens sans abri avaient pour seul souci la faim, au lieu de crever en plus de froid dans des conditions déplorables, accroupis dans l'obscurité. Ce genre de meurtres nous apprendrait la peur, sans plus. Mais maintenant, au cours de ce long hiver, cet hiver misérable, dévastateur, la ville touche le fond de l'abattement, physique et moral. Plus rien ne fonctionne vraiment comme il faut, plus rien. Vous vivez cela vous-même tous les jours. La coupe, pour utiliser cette image, est pleine, à ras bord.

— Et ces assassinats pourraient être la goutte qui la fait déborder.

— On peut dire ça comme ça. Pour conclure : interrogez-moi, si la nécessité s'en fait sentir, tous les Hambourgeois, l'un après l'autre, y compris le maire au besoin. Retournez-moi chacun de ces bon Dieu de centimètres carrés de ruines pour trouver des indices ! Tenez-moi au courant de tous vos soupçons, même les plus saugrenus, de tous les indices, même les plus loufoques ! Vous avez tout mon soutien. Mais livrez-moi l'assassin !

Stave repense à ces mots en franchissant à grandes enjambées la courte distance qui le sépare de l'hôtel de police. Le soutien d'Ehrlich – un procureur qui a les meilleurs contacts avec les Britanniques. Un procureur qui traque fermement des gardiens de camps de concentration qui vivent dans la clandestinité et qui requiert la plupart du temps l'échafaud. Dont les juges suivent le plus souvent le réquisitoire. Il y a pire comme allié, se dit-il.

Avide d'action, l'inspecteur principal longe le couloir. Il ne sent presque plus sa jambe. Il ouvre la porte de son secrétariat sans frapper.

— Frau Berg, appelez-moi donc, s'il vous plaît, l'inspecteur Maschke et le lieutenant MacDonald, lance-t-il en espérant que le son de sa voix n'a pas changé.

Quelques instants plus tard, les deux hommes sont dans son bureau. Stave leur fait un bref rapport de sa rencontre avec le procureur.

— Nous avons toute liberté d'action et un soutien total, conclut-il.

— Un soutien total pour quoi ? s'étonne Maschke.

Que faire, effectivement. Stave se pose cette question depuis quelques jours, depuis la razzia sur la Hansaplatz. Les deux enquêtes qu'il a l'intention de mener à bien sont difficiles. Pour l'une, en plus, cela représente un travail politiquement sensible. Pour l'autre, les investigations vont déranger des gens importants, les froisser, parce qu'elles vont toucher à leur vie privée.

— Nous allons nous occuper des personnes déplacées, de toutes les personnes déplacées, l'une après l'autre, dit-il en se tournant vers MacDonald. Il nous faudra bien entendu l'autorisation des services britanniques. (Première enquête, politiquement sensible.) Et nous allons nous occuper de tous les cas de disparus de cette ville, poursuit-il, tourné cette fois vers Maschke. Nous ne nous contenterons pas de vérifier des listes, de comparer des noms et des âges. Nous allons fouiller chaque cas de fond en comble. (Deuxième enquête, fureter dans la vie privée.) Ou bien nos victimes sont des DP, et on trouvera leurs traces dans les camps. Ou bien ce sont des Hambourgeois, et alors, ces disparus manquent à quelqu'un – peut-être quelqu'un qui a des raisons de ne pas venir se présenter. De toute façon, on trouvera quelque chose.

MacDonald a l'air un peu décontenancé, et Maschke le visage gris des recrues de la Wehrmacht recevant l'ordre de rejoindre le front de l'Est.

La fillette sans nom

Dimanche, 2 février 1947

Stave a mal à sa jambe gauche. Depuis l'aube, il arpente les quais de la gare centrale comme un chien-loup sur la piste, et on est en fin de matinée. Toutes les demi-heures, un train entre en gare avec fracas, tiré par une locomotive poussive cabossée, dont la cheminée envoie une épaisse fumée noire. Un sifflement. Des roues d'acier qui crissent sur les rails.

La plupart du temps, il s'agit de trains bourrés de gens qui rentrent des environs, des wagons-tombereaux ou d'anciennes voitures de 3ᵉ classe dont les sièges en bois ont été retirés afin d'y entasser un maximum de passagers. Des hommes en costume ou en salopette en descendent en titubant, des jeunes femmes, si faibles qu'elles vacillent sur leurs jambes. Enveloppés jusqu'aux yeux dans des foulards, des écharpes en tricot, de vieux lambeaux de rideaux pour se protéger de l'air polaire dans les wagons ouverts, certains sont encombrés de cartons ou de filets à provisions qui leur tirent sur les bras, d'autres peinent à porter des sacs à dos loqueteux ou des cabas cousus avec des bandes de toile de tente. Ils partent à la campagne ou reviennent de l'arrondissement de Lunebourg, de la province du Holstein, et rapportent du ravitaillement alimentaire illicite. En échange, ils ont proposé aux paysans, qui ainsi s'enrichissent, leurs derniers biens, de l'argenterie familiale, des pièces d'or, des collections de timbres, des vieux tableaux, des armes de contrebande de la Wehrmacht.

La majorité d'entre eux regagnent Hambourg avec quelques kilos de pommes de terre, d'autres rentrent les mains vides. Beaucoup mendient. Quelques-uns ont des plaies sous leurs manches déchirées. La cuisse ou les fesses les brûlent : des paysans, lassés, ont lancé les chiens à leurs trousses.

Ces allers-retours, que la population appelle des «*Hamsterfahrten*», sont pourtant qualifiés de trafic par la police et constituent une infraction à la régulation administrative du marché mise en place par les autorités, un sabotage de la politique générale de rationnement. La police militaire britannique et les agents de police allemands surveillent les gares des campagnes environnantes et bouclent de temps à autre la gare de Hambourg pour procéder à des rafles. Parmi ceux qui ont troqué une montre en or contre deux kilos de pommes de terre au cours de leur dangereux périple, certains ont vu leur butin confisqué à leur retour et se sont même retrouvés en prison.

Mais Stave ne prête guère attention à eux, il n'est pas en service. Il observe la foule aux visages émaciés et manteaux de la Wehrmacht. Son fils s'est-il lui aussi transformé en spectre ? Le reconnaîtrait-il ? L'inspecteur principal scrute ces prisonniers de guerre libérés, attend qu'ils aient repris leurs esprits après être descendus sur le quai, qu'ils se soient orientés. Puis il s'approche, les interpelle, leur propose une cigarette. La démarche est devenue rituelle. Chaque fois, c'est le même espoir vite déçu, comme une lampée d'alcool qui fuse dans le sang. Et il se retrouve face à des regards vides, à des regrets murmurés, un bredouillement, confus parfois, dément peut-être. Karl Stave ? Jamais entendu ce nom.

— Tu veux pas te réchauffer un peu ?

Stave se retourne, inquiet. Une gamine d'une douzaine d'années, estime-t-il, mais le corps amaigri peut être trompeur, elle en a peut-être déjà quatorze. Accent berlinois. Une des prostituées de la gare. Il secoue la tête, veut se détourner, hésite, met la main à la poche et tend deux cigarettes à la petite.

— Tu peux les échanger, lui murmure-t-il, ça t'économisera un client.

La gamine s'empare des deux cigarettes.

— Sois surtout pas sentimental, dit-elle en partant.

Quai n° 4, train suivant. Celui-ci monte de la Ruhr, mais Stave ne veut pas faire l'impasse. Deux anciens soldats au pied de l'escalier provisoire en bois qui mène vers la sortie. Sur le passage, deux policiers militaires britanniques. Mains tremblantes, les prisonniers de guerre sortent leurs attestations de libération. Stave attend la fin du contrôle.

Il sent qu'on lui touche le bras.

L'inspecteur principal se retourne d'un bloc, irrité. Il s'attend à revoir la gamine. C'est Maschke.

— Enfin, soupire le policier des mœurs, aussitôt secoué par une toux de fumeur chargée de nicotine et de goudron. Je vous cherche depuis une heure, dit-il en s'étranglant.

Stave ferme un instant les yeux.

— Un nouveau meurtre ? demande-t-il d'un air las.

— Possible.

— Ça veut dire ? Meurtre ou pas meurtre ?

— Meurtre. Mais il n'est pas certain que l'assassin soit le même que celui que nous cherchons.

— Pourquoi ?

Stave jette un dernier coup d'œil aux deux libérables avant de suivre Maschke, qui se dirige à grands pas vers la sortie de la gare.

— Il s'agit bien encore d'une victime étranglée avec un fin nœud coulant (son collègue hésite) mais cette fois, c'est une enfant.

La voiture de police est stationnée non loin de la gare, devant le théâtre Lessing, rebaptisé Garrison Theatre et dorénavant réservé aux seuls Britanniques. Maschke garde l'œil collé au rétroviseur. Il fait une marche arrière prudente, centimètre après centimètre, pour décoller la vieille Mercedes

135

de la bordure du trottoir. Tant de prudence énerve Stave et Maschke lui adresse un sourire d'excuse.

— J'ai appris à conduire à l'armée. Sur les routes de France, avec une espèce de jeep, un VW Kübelwagen, une vraie baignoire plus maniable que cette barge de débarquement que je ne voudrais pas cabosser.

— Nous ne sommes pas pressés.

Maschke tousse.

— On va à Hammerbrook, explique-t-il. Billstrasse. C'est pas loin.

Stave ferme les yeux. À nouveau un quartier est de la ville. Et encore un quartier de petites gens – un quartier bombardé, plus détruit que tous les autres.

— Plus personne n'habite là-dedans, grogne-t-il.

— La morte est au fond de la cage d'ascenseur d'une ancienne fabrique de matelas, Billstrasse 103. À l'endroit où la Bille se jette dans l'Elbe, au bout du port.

— Qui l'a trouvée ?

— Un gardien de bateaux qui longeait le Billekanal. Il devait glaner des morceaux de charbon, c'est un coin où on en trouve souvent, tombés des transports. Mais il prétend qu'il ne faisait que se promener. On a eu l'information vers dix heures et demie.

— Vous avez déjà vérifié les déclarations du gardien ?

Maschke hausse les épaules.

— Il prétend qu'il était chez sa mère, à Lübeck, et qu'il n'est rentré qu'hier. On vérifie. Si c'est exact, il n'est pas suspect. Si c'est faux, il va avoir un problème.

Maschke conduit prudemment l'imposant véhicule à travers les rues presque vides, contourne au large les amas de ruines, se rabat le long du trottoir pour laisser passer des jeeps britanniques comme s'il avait affaire à des chars d'assaut. Il doit y avoir cinq kilomètres entre la gare et le lieu de découverte du corps à Hammerbrook, estime Stave. On y serait plus vite à pied. Mais, après tout, en voiture avec Maschke, il ne souffre pas du vent glacial.

Ils longent des alignements infinis de rues aux façades noircies, aux fenêtres éventrées, semblables aux coulisses de gigantesques théâtres. Le viaduc en acier du métro aérien, les voies et les ponts sont effondrés, hachés par les bombes, tordus en de grotesques sculptures; dans l'océan de flammes, les poutrelles en acier ont fondu en petits blocs compacts, rougeâtres, noirâtres, brillants.

La Mercedes suit la Billstrasse depuis un kilomètre quand une façade éboulée barre la rue. Maschke se gare maladroitement à côté des décombres, derrière une jeep britannique et le véhicule de l'identité judiciaire.

Lorsque Stave descend de voiture, il manque mettre le pied sur une croix aux branches en bois clouées de travers qui gît au pied de l'amoncellement d'éboulis. «À notre mère Meta Wiechmann – 27/28 VII 1943.» Elle est certainement encore enfouie sous les gravats, se dit Stave. Il s'éloigne rapidement.

Après deux cents mètres d'une marche pénible à travers les ruines, c'est la couche de glace du Billekanal, épaisse d'un mètre, qui brille sous le soleil blanchâtre. Quelque part dans les ruines, la bise s'engouffre et siffle dans l'embouchure d'un tuyau de poêle à l'extrémité évasée, tuyau d'orgue aux rafales. Nulle trace de vie, pas même un rat ou une corneille. Après avoir fait le tour d'un mur lézardé en escaladant des monceaux de gravats, Stave discerne des mouvements: des policiers en uniforme, des silhouettes en manteaux longs, chapeaux tirés bas sur le front, des uniformes britanniques.

— C'est là-bas, annonce inutilement Maschke.

Stave salue les présents d'un mouvement de tête. Il connaît de vue la plupart des collègues et des policiers militaires britanniques. MacDonald est déjà là, de même que le Dr Czrisini et le photographe de l'identité judiciaire. Stave s'avance, se penche en avant: une cage d'ascenseur de trois mètres sur quatre, maçonnée, le sol à environ un mètre et demi sous la surface des ruines, sale, noir de vieille graisse et maculé de traces d'huile. Une enfant y est allongée sur le dos, nue, cheveux blond moyen, coiffée à la garçonne. Ses yeux noisette fixent le vide.

— Fines marques de strangulation sur le cou, murmure le légiste; à l'avant-bras gauche, une cicatrice d'environ deux centimètres, depuis longtemps guérie, denture complète, état alimentaire satisfaisant. Taille : environ 1,10 mètre. Entre six et huit ans, je suppose.

— Heure du décès ? demande Stave en essayant de garder contenance.

— J'en saurai plus après l'autopsie, mais je pense que la mort remonte à au moins douze heures. Cela dit, avec ce froid… elle est peut-être là depuis plus longtemps.

— Avec ce froid, oui, bien sûr, marmonne Stave. Traces de maltraitance ? D'autres violences ?

— Pour autant que je puisse en juger, non. Mais on en saura bientôt plus.

— Et sinon, rien de particulier, comme d'habitude ?

Le photographe s'approche. Il tient quelque chose dans un mouchoir. Cela ressemble à un bout de ficelle rouge, de la longueur d'un pouce environ.

— On a trouvé ça près de la morte. C'était peut-être à elle, possible aussi que ça n'ait aucun rapport.

L'inspecteur principal secoue la tête, perplexe.

— Qu'est-ce que c'est ?

— On voit bien que vous n'avez pas de fille, dit le photographe qui s'autorise un petit sourire. Ce genre de galon pourrait provenir d'un spencer, une sorte de veston de costume folklorique. Ça collerait bien avec une gamine de cet âge.

Stave fait signe à un policier en uniforme d'approcher.

— Allez au poste le plus proche et appelez le patron du Chefamt S. Qu'il envoie des collègues en civil sur tous les lieux de marché noir de la ville, immédiatement. Qu'ils arrêtent tout individu qui essayerait de vendre un veston folklorique de jeune fille avec un parement rouge.

L'agent salue et escalade les décombres en trébuchant. Stave regarde autour de lui.

— Cette enfant n'a certainement pas vécu ici, et les maisons habitables les plus proches sont à plusieurs centaines de mètres.

— L'assassin l'a donc traînée jusqu'ici, complète Maschke.

— Ou bien la petite ramassait des morceaux de charbon et elle a rencontré son assassin, remarque MacDonald. Elle ne semble pas être la seule enfant à errer dans ces ruines.

Comme on lui lance des regards interrogateurs, il explique :

— Quand les premiers agents sont arrivés, après que le gardien de bateaux a signalé le corps, ils ont attrapé un garçon qui prétend qu'il cherchait du charbon. Mais je ne sais pas s'il a vu le cadavre.

Stave hoche la tête.

— Bien. Nous allons donc poser les questions de routine à ce gardien. Et ensuite, on s'occupera du garçon.

Le gardien s'appelle Walter Dreimann, il a cinquante-trois ans, il est maigre et grimace comme s'il avait un ulcère à l'estomac. Mais peut-être n'a-t-il pas encore digéré la vue de cette fillette morte.

— Vous ramassiez du charbon ? demande l'inspecteur principal.

— Je me promenais, rétorque Dreimann, mi-pleunichard mi-vexé.

— Et vous vous promenez souvent par ici ?

— Tous les jours. Sauf les deux dernières semaines que j'ai passées à Lübeck chez ma mère. Mais j'ai déjà dit tout ça à votre collègue.

— Avant de rendre visite à votre mère, vous êtes venu vous promener ici tous les jours ? demande Stave en sortant son calepin.

Dreimann opine.

— Et ici même, exactement à cet endroit ?

Le gardien répond spontanément.

— C'est ma tournée habituelle.

— Quand êtes-vous venu la dernière fois – avant votre visite à Lübeck ?

— Ça devait être le 18 ou le 19 janvier.

— Et ce jour-là, la cage d'ascenseur était encore vide ?

— Évidemment! (Dreimann lève la tête et regarde Stave d'un air outré.) Vous pensez tout de même pas que j'aurais rien dit si j'avais vu une fillette morte ?

— Vous connaissiez cette gamine ?

— Non.

— Vous en êtes absolument certain ? Vous voulez revoir la victime ?

Dreimann devient vert.

— Je l'ai vue d'assez près.

Stave s'efforce de sourire aimablement.

— Vous pouvez y aller.

L'inspecteur principal parcourt du regard le paysage dévasté. Le photographe replie son pied et remballe son attirail. Deux porteurs en manteau sombre soulèvent le corps fluet, gelé, le hissent de la cage d'ascenseur et le déposent sur un brancard. Comme pendant la guerre, se dit Stave, quand on extrayait des petits corps des ruines après chaque vague de bombardements. Mais maintenant, on est en paix, nom de Dieu.

Il reste figé. Un petit objet luit comme de l'argent sur le sol mou et huileux de la cage d'ascenseur. Les piétinements des porteurs ont dû le dégager de la boue où il était enfoui.

— Ramassez-moi ça, crie-t-il au policier de l'identité judiciaire.

Peu de temps après, il a en main une médaille maculée d'huile. De la taille d'une pièce d'un pfennig. Sans chaînette. Il l'essuie en la frottant entre le pouce et l'index. Le verso est terne et lisse, uni. Côté face, une croix et deux dagues attirent le regard.

— Notre assassin commet des erreurs, dit Stave.

— Les médailles, ça se porte au cou, remarque MacDonald. Dans les deux cas, elles ont dû être arrachées pendant que le meurtrier étranglait ses victimes. Il les a dépouillées, mais il n'a pas remarqué ces deux petits disques en argent.

— Ou c'est lui qui les a déposés là, intervient Maschke. Comme une carte de visite.

— Un fou, qui nous défierait ?

Stave se passe la main droite sur le visage. Il est fatigué. Il ne croit pas à cette hypothèse. Tout simplement parce qu'il ne parvient pas à suivre le cheminement de la pensée d'un fou, à prévoir ce qu'il va faire. Il se sermonne : pas de dilettantisme.

— Si c'était le cas, pourquoi n'avons-nous pas trouvé de médaille chez la jeune femme ?

— Peut-être que l'assassin développe son mode opératoire au fur et a mesure, répond Maschke. Ou qu'il a laissé une médaille auprès d'elle, et on a été trop cons pour la trouver.

Encore un reproche, se dit Stave. Si tu continues comme ça, mon bonhomme, tu vas te retrouver à la circulation – même si ce devait être ma dernière initiative dans cette affaire...

— Je pense tout de même que l'hypothèse du lieutenant est plus plausible, annonce-t-il. En ce cas, du moins, le vieil homme et la gamine auraient un point commun : une médaille identique. Ils sont peut-être parents ?

— Et la jeune femme, alors ? intervient Czrisini.

— Peut-être qu'elle portait une médaille aussi. Sauf que là, l'assassin l'a remarquée et l'a emportée – ou bien, effectivement, on a été trop stupides pour la trouver. Je vais envoyer quelqu'un pour fouiller encore une fois les ruines de la Baustrasse.

MacDonald reprend sa théorie.

— Si les médailles ont été arrachées pendant l'agression, cela signifie que les victimes ont été tuées sur le lieu de leur découverte. Sinon, on n'aurait pas trouvé ces bijoux.

— Par contre, si c'est un indice que l'assassin a laissé volontairement, cette hypothèse tombe à l'eau, rétorque Maschke ; et si c'est le cas, il aurait pu étrangler ses victimes n'importe où ailleurs. Il aurait ensuite tout simplement cherché une bonne planque dans les décombres et y aurait abandonné les corps avec sa signature.

Stave ajoute en soupirant :

— Il n'abandonne aucune de ses victimes au même endroit. Au contraire. Il se cherche chaque fois un autre champ de ruines. Maschke, vous êtes allé à l'Office pour le déblaiement ; combien de ruines notre assassin aurait-il pu choisir pour y déposer les corps ?

Le policier des mœurs hausse les épaules.

— Des centaines ? Des milliers ? On peut écarter quelques quartiers cossus comme Blankenese : trop peu de destructions. Quelques endroits comme le port aussi : beaucoup de ruines, certes, mais bouclées par les Britanniques ; personne ne s'y aventurerait sans être repéré. À part ça, il y a le choix, dans un des plus grands champs de ruines d'Europe !

— Peut-être l'assassin veut-il qu'on trouve ses victimes, remarque MacDonald. Peut-être est-ce une espèce de défi qu'il nous lance ? Une provocation ?

Stave fait un geste de dénégation de la main.

— Pas de conclusions hâtives. À cause du froid, l'assassin n'a pas d'autre choix et on finit par retrouver les corps tôt ou tard. Car comment faire disparaître un cadavre ? Le lester avec un bloc de béton et le jeter à l'eau ? Même sur l'Elbe, la glace a plus d'un mètre d'épaisseur. Entre-temps le lac Alster et le canal de la Fleete sont gelés sur toute leur profondeur. L'enterrer ? Le sol est gelé, dur comme du granit. Le brûler ? Il n'y a presque plus d'essence à Hambourg, quasiment plus de charbon, presque pas de bois. En ce sens, l'hiver est l'ami de la police : aucun assassin ne peut faire disparaître sa victime. Il nous reste un témoin ?

Le lieutenant sourit amèrement.

— Peut-être. J'ai mis le jeune garçon dans une voiture, gardé par un MP. Il aura moins froid – et puis, il n'a pas besoin de voir ça.

Il désigne les porteurs qui disparaissent entre deux murs avec leur délicat chargement.

— Peut-être que si, grommelle Stave.

Il fait signe aux deux hommes de reposer la civière.

MacDonald donne un ordre en anglais. Un policier militaire fait avancer l'adolescent. Il est maigre et disparaît presque sous un manteau d'homme bien trop grand pour lui. Chevelure brune ébouriffée, peut-être des pous, eczéma gâleux sur le cou, incisive gauche manquante.

— Comment t'appelles-tu ? questionne Stave tout en faisant signe au policier de le maintenir à bonne distance.

— Jim Mainke.

— Jim ?

— Wilhelm.

— Quel âge as-tu ?

— Seize ans.

— Bien tenté. Et en vrai ?

— Quatorze. J'aurai quatorze ans cet été.

— Où habites-tu ?

Wilhelm Mainke fait un vague geste circulaire en direction des ruines.

— Chez tes parents ?

— Non, heureusement, rétorque le garçon en souriant : je serais au cimetière d'Ohlsdorf.

Cette réponse effrontée agace l'inspecteur principal, mais il garde son calme.

— Il faut vraiment que je te tire les vers du nez ? Ou tu sais aligner deux mots à la suite ?

Mainke lève les yeux au ciel.

— Mon père était ouvrier aux chantiers navals, chez Blohm & Voss, ma mère femme au foyer. Ils y ont eu droit en juillet 1943 pendant un bombardement. J'étais à la campagne chez ma mamie, évacué. Elle est morte l'année dernière et je suis donc rentré à Hambourg. Je vis dans une cave de Rothenburgsort, avec quelques copains.

C'est à peu près ainsi que Stave s'était imaginé sa vie. Il y a plus de mille orphelins vagabonds qui errent dans les ruines de Hambourg. Ceux dont les parents sont morts sous les bombardements, des enfants de réfugiés qui se sont perdus, des personnes déplacées évadées des camps. Certains forment des bandes qui gagnent leur place au soleil à coups de poing, d'autres ramassent du charbon, pillent dans les ruines, s'engagent comme tâcheron chez les trafiquants du marché noir – ou se vendent à la gare.

— Et tu es souvent dans le coin ?

— Sûr. Je m'y connais dans le port, j'ai eu des fois la permission de rendre visite à mon père sur le chantier. Et je ramasse du charbon dans les parages.

— Comme beaucoup d'autres ?

Mainke hausse les épaules.

— Il y en a souvent dans le coin. Trente, quarante à mon avis. Un peu moins maintenant, à cause du froid.

— Et ce matin, tu rôdais aussi par ici ?

— Oui, et puis je me suis fait prendre par la patrouille.

— Tu as vu la morte ?

Mainke secoue vivement la tête.

— Quand je me suis pointé, les flics étaient déjà là. Ils m'ont pas laissé approcher.

— Mais tu sais pourquoi la police est là ?

Le gamin hoche la tête.

— Un des MP me l'a dit.

— Et hier, tu étais là aussi ?

— Non, il a fallu que je me trouve de quoi croûter. Ça fait bien deux, trois jours que je suis pas venu.

— Tu crois qu'il est possible que la victime ait déjà été là, dans la cage d'ascenseur, sans que tu la remarques ?

Le garçon secoue la tête, impassible.

— Ça fait des années qu'elle pourrait être là sans que je l'aie vue. Je longe toujours les berges, c'est là qu'on trouve du charbon – avec de la chance. Dès que j'en ai quelques morceaux, je me casse. Ça sert à rien de rester plus longtemps, et il est inutile de fouiller les décombres. De toute façon, il y a plus rien à ramasser par ici.

— Excepté une fille morte.

Jim Mainke se tait.

Stave soupire.

— Je suis désolé de te faire subir ça, mais suis-moi.

— Vous allez m'arrêter ?

— Quelque chose dans ce goût-là, mais tout à l'heure. Pour l'instant, ce n'est pas mon intention.

L'inspecteur principal conduit le garçon jusqu'au brancard dont les deux porteurs frigorifiés piétinent en fumant une cigarette. Le MP toise Stave d'un air désapprobateur, lance un regard inquiet à MacDonald et ne se détend que lorsque le lieutenant lui fait un signe presque imperceptible. Stave lève le drap et dévoile le visage de la fillette.

— Tu la connais ?

Mainke n'a pas la nausée, ne pâlit même pas. Il examine soigneusement la morte. Si longtemps que l'inspecteur principal s'impatiente et recouvre les yeux vides de la victime.

— Jamais vue.

Stave fait un signe aux porteurs. Ils disparaissent avec leur fardeau.

— Qu'est-ce que vous allez faire de moi, maintenant ? Je peux continuer à ramasser du charbon ?

— Tu es trop jeune. Je ne peux pas te rendre ta liberté comme ça. Deux agents vont te conduire au Rauhes Haus.

Un baraquement provisoire à Harburg, où l'on accueille et héberge tous les orphelins que la police interpelle. Un ancien serrurier se charge de la discipline. Quelques bénévoles, des chrétiens idéalistes, les débarrassent de leurs poux et les lavent, soignent leur gale et leurs maladies, leur procurent une soupe chaude et un lit propre. Et malgré tout, la plupart s'enfuient après quelques jours.

Mainke fait volte-face et suit le policier militaire d'un pas pesant.

— Pourquoi te fais-tu appeler Jim ? lui demande l'inspecteur principal.

Mainke se retourne une dernière fois, son visage d'adolescent épanoui.

— J'ai un oncle en Amérique. Sérieux. À New York. J'irai dès qu'il y aura de nouveau des grands bateaux dans le port.

— Bonne chance! grommelle Stave.

Mais Mainke ne l'entend déjà plus.

— Un témoin ?

Stave se retourne vivement quand il entend la voix de son supérieur qui l'interpelle.

— Probablement pas, répond-il à Cuddel Breuer. Le gamin est arrivé alors que les premiers agents étaient déjà sur place.

— Et sinon ?

L'inspecteur principal manque répondre: «Comme d'habitude!», mais il réfléchit et se décide à faire un rapport succinct de ce qu'ils ont découvert.

— Vous pensez que c'est le même assassin ?

Stave hésite, soupire, puis hoche la tête.

— Oui. Les victimes deux et trois paraissent avoir des points en commun. Des membres d'une même famille, je suppose, même si nous n'en avons encore aucune preuve. Les circonstances se ressemblent de manière frappante : elles ont été étranglées avec un mince nœud coulant, entièrement dépouillées de tous leurs vêtements, abandonnées dans les ruines. Il est possible aussi que la gamine ait été tuée le même jour que les deux autres.

Breuer jette un coup d'œil sur les lieux.

— Hum, un assassin qui fait disparaître toute une famille ? Vous avez encore à faire ici ?

— Le collègue de l'identité va tout repasser au peigne fin. Inutile que je reste plus longtemps.

— Bien. Rentrons à la maison mère. Je vous emmène.

Stave suit son chef et ils montent dans sa vieille Mercedes. Breuer conduit lui-même. Il roule vite, avec décontraction, sûr de lui – Maschke est vite distancé.

— Maintenant, on a affaire à une série, dit Breuer sans quitter la chaussée des yeux.

— Ça en a tout l'air, malheureusement.

— On ne pourra pas garder ça longtemps sous le boisseau. Le mode opératoire du tueur, nos appels à identifier les victimes : tôt ou tard, un journaliste fera le lien entre les affaires et concoctera une histoire.

— Impossible à éviter.

— Heureusement, l'époque où l'on pouvait museler les journalistes est terminée. C'est le prix de la démocratie *made in Great Britain*. Tout compte fait, nous y avons trouvé notre compte, nous aussi, Stave. Mais tout de même, j'en suis presque à souhaiter que, pour cette affaire bien étrange, nous en soyons encore au bon vieux temps où on pouvait tout simplement dicter aux journaleux ce qu'ils avaient à imprimer – et ce qu'ils devaient mettre au panier.

— Même ça, ça ne servirait à rien. Les gens parleront. Des rumeurs vont circuler. Je préfère encore un article dans les journaux. Au moins, là, je sais où j'en suis.

146

— Et vous en êtes où ?

Stave hausse les épaules.

— De toute façon, on n'en publiera pas plus que ce que nous savons. Et c'est bien peu.

Breuer le regarde pour la première fois, bien qu'il soit en train de négocier un virage pour déboucher sur la place, devant l'hôtel de police.

— Nous avons affaire à une série de meurtres. L'assassin frappe peut-être dans des ruines, en tout cas, c'est ce que beaucoup de gens vont comprendre. Car Hambourg n'est qu'un champ de ruines. Pire même : les victimes sont une femme, un vieil homme et une fillette. Qu'est-ce qu'ils vont penser ? Qu'il s'agit des membres d'une même famille ? Des victimes d'un drame familial ? Non. Ils vont comprendre que tout le monde, c'est-à-dire n'importe qui, peut devenir une victime de l'assassin. Que non seulement les hommes sont en danger, mais les femmes aussi et, ce qui est plus horrible encore, même les enfants. Qu'il s'agit d'un individu capable de tendre une embuscade à n'importe quel citoyen de cette ville. Voilà ce qu'ils vont penser.

— Et ça pourrait même se révéler exact, murmure Stave.

— Et ça ne va pas non plus nous faciliter le travail. Votre travail. Bon dimanche, inspecteur principal.

Stave descend de voiture, hoche la tête en signe de salut, claque la lourde portière de la Mercedes qui repart sur les chapeaux de roues.

— Bon dimanche, grommelle Stave.

Puis il pénètre dans l'hôtel de police. Apparemment, aujourd'hui, il n'aura pas le temps de retourner à la gare.

Il ne réussit même pas à monter en paix jusqu'à la porte de son bureau : quelqu'un lui barre la route. Une ombre se détache d'un pilier ; un homme jeune, fraîchement rasé, enjoué, un calepin et un crayon dans ses mains bleuies de froid.

— Ludwig Kleensch, du *Zeit*. Je peux vous poser quelques questions ?

Stave doit prendre une décision rapide. Ne pas répondre au journaliste ? Lui parler ?

Les Britanniques ont autorisé la reparution de quotidiens et d'hebdomadaires. La plupart sont des feuilles de partis politiques et se concentrent sur Hambourg. Le *Welt* est indépendant et on le trouve dans toute la zone occupée, comme le *Zeit*, un hebdomadaire qui a obtenu la première licence du gouvernement militaire britannique. Même les quotidiens ne paraissent que sur quatre à six pages et deux fois par semaine seulement. Le papier jaunâtre à haute teneur en bois – comme celui des blocs à dessins pour enfants, mais plus fin – est une denrée rare.

L'inspecteur principal réfléchit : nous sommes dimanche. *Die Zeit* paraissant jeudi, il aurait la paix pendant trois jours, à condition que Kleensch soit le seul journaliste à s'intéresser à l'affaire.

— Bien, dit-il, en esquissant un sourire contraint tout en tenant la porte au gratte-papier. Au moins, dans mon bureau, vous vous réchaufferez les doigts.

Kleensch hoche la tête, reconnaissant et étonné de tant de bienveillance.

— J'aimerais que vous me parliez de l'assassin des ruines, annonce-t-il quand ils sont parvenus au sixième étage.

— L'assassin des ruines ?

— C'est comme ça que je vais l'appeler, répond Kleensch. Ça sonne assez bien. Vous préféreriez « L'étrangleur » ?

Stave renonce à répondre. Il ne demande pas non plus au journaliste d'où il sait tout ça – par exemple que c'est lui, Stave, qui est chargé de l'enquête. Il pense aux pages imprimées serré, sur lesquelles se pressent les communiqués officiels, les annonces matrimoniales et les faire-part de décès ainsi que les nouvelles du monde entier. Il ne restera pas beaucoup de place pour Kleensch. Peut-être que les lecteurs ne remarqueront même pas son article ? De toute façon, après douze années de censure brune, plus personne ne croit ce qui est écrit dans les journaux.

Comme si Kleensch avait deviné ses pensées, il se penche en avant et murmure d'un air qu'il aimerait un rien menaçant :

— J'ai déjà annoncé à mon rédacteur en chef que ce serait une affaire importante.

L'inspecteur principal hoche la tête, résigné. Puis il rend compte des faits, prosaïquement, et fait glisser vers le journaliste des copies de l'affiche de l'avis de recherche. Il lui dévoile aussi ce que la police a déjà entrepris, mais ne dit rien de la suite, ça aurait l'air trop minable.

— Y aura-t-il d'autres meurtres ? veut savoir Kleensch, tout en continuant à griffonner des notes avec application et sans lever le nez de son calepin.

Question idiote, se dit Stave, mais il sent bien vite que c'est un piège. S'il répond : «Ce n'est pas à exclure», le journaliste le citera. À éviter.

— Nous espérons arrêter le coupable dans les prochains jours, répond-il donc.

Kleensch sourit, à moitié savourant l'habileté de l'inspecteur principal, à moitié déçu par ce qu'il vient d'entendre. Il pose sur le bureau une carte de visite imprimée sur le même papier indigent que son journal.

— Si vous aviez du nouveau, je vous serais très reconnaissant de m'appeler. Je ne veux pas écrire n'importe quoi.

Le journaliste lui donne une vigoureuse poignée de main, ouvre la porte et manque se cogner au Dr Czrisini. Il le regarde d'un air curieux, pense à une question, mais se résout à quitter la place.

Le médecin légiste pénètre dans le bureau. Quelques instants plus tard, c'est au tour de Maschke – Stave suppose qu'il s'est caché quelque part jusqu'à ce que le journaliste soit hors de vue. Arrivent enfin MacDonald suivi d'Erna Berg. Qui l'a prévenue, se demande Stave ? Mais il ne s'autorise aucune remarque.

— Je vais faire du thé, annonce-t-elle en souriant.

Stave fouille dans le tiroir de son bureau jusqu'à ce qu'il mette la main sur un grand plan de Hambourg qu'il déplie gauchement. Édition d'après-guerre : tout ce qui a été bombardé est hachuré en gris sur fond rouge. Beaucoup d'endroits, des quartiers entiers. Stave punaise le plan au mur de son bureau, puis il pique trois épingles à tête ronde rouge dans des zones hachurées : les lieux de découverte des trois cadavres.

Les autres l'observent en silence. Maschke fume, Czrisini a l'air d'assister à une autopsie passionnante et MacDonald a pris la pose du militaire qui prépare un plan de campagne. Erna Berg, théière fumante en main, est restée debout dans l'embrasure de la porte et fixe le plan d'un air effaré.

— Mais il frappe partout, murmure-t-elle.

— Trois fois ne veut pas dire partout, contre Stave d'un ton plus sec qu'il ne l'aurait voulu. Quel pourrait être le lien de parenté entre les victimes ? demande-t-il en se tournant vers le légiste.

Le D\ Czrisini hoche la tête d'un air songeur.

— Un grand-père, sa fille et la fille de celle-ci ? Possible. Vu l'âge, ça pourrait encore tout juste coller si nous prenons l'hypothèse haute pour la jeune femme, la première victime. Je pense qu'elle a vingt-deux ans au maximum. Si, pour la fillette, nous prenons la limite la plus basse, elle aurait six ans. On aurait alors une très jeune mère. Et son très vieux père, car cet homme avait environ soixante-dix ans. Il est possible aussi que la première et la troisième victimes soient sœurs, deux filles que séparent dix ans environ. En ce cas, le vieil homme serait leur grand-père. Personnellement, je pense que c'est l'hypothèse la plus plausible, même si elle ne me semble pas très vraisemblable. Car quelles preuves avons-nous ? Jusqu'à présent, je ne trouve aucun signe particulier incontestable, commun aux trois victimes, héréditairement transmis, comme des grains de beauté par exemple, ou une tache de vin.

— En revanche, rien non plus ne prouve que les victimes n'ont aucun lien de parenté ?

— Non, aucun élément.

— Excepté les lieux de découverte des corps, intervient Maschke, en désignant le plan, du tison incandescent de sa cigarette, il y a une très grande disparité entre les morts. S'ils avaient été une seule et même famille, ils auraient vécu ensemble. Dans tous les cas, certainement l'enfant avec sa mère – ou les deux sœurs, si toutefois c'étaient des sœurs.

— Ou bien elles vivaient chez le grand-père, intervient MacDonald. Comme ce Mainke par exemple, qui avait trouvé refuge chez sa grand-mère.

— Rien n'est à exclure, reprend Stave en se passant la main dans les cheveux. Admettons que ce soit une famille. Admettons qu'ils aient été tués au même endroit. Souvenons-nous : le lieu de découverte des corps n'est pas obligatoirement celui du crime. Et ceci encore : ne serait-il pas possible qu'ils aient été tués en même temps ? Et que l'assassin les ait ensuite transportés en différents points de la ville ? Pour brouiller les pistes ?

Czrisini hésite.

— Il fait tellement froid, murmure-t-il, l'air pensif, qu'il est presque impossible de se livrer à des comparaisons scientifiques valables entre les trois victimes. L'hypothèse demeure néanmoins plausible : découverte à des heures différentes dans des lieux différents, mais heure de la mort identique. En tout cas, pour ce qui concerne la jeune femme et le vieil homme, j'en suis déjà quasiment persuadé ; pour la fillette, j'en saurai plus bientôt.

Stave s'imagine le petit corps sur la table en aluminium du médecin légiste, et il détourne vivement le regard vers la fenêtre de son bureau. Mieux vaut éviter de trop penser à certaines choses.

MacDonald soupire.

— Ça voudrait dire, éventuellement, qu'il y a encore d'autres victimes quelque part, qu'on n'aurait pas encore découvertes : le père, la grand-mère, d'autres frères et sœurs de l'enfant...

— Je crois tout de même plus vraisemblable que les victimes n'ont aucun rapport entre elles, dit Maschke. (Il fait pirouetter sa cigarette avec une telle fougue que la braise frôle dangereusement le plan.) Elles gisaient toutes les trois dans des ruines. Elles cherchaient quelque chose peut-être, peut-être qu'elles prenaient seulement un raccourci par les sentiers. L'assassin était aux aguets. Le lieu de découverte des corps est identique au lieu d'infraction et la médaille la signature d'un fou.

— Ce qui signifierait que les victimes sont issues de trois familles différentes et qu'elles habitaient à trois endroits différents. En ce cas, ne serait-ce que pour un seul de ces trois morts, il serait donc logique que quelqu'un se manifeste pour l'identifier, marmonne Stave. Il est tout même impensable qu'on tue autant de gens en plein Hambourg sans qu'au moins une personne remarque leur absence.

— Pour l'enfant, impossible encore de le savoir, rappelle Czrisini d'une voix douce.

— Exact, répond l'inspecteur principal en hochant la tête. Faisons imprimer une affiche. Maschke, occupez-vous de ça, le plus fort tirage possible. Ajoutez-y un gros plan de la médaille. Prenez contact avec les services de toutes les grandes villes, y compris à l'est. Cette fois, je veux que nos affiches soient aussi placardées en zone soviétique !

Lorsque le téléphone du secrétariat sonne, tous sursautent. Erna Berg décroche, échange quelques mots, repose le combiné.

— La police de Lübeck, dit-elle à l'inspecteur principal. La mère du gardien de bateaux confirme que son fils était chez elle durant ces deux dernières semaines. Et un voisin l'a vu aussi.

— Oui, ç'aurait été trop simple ! répond Stave en biffant une ligne dans son calepin.

— Et maintenant ? demande Mac Donald.

— On continue à suivre trois hypothèses. Premièrement, si nous avons affaire à un assassin qui agresse des gens dans les ruines dans le but de les dépouiller, tôt ou tard on trouvera au marché noir un objet que nous pourrons attribuer à l'une des victimes. Peut-être quelqu'un repérera-t-il enfin un suspect dans tel ou tel champ de ruines. Ou bien un trafiquant, ou un souteneur, nous rapportera une rumeur. Possible aussi que dans les prochains jours, on réussisse à identifier au moins une victime. Enfin, il n'est pas non plus impensable que nous surprenions l'assassin en flagrant délit. On l'aura, un jour ou l'autre.

« Deuxième hypothèse : c'est un fou qui frappe et qui signe son crime avec cette étrange médaille. Une idée pour le débusquer ?

— Il faut absolument que nous sachions ce que signifie cette croix et ces deux dagues, répond le Dr Czrisini.

— Si c'est un cinglé, il ne s'arrêtera pas et continuera à tuer. Et on l'aura un de ces quatre, dit Maschke, plein d'espoir.

— Disons que quelqu'un l'aura, rétorque Stave. La seule question, en l'occurrence, est de savoir si ce sera nous... ou nos successeurs. (D'un revers de la main, il chasse ce bref accès de pessimisme et se redresse.) Enfin, troisième hypothèse : quelqu'un a éliminé toute une famille. En ce cas, il n'y aura peut-être plus de victimes, donc plus de nouvelles preuves matérielles, ni plus aucun témoin. Ou bien nous trouverons encore des morts, qui auront été tués en même temps que les précédents. Dans ce cas, nous ne cherchons pas quelqu'un qui a disparu sans qu'on s'en inquiète – mais toute une famille dont manifestement personne n'a signalé la disparition jusqu'à présent.

— Des réfugiés de l'Est. Ou des personnes déplacées, murmure MacDonald.

— Commençons par la fillette, propose Stave. Peut-être aurons-nous plus de chance avec elle qu'avec les deux autres victimes. Des bénévoles la reconnaîtront peut-être, des camarades de jeu, des instituteurs. Cette enfant a bien dû aller à l'école quelque part. Sollicitons toutes les écoles et tous les foyers qui s'occupent particulièrement des enfants de réfugiés et de DP.

Le téléphone sonne à nouveau. Stave, qui pendant des jours entiers ne reçoit aucun appel, jette un coup d'œil courroucé au combiné noir du secrétariat. Erna Berg hoche la tête, répond poliment, pousse un soupir, raccroche.

— C'était l'Office de lutte contre le marché noir, annonce-t-elle. Ils ont envoyé des enquêteurs en civil sur tous les lieux d'écoulement. Jusqu'à présent, aucun d'entre eux n'a trouvé de spencer. Mais ils promettent de veiller au grain.

— Bien, approuve Stave, alors qu'il est quasiment persuadé qu'aucun vêtement suspect ne fera surface au marché noir.

Quelqu'un efface consciencieusement toutes les traces, se dit-il.

— Je vais m'occuper des affiches, glisse Maschke, qui disparaît.

— Et moi, je me rends à l'Institut médico-légal, prévient le Dʳ Czrisini. Le cadavre doit être dégelé maintenant. Même si je doute que l'examen de la fillette m'apprenne quelque chose de nouveau.

Il quitte le bureau sur une amorce de révérence.

— Rentrez tranquillement chez vous, dit Stave à MacDonald et à Erna Berg. Il ne risque plus de se passer grand-chose ici.

Il les suit des yeux jusqu'à ce qu'ils referment la porte du secrétariat derrière eux.

Stave prend place à son bureau et sort d'un tiroir un classeur vide, d'un vert défraîchi. Il tape lentement sur sa machine le procès-verbal préliminaire, note l'heure, le lieu de découverte, le nom des témoins, ainsi que les moindres détails qu'il a relevés. Puis il range les feuilles dans le classeur. Deux feuilles jaunies. Manque encore une photo anthropométrique de la victime, l'expertise médico-légale du Dʳ Czrisini. Et puis ? Est-ce là tout ce qu'il reste d'une vie ? Quelques feuilles de papier-machine dans un dossier cartonné à la couleur passée ? Et même pas un nom !

L'inspecteur principal ferme les yeux. Piètre consolation de savoir que durant la guerre des millions d'êtres humains sont morts, qui ont laissé encore moins de traces que ces trois victimes dont les vies sont étalées en éventail devant lui. Une femme. Un vieil homme. Une enfant. Que peuvent-ils bien avoir en commun – excepté leur fin atroce ?

Il se remémore le visage de la fillette morte, puis les détails horribles des photos en noir et blanc des deux autres victimes. Des ressemblances ? Ce ne serait qu'illusion – quelque part, tous les morts se ressemblent. Le même regard dans le vide, les mêmes traits à jamais figés.

154

La sonnerie aiguë du téléphone l'arrache à ses pensées. Encore. Qui peut savoir qu'il est encore au bureau ? Il saisit vivement le combiné, s'attendant à ce qu'on lui annonce la prochaine victime.

C'est Ehrlich.

— Pourriez-vous repasser cinq minutes à mon bureau ?

— Naturellement, répond Stave.

La seule réponse pour s'éviter d'autres ennuis, plus graves encore.

Le procureur passe sa main sur son crâne chauve lorsque Stave entre. Il fait presque chaud dans le bureau. L'inspecteur principal respire avec plaisir l'odeur du thé fraîchement infusé. Le bureau ressemble un peu à un appartement, se dit Stave en se demandant si Ehrlich n'y passe pas tous ses dimanches.

— C'est vraiment dommage qu'il ait fallu vous rappeler de la gare, marmonne Ehrlich en lui désignant une chaise. Vous étiez en train de rechercher votre fils ?

L'inspecteur principal fixe le procureur du regard, stupéfait. Il a l'impression qu'on l'a pris la main dans le sac, en train de faire quelque chose d'inconvenant. Ehrlich lève une main apaisante.

— Ce n'est qu'une supposition. J'ai entendu dire que votre fils avait disparu sur le front.

— Ce mot sonne étrangement, réplique Stave.

— Et pourtant, c'est un peu plus encourageant que « tombé » ou, plus brutalement, « mort ».

— Vous aussi, vous avez des fils, réplique l'inspecteur principal.

Que le procureur se rende compte qu'il n'est pas le seul à connaître la vie privée des autres. Ehrlich hoche la tête, apparemment imperturbable.

— Deux fils. Ils sont en face, en internat.

Il faut une seconde à Stave pour comprendre qu'Ehrlich parle de l'Angleterre.

— Ce sont des adolescents. L'âge ingrat. Et ces dernières années n'ont pas été simples : mon exil, les vexations qu'ils ont subies, le décès de ma femme.

« Disparu » à la place de « tombé » ou « mort », « décès » pour « suicide » – Stave a eu l'occasion de lire des actes d'accusation signés Ehrlich et il a admiré la précision de son langage, la manière ramassée dont il s'exprime. Il ne garde manifestement cette justesse de vocabulaire que pour les accusés, il s'en sert comme d'une arme et préfère donc s'en abstenir avec des amis. Stave change de sujet, il ne veut pas connaître d'autres catastrophes de la vie privée d'Ehrlich, et il ne veut surtout pas exposer les siennes. Il fait donc un rapport succinct de ce qu'il sait du nouveau meurtre.

— Cela donne-t-il une nouvelle dimension à notre affaire ?

Stave se tait et regarde le procureur, l'air quelque peu désemparé. Ehrlich nettoie maladroitement ses verres de lunettes avant de déclarer :

— On assassine des femmes et des vieillards. C'est regrettable, mais ça n'a rien d'inhabituel. Mais une enfant ? Pour un tel crime, le seuil d'inhibition n'est-il pas plus élevé ? L'extrême limite morale n'est-elle pas franchie ?

— Si vous suggérez que nous avons affaire à un criminel capable de tout, alors oui, c'est ce que je crois, souscrit Stave. Aucun scrupule.

— La majorité des criminels coupables d'infanticide sont poussés par des émotions, des pulsions, une affectivité démesurées : des sadiques, des mères désespérées aussi, en grande détresse morale. Des hommes qui cognent parce qu'ils sont fous de rage ou mus par une soif de vengeance. Mais là, le meurtre est si...

— ... méthodique dans son exécution, complète Stave. Le crime est perpétré de sang-froid, avec une, excusez l'expression, technique éprouvée, qui dénote une grande expérience.

— Cela vous rappelle quelque chose ? demande Ehrlich de sa voix douce.

— Camp nazi, répond sans hésiter l'inspecteur principal. Des SS qui assassinaient sans aucune distinction de sexe ou d'âge. Des meurtres méthodiques selon des modalités techniques toujours identiques. Des cadavres enfouis, ou qui partent en fumée, des dossiers qui disparaissent, des camps évacués, rasés avant l'arrivée des Alliés.

— Ce que vous dites n'est pas encore une piste, commente Ehrlich, songeur ; disons que c'est un commencement de piste.

— Les gardiens de camps sont déjà en train d'être jugés, rappelle Stave inutilement.

Le procureur lui lance un regard mi-contrarié mi-compatissant.

— Quelques-uns seulement. Uniquement ceux que nous avons réussi à attraper. Même les gardiens d'Auschwitz se promènent quelque part en toute liberté. Comme la plupart des bourreaux de la Gestapo, d'ailleurs. Pour ne rien dire des SS.

— Allons-nous chercher du côté d'un ancien tueur nazi resté fidèle à son idéologie meurtrière après la débâcle du régime, et qui se serait lancé dans une croisade privée ?

— Peut-être. Ou d'un tueur qui élimine systématiquement les témoins de ses turpitudes et de ses crimes passés.

Stave réfléchit brièvement.

— Mais que faire d'une telle hypothèse ? Je ne peux tout de même pas interpeller tous les habitants de Hambourg pour savoir ce qu'ils ont fait jusqu'en 1945! Et même si je le pouvais, comment faire le lien avec nos meurtres ? Nous ne connaissons même pas l'identité des victimes. (Il secoue la tête.) Et c'est par les victimes qu'on arrive au coupable. Quand on saura qui sont les victimes, on trouvera à faire des recoupements. Et il n'est pas impossible du tout que nous remontions aux bourreaux de naguère. Je place un grand espoir dans cette fillette. Elle a dû aller à l'école quelque part. Il doit donc y avoir des instituteurs et des camarades d'école susceptibles de l'identifier. Les deux adultes ont peut-être vécu à l'écart, mais un enfant voit toujours du monde, il est toujours entouré.

— Bonne idée, grommelle Ehrlich.

Il prend une feuille de papier à lettres avec en-tête, dévisse le capuchon d'un lourd Montblanc et écrit quelques lignes.

Stave l'observe en silence jusqu'à ce qu'il y ait apposé une signature impétueuse.

— Une lettre de recommandation, explique-t-il, en lui tendant la feuille. Dans l'hypothèse où la gamine viendrait d'une famille de DP ou d'une famille juive persécutée, commencez par interroger le Warburg Children's Health Home. Ces quelques lignes vous en faciliteront l'accès. Mais il vous faut aussi une autorisation des Britanniques.

— C'est un foyer pour enfants ?

— Un foyer spécial.

Stave renonce à interroger plus avant le procureur, hoche la tête en signe d'assentiment, plie soigneusement la lettre, la met dans la poche de son manteau – et regrette d'avoir déjà renvoyé MacDonald.

— Je vais aller trouver le lieutenant pendant qu'il fait encore jour. Avec un peu de chance, j'aurai tout de suite les papiers nécessaires. Et je pourrai me rendre à cette institution dès demain matin.

Il se lève et se dirige vers la porte. Alors qu'il l'a déjà ouverte, le procureur l'arrête d'un geste.

— Bon anniversaire. J'ai lu la date dans votre dossier.

— Merci, murmure Stave, étonné.

La première personne qui le congratule. Le jour de son quarante-troisième anniversaire.

MacDonald habite une villa réquisitionnée Innocentiastrasse, dans le quartier de Harvestehude, « Zone A » – un quartier presque intact. Avec leurs bombardements, les Britanniques et les Américains ont voulu avant tout tuer des ouvriers, la majorité des villas des beaux quartiers n'ont pas été touchées. Pour la raison aussi, se dit cyniquement Stave, qu'à cette époque ils pensaient déjà qu'après la guerre il faudrait qu'ils logent convenablement leurs officiers. Stave déambule sur le chemin de Harvestehude et longe Planten und Blomen, jadis un des plus beaux parcs d'agrément de la ville. En 1944 encore, on y a planté de nouveaux buissons de roses qui depuis, chaque année, fleurissent d'un rouge éclatant. Il est vrai qu'entre les rosiers et les allées, des charrues tirées par des bœufs ont tracé des sillons pour permettre de planter des pommes de terre. À présent, le parc défiguré est à l'abandon, recouvert d'une fine couche de neige en lambeaux d'un blanc sale, traînées noires et brunes.

Des écriteaux aux carrefours des rues : « *Out of bounds for German Civilians!* », « *For British Forces Only!* » Des policiers britanniques frigorifiés le suivent du regard, l'air indifférent. Des villas presque parfaitement entretenues, excepté quelques conduits de fourneaux provisoires qui s'élancent vers le ciel depuis des carreaux de fenêtres. Des arbres en bordure des rues, entiers. Des poubelles en tôle devant les portails. Le silence règne entre les villas, où des gloriettes et des arbres atténuent la violence des rafales glacées. De temps à autre, la jeep d'une patrouille militaire cahote sur les pavés. Des gens se glissent subrepticement d'une poubelle à l'autre : des vétérans unijambistes, un homme avec un sac à dos, tenant par la main une fillette d'environ dix ans, des vieux, des femmes qui portent leur écharpe très étroitement serrée, parce qu'elles ont honte et qu'elles dissimulent leur visage. Elles ressemblent à des mendiantes voilées. Tous soulèvent les couvercles des poubelles, fouillent dans les détritus à la recherche de pommes de terre à moitié pourries, de feuilles de salade défraîchies, de trognons de pommes. Un jeune ramasseur de mégots récolte des bouts de cigarettes anglaises écrasées sur le trottoir. Nul ne parle, nul ne lève le regard. Les policiers militaires laissent faire.

Des coloniaux, se dit Stave. Les Anglais vivent ici comme en Inde ou en Afrique – et nous sommes les nouveaux coolies. Sauf qu'aucun Indien ni aucun Africain n'a mis le feu à la moitié de la planète et serait donc responsable de cette humiliation.

L'Innocentiastrasse : des branches dénudées de jeunes érables, des jeeps stationnées en bordure de trottoir. En rang d'oignons, des villas blanches de quatre étages construites cinquante ou soixante ans auparavant. On entend sourdre un air de jazz, la BBC peut-être ou un disque sur un phonographe confisqué.

Numéro 28, l'inspecteur principal présente sa carte de police au planton et demande où habite le lieutenant Mac-Donald.

— *Third floor, second left.*

Il a l'âge de mon fils, se dit Stave, et il aurait préféré se précipiter à la gare centrale. Mais il hoche la tête en signe de remerciement et gravit un escalier majestueux en prenant soin de dissimuler sa claudication aux yeux du Britannique.

Stave frappe à la porte. Pas de réponse. Nouvelle tentative. Le lieutenant est peut-être sorti ? Il est sur le point de rebrousser chemin quand il entend un bruit derrière la porte. Il attend donc. MacDonald apparaît enfin, en pantalon et en chemise – pieds nus. Quoique la villa soit chauffée, elle ne l'est tout de même pas au point qu'on puisse se promener dans cette tenue. MacDonald respire difficilement, réussit tout de même à contrôler son souffle et se fend d'un sourire.

— Que puis-je pour vous ?

Stave, qui a remarqué que le lieutenant s'encadrait dans toute la largeur de la porte, recule d'un pas et toussote. Il rend brièvement compte de sa visite à Ehrlich, du Warburg Children's Health Home et du laisser-passer britannique nécessaire pour y entrer et y enquêter. Tandis qu'il parle, il prend conscience d'un mouvement furtif derrière MacDonald, une ombre qui traverse rapidement la pièce.

Erna Berg.

Stave fait comme s'il n'avait rien remarqué et poursuit son exposé. MacDonald jette un coup d'œil nerveux par-dessus son épaule, regarde l'inspecteur principal, ne sachant s'il vient ou non de se faire épingler. Puis il sourit brièvement d'un air timide et fait un geste vague en forme d'excuse.

— Je m'en occupe, promet-il. Nous irons là-bas ensemble demain matin, en jeep, ça ira plus vite. Et en plus, je suis curieux de savoir si vous allez y découvrir quelque chose. Je passe vous prendre à l'hôtel de police. Si vous voulez, on emmène Maschke.

— Merci, répond Stave, et bon dimanche.

— À vous aussi.

La réponse lui parvient alors qu'il a déjà tourné les talons. Il est pressé de quitter les lieux.

Survivants et disparus

Voyage morose en jeep : MacDonald au volant, Stave sur le siège passager, Maschke sur la dure banquette arrière. Le policier des mœurs se crampomne à la carrosserie pour ne pas trop se faire ballotter par les cahots de la route. Il a l'air d'un patient qui a rendez-vous chez son dentiste. Le lieutenant regarde droit devant lui en descendant la Elbuferstrasse à vive allure. L'inspecteur principal l'observe du coin de l'œil.

Ils n'ont pas échangé un mot au sujet de leur rencontre de la veille. Erna Berg est arrivée au bureau, joviale comme à son habitude. Ou elle ne sait pas que je l'ai reconnue, se dit Stave, ou c'est une excellente comédienne – ou elle est si délurée qu'il lui est égal de s'être fait prendre. En réalité, sa secrétaire est mariée, même si son mari est porté disparu. Adultère. En quoi cela me concerne-t-il ? se dit Stave, qui essaie de se concentrer sur l'interrogatoire qui l'attend.

Si on peut appeler ça un interrogatoire. Un foyer pour enfants. Il a dans sa poche une photo de la fillette assassinée. Faut-il la montrer aux enfants ? Des enfants dont les parents ont été gazés, leurs camarades de classe battus à mort, dont

162

les maisons ont été bombardées ? Ne la montrera-t-il qu'au responsable du foyer ? Mais celui-ci connaît-il si bien tous ses petits protégés qu'il reconnaîtrait l'un d'entre eux d'après la photo d'identification d'une morte ?

Il regarde par la vitre. À gauche, la carapace de glace gri-sâtre de l'Elbe brille au soleil matinal, uniforme et râpeuse comme une gigantesque plaque de béton. Peu de bateaux accostés aux pontons dévastés ; des péniches, des cargos ou des embarcations de pêcheurs prises par les glaces. Les superstructures de deux paquebots coulés qui s'élancent vers le ciel. Des grues à moitié renversées. Deux hommes qui marchent sur la glace, venant de Harburg, courbés en avant pour lutter contre la violence du vent, emmitouflés dans des manteaux et des couvertures.

— Pourquoi ai-je besoin d'une autorisation britannique pour visiter ce foyer pour enfants ? demande Stave, par curio-sité et aussi pour briser le silence pesant qui s'est installé entre eux.

MacDonald répond vite, soulagé d'avoir un sujet de conversation.

— Le foyer s'appelle Warburg Children's Health Home. Il a été fondé par Eric Warburg, qui l'héberge dans sa villa.

Stave hoche la tête.

— Le banquier ? Il a émigré ?

— Aux États-Unis, en 1938. Il est rentré après la guerre et a recouvré ses droits de propriété. Il s'en sert pour aider des enfants juifs. En majorité des survivants des camps. Beau-coup ont perdu leurs parents ainsi que les membres de leur famille. Ils viennent de pas mal de pays différents. À Blanke-nese, on les retape, on les nourrit correctement et il y a une école. L'institution est placée sous la protection spéciale du gouvernement militaire britannique.

— Vous avez déjà pris contact avec la direction ?

— Par téléphone, ce matin. Je leur ai expliqué la raison de notre venue, sans toutefois en dire trop. À propos, la gou-vernante à qui j'ai parlé a déjà entendu parler du meurtre de la fillette. La nouvelle a l'air de faire rapidement le tour de la ville. Elle a déjà vu aussi à la Curio-Haus les affiches avec les portraits des deux autres victimes. Elles sont placardées partout. Mais il ne leur manque aucune enfant de l'âge de celle que nous recherchons.

— Alors pourquoi y allons-nous ? s'inquiète Maschke.

— Si la fillette assassinée était une survivante des camps, on trouvera peut-être quelqu'un qui la reconnaîtra, espère Stave.

Ils tournent dans la Kösterbergstrasse, une rue montante étroite, pavée, bordée de haies derrière lesquelles on aperçoit des toitures de villas couvertes de givre. En haut de la petite rue, au milieu d'un parc, se dresse un énorme château au crépi jaune, avec des tourelles, de hautes fenêtres. En réalité, ce n'est qu'un château d'eau municipal, relique d'un temps d'abondance depuis longtemps révolu, où pour abriter des pompes à eau on construisait des tours dans le style des demeures avoisinantes.

L'entrée du numéro 60 est située en face de cet édifice. De hautes clôtures, une grille en fer forgé avec des piliers peints en jaune. Un jeune homme ouvre les lourds vantaux dès qu'il aperçoit la jeep. Une allée gravillonnée, ratissée. Un énorme chêne dénudé. Puis une villa à l'architecture typique de la seconde moitié du XIXe siècle, avec une maison d'hôtes attenante et au rez-de-chaussée des fenêtres rondes comme des hublots.

Des visages d'enfants collés aux vitres, des regards curieux. Une femme attend sur le pas de la porte, la trentaine peut-être, cheveux noirs coupés court, enveloppée dans un manteau en laine gris. Elle toise Stave et Maschke comme si c'étaient des chiens errants.

— Je vous serais très reconnaissante de ne pas exhiber votre carte de police, dit-elle en saluant Stave. Ça n'évoque que des mauvais souvenirs.

Curieux choix de vocabulaire, se dit Stave. Et drôle d'accent. Il se présente, renonce à lui tendre la main, amorce plutôt une révérence. Maschke se tait. MacDonald la salue avec désinvolture.

— Je m'appelle Thérèse DuBois. Nous nous sommes parlé au téléphone ce matin, lieutenant. On m'a chargée de vous aider dans votre travail.

Une rescapée des camps, estime Stave. Française, selon toute vraisemblance, Alsacienne peut-être. Beaucoup de Français – juifs ou résistants – ont été internés à Bergen-Belsen. Ou à Ravensbrück. Il pense au procès de la Curio-Haus. Très possible qu'elle connaisse Ehrlich. Il renonce à lui demander qui l'a «chargée» de l'aider.

— Je suis confus de venir avec une requête aussi désagréable, finit-il par répondre. Je vais faire mon possible pour abréger le plus possible notre visite.

— Entrez, je vous prie.

Thérèse DuBois les conduit dans une véranda chauffée, avec des fauteuils en osier, agrémentée d'arbres caoutchouc plantés dans de grands pots en céramique. Stave doit prendre sur lui pour en détacher les yeux : cela fait des années qu'il n'a pas vu de plantes vertes d'appartement.

Il explique pourquoi il est venu, sans taire les deux autres meurtres. Puis il se racle la gorge avec application et lui tend la photo de la morte.

La gouvernante l'observe. Elle devient encore plus pâle, scrute les détails, secoue enfin la tête.

— Je n'ai jamais vu cet être pitoyable. Ce n'est définitivement pas une enfant de notre institution.

Stave se tait quelques instants et tapote nerveusement l'accoudoir de son fauteuil. Lorsqu'il prend conscience de son geste, il croise les doigts.

— Serait-il possible qu'une de vos pensionnaires connaisse cette fillette ? Une camarade de classe, peut-être ?

— Vous voulez montrer cette photo à nos enfants ?

— Si ça me permet de trouver l'assassin de la petite, oui.

Thérèse DuBois se penche en arrière et réfléchit.

— En ce moment, il y a trente enfants au foyer, murmure-t-elle. La plupart n'ont que deux, trois ans. Ils n'en quittent pas les murs. Les enfants en âge d'aller à l'école apprennent ici, pas dans des écoles allemandes. (Elle a dit cela comme si les écoles allemandes étaient des camps de prisonniers.) En fait, nous n'avons que deux enfants qui sortent : pour faire des courses, se promener ou jouer. Même si, ces derniers mois, il fait trop froid. Je vais les appeler.

— Et vous me permettez de leur montrer la photo ?

— Ces deux-là ont vu plus d'enfants morts que vous, monsieur l'inspecteur principal.

Elle quitte la place et revient peu de temps après avec une fille et un garçon. D'une quinzaine d'années environ, estime Stave.

Thérèse DuBois présente les deux adolescents qui se tiennent timidement debout au milieu de la véranda :

— Léonore et Jules.

Stave sourit. MacDonald hoche la tête d'un air encourageant. Maschke toussote et se lève.

— J'aimerais aller fumer une cigarette, si vous n'y voyez pas d'inconvénient, murmure-t-il.

L'inspecteur principal l'y autorise d'un bref signe de la tête, et il se précipite dans le parc. Très rapidement, la fumée de sa cigarette anglaise monte en volutes sous les branches des chênes dénudés. Stave n'en est pas fâché: moins il y aura d'adultes face aux enfants, mieux cela vaudra. Et les remarques cyniques de l'inspecteur des mœurs sont la dernière chose dont il a besoin.

Il explique calmement aux enfants pourquoi il est venu. Thérèse DuBois traduit pour le garçon. Elle chuchote en français. La fille a l'air de comprendre.

Puis Stave exhibe la photo.

Léonore et Jules la regardent fixement. La jeune fille montre de la compassion, le garçon un intérêt clinique. Avant même qu'ils parlent, l'inspecteur principal connaît la réponse.

— Je n'ai jamais vu cette fillette, dit Léonore d'une voix assurée.

Elle a un accent prononcé. De l'est, se dit Stave, de Galicie peut-être.

— *Non, je ne connais pas cette fille*, murmure Jules, et toute traduction est inutile.

Stave fait disparaître la photo dans la poche de son manteau. Il est déçu de repartir bredouille, mais soulagé de ne pas être obligé de leur tenir plus longtemps la photo sous le nez.

— L'un de vous est-il déjà allé au port ? Au Billekanal, par exemple ? Ramasser du charbon ?

— Nos enfants n'ont pas besoin de ramasser du charbon, intervient Thérèse DuBois à voix basse, mais outrée.

L'inspecteur principal ignore son interruption. Léonore sourit d'un air incertain et, du moins Stave le croit-il, un rien nostalgique.

— Je ne suis jamais allée par là. C'est trop loin.

La gouvernante soupire et traduit la question en français tout en tambourinant impatiemment sur son accoudoir. Jules a le sourire d'un adolescent qui a plus souvent quitté le foyer que ne le croient les adultes. Mais lui aussi secoue la tête. Stave se lève.

— Ce sera tout.

— Vous allez trouver celui qui a fait ça ? demande Léonore.

L'inspecteur est désarçonné. Puis il remarque les grands yeux sérieux de la jeune fille, son regard insistant.

— Oui, répond-il, je trouverai le coupable.

— Et alors, que se passera-t-il ?

— Le meurtrier sera présenté au tribunal et jugé. De nos jours, il est impossible de s'en tirer quand on a commis de tels crimes, affirme-t-il, en posant la main sur la poche où il a enfoui la photo.

Elle lui tend la main.

— Bonne chance.

Thérèse DuBois sourit pour la première fois depuis qu'ils sont arrivés. Elle les raccompagne à l'entrée.

— Que vont devenir ces enfants ? demande Stave, alors qu'il a déjà la main sur la poignée de la porte.

MacDonald se tient derrière lui, Maschke arpente le parc comme un lion en cage. Des enfants l'observent avec curiosité. Entre-temps, ils ont osé sortir du foyer et se sont regroupés sous un chêne.

— Dès qu'ils seront en bonne santé et bien nourris, nous organiserons leur passage en Palestine. Leur nouvelle patrie. C'est plus facile depuis la zone britannique que de toute autre zone d'occupation, parce que la surveillance n'est pas aussi sévère. Ironie de l'Histoire, n'est-ce pas ?

MacDonald a l'air d'avoir mordu dans un piment rouge. Stave se rappelle que les Britanniques occupent la Palestine depuis la fin de la Première Guerre mondiale. Il a lu qu'il y avait des affrontements entre Juifs et Arabes et que les Britanniques ne souhaitaient pas que d'autres Juifs d'Europe partent pour le Proche-Orient. Mais les Juifs, les survivants des tueries et des camps d'extermination, veulent émigrer et tentent le tout pour le tout pour monter clandestinement à bord de bateaux à destination de la Palestine. Il n'est donc pas étonnant que le lieutenant ne soit pas très heureux de la remarque de la gouvernante, se dit Stave, cette fois pas trop mécontent du malheur des autres.

— Si vous apprenez quelque chose, prévenez-moi, s'il vous plaît.

Il arrache une page de son calepin et y griffonne ses nom et numéro de téléphone.

— Ça ne doit pas être simple de remettre de l'ordre dans tout ça, remarque-t-elle en pliant soigneusement le bout de papier.

L'inspecteur principal n'est pas certain de l'avoir bien comprise et lui adresse un regard interrogateur.

— Après toutes ces catastrophes, explique-t-elle. Il y a tant de choses à déblayer, à nettoyer, à remettre en ordre – et je ne pense pas uniquement aux villes en ruines. Et il y a tellement peu d'hommes comme vous ou le docteur Ehrlich.

— Vous connaissez le procureur Ehrlich ?

— J'ai témoigné au procès de la Curio-Haus.

— Ehrlich s'occupe aussi de notre affaire.

— Comme s'il n'en avait pas déjà assez sur les bras ! Un homme doté d'une telle mission !

Elle accompagne ses hôtes jusqu'à la jeep. Maschke réapparaît. Il pue la fumée de tabac. Au moment où il monte dans la voiture, Stave remarque que, du chêne, une des fillettes montre l'inspecteur des mœurs à ses camarades de jeu, puis leur dit quelque chose. Elle pose ensuite la main ouverte sur son cou et fait un geste vif et tranchant sur sa gorge.

Celle-là, elle connaît Maschke, se dit Stave, stupéfait. Et ce n'est pas son ami.

Gauchement, il fait le tour de la jeep en entraînant discrètement Thérèse DuBois, l'éloignant ainsi de quelques pas.

— Qui est cette fillette ? chuchote-t-il en la lui montrant discrètement, sans se préoccuper de savoir si la gouvernante ne va pas se méfier de sa question.

Il ne lui reste plus que quelques secondes avant que Maschke ne remarque son manège. Thérèse DuBois sent que la question de l'inspecteur principal est importante.

— Anouk Magaldi. Elle a huit ans, et elle est arrivée il y a quelques semaines, répond-elle brièvement entre ses lèvres presque closes.

— Elle sort d'un camp de concentration ?

— Non. Elle vivait en France, dans la région de Limoges. C'est là que ses parents ont été assassinés. Ils étaient juifs. Nous rapatrions aussi des orphelins comme elle à Hambourg. Comme je vous l'ai dit, il est plus facile d'organiser des transports pour la Palestine depuis la zone britannique.

— Au revoir, dit Stave à voix haute. Merci beaucoup pour toutes ces informations.

Puis il monte dans la jeep.

Sur le chemin du retour, silencieux, il regarde fixement à travers la vitre – sans être certain d'en savoir plus qu'auparavant. La fillette morte ne vient certainement pas du foyer, et ce n'est vraisemblablement pas non plus une Juive libérée d'un camp. Une enfant de Hambourg donc. Ou de réfugiés allemands, ou une personne déplacée ? Qui sont les DP non juifs qui vivent encore en Allemagne un an et demi après la fin de la guerre ? Des Russes et des Polonais avant tout, qui craignent les communistes et ne veulent donc pas rentrer chez eux. Doit-il envoyer des photos de la morte aux polices polonaise et soviétique ? Mais comment ? Et les anciens ennemis se donneraient-ils la peine de rechercher des gens qui préfèrent manifestement vivre dans les ruines du Reich que regagner leur patrie ?

Je ne sais toujours rien, se dit-il, absolument rien.

Ou peut-être si, tout de même ?

Il se remémore deux observations troublantes, qui l'éloignent de la piste d'un triple assassin-piste, à vrai dire, dont il ne devrait pas s'écarter. Pourquoi ce geste agressif envers Maschke ? Cette fillette du foyer, d'où le connaît-elle ? S'abritant derrière sa fonction, l'inspecteur des mœurs s'intéresse-t-il aux petites filles ?

Sans se faire remarquer, il essaie d'observer le visage de son collègue dans le rétroviseur. Mais la jeep cafouille sur l'asphalte, le miroir tremblote, l'image se déforme quelques secondes, puis disparaît.

Et Ehrlich ? Thérèse DuBois l'a qualifié de missionnaire. Pour quelle raison le procureur s'embarrasse-t-il de cette enquête supplémentaire, imprévue ? Se peut-il qu'il n'ait pas tellement l'intention de bâtir une démocratie, comme il le prétend ? Que cet homme dont la femme a été poussée au suicide soit aiguillonné par un tout autre mobile ? La vengeance, par exemple ? Se venger des bourreaux du Troisième Reich. Ces trois meurtres mystérieux ne sont-ils pour lui qu'un moyen supplémentaire de régler ses comptes avec le national-socialisme ? Mais comment ?

— Et maintenant, que fait-on ?

La question de MacDonald arrache Stave à ses réflexions. Il ne s'est pas rendu compte qu'ils étaient arrivés à l'hôtel de police.

— On attend, ordonne-t-il. Aujourd'hui, on placarde les affiches avec les photos de la fillette et de la médaille. Voyons si quelqu'un se manifeste. Maschke, vous retournez sur le lieu de découverte du corps de la petite et vous y jetez un nouveau coup d'œil. Peut-être trouverez-vous un témoin. Ou vous repérerez quelque chose qui nous a échappé hier. Possible aussi que les collègues du Chefamt S nous signalent qu'ils ont trouvé quelque chose au marché noir. Ou que Czrisini aura découvert un fait nouveau à l'autopsie.

Il quitte les deux hommes. Fatigué, il gravit l'escalier qui mène à son bureau dont il referme la porte. Pour il ne sait quelle raison, la vue d'Erna Berg lui est pénible – il connaît son secret. Et puis, il n'a pas non plus envie qu'elle le voie.

170

Seul à son bureau, il réfléchit. Puis il se décide : il va poursuivre l'enquête, comme avant. Tout en se renseignant discrètement sur Ehrlich et Maschke. Sait-on jamais.

Le lendemain matin, le collègue de l'Office de lutte contre le marché noir arrive en coup de vent, reste planté dans l'encadrement de la porte du bureau de Stave :

— Rien de neuf. Pas de manteau de fillette, pas de suspensoir, pas de prothèse dentaire – rien qui soit en rapport avec les victimes. Si ça vous chante, vous pouvez examiner quelques douzaines de manteaux, de bas ou de chaussures usées, confisqués ces dernières quarante-huit heures au cours des razzias. Mais je ne vois pas le lien avec les victimes. Nous poursuivons les recherches. La prochaine rafle va commencer.

— Merci, marmonne l'inspecteur principal, fatigué, mais la porte s'est déjà refermée.

Personne ne s'est manifesté suite aux affiches. Personne ne semble connaître la fillette. Personne ne semble avoir vu la médaille.

Stave entre dans le secrétariat, fait un signe de la tête penaud à Erna Berg, puis il prend son manteau et son chapeau.

— Je vais à l'Office des disparitions.

Elle le regarde d'un air étonné.

— Le lieutenant MacDonald y est déjà allé.

— Je sais, mais j'ai envie de poser encore quelques questions.

Le *Suchdienst* ou « office des disparitions » – encore un de ces noms auxquels il faut qu'il commence à s'habituer. La Croix-Rouge et les deux Églises Catholique et Protestante ont réuni leurs dossiers et leurs experts pour créer sans doute le plus grand service de recherches au monde. Toutes les informations y aboutissent, les fiches de renseignements, les avis administratifs, les requêtes de la police, les anciens ordres de marche de la Wehrmacht, les listes de prisonniers établies par les autorités d'occupation ainsi que des milliers d'autres documents qui, tous, donnent des indications sur des soldats et des réfugiés portés disparus. Trois millions et demi d'hommes de troupe de la Wehrmacht que des familles recherchent, dont personne ne sait s'ils vivent encore, et si oui, où ils séjournent. Auxquels s'ajoutent quinze millions de réfugiés. Ce qui donne dix-huit millions et demi de fiches d'identité, des kilomètres de rangées de boîtes en carton jaunes, des cartes sur lesquelles sont griffonnés ou tapés à la machine les noms et dates de naissance, les dernières adresses connues, les derniers lieux de séjour et toute autre précision.

L'une de ces fiches porte le nom de son fils Karl.

Stave connaît le chemin, il l'a souvent emprunté. Il passe par la Feldstrasse, puis suit d'étroits sentiers qui serpentent à travers des quartiers quasiment effacés de la carte, où ne subsiste aucune maison intacte. Quelques affiches et bouts de papier sur les rares murs encore debout : des avis de recherche, un communiqué du gouvernement militaire britannique et la dernière en date des affiches de la police judiciaire. De sa plume, et déjà à moitié déchirée par les rafales de vent. Au milieu des ruines, l'épave d'un bus. Fixé au toit, un grand panneau : « Fourreur Rabe. » L'inspecteur principal se demande qui ici peut bien acheter des vêtements ou des objets en cuir.

Il parvient au numéro 91 de la Altonaer Allee. Par un curieux hasard, l'ancien tribunal administratif n'a pas été touché, un palais de justice qui remonte à Guillaume II, des pierres claires en façade, des colonnes et des statues. Des figures allégoriques certainement, mais Stave n'y remarque que des portraits de disparus.

Les juges ont été obligés de s'installer ailleurs et ce sont plus de six cents hommes et femmes pâles sous les lampes indigentes, appliqués, discrets, depuis longtemps indifférents à une douleur qui leur demeure étrangère, qui gèrent les dix-huit millions et demi de destins inconnus.

Devant l'imposant bâtiment, une grande affiche noir et blanc apposée sur une colonne, une croix rouge au centre avec beaucoup de photos d'enfants, au-dessus desquelles on lit : « Comment chercher et trouver ses parents. » On change ces affiches toutes les semaines, toujours identiques, mais chaque fois différentes : les photos varient. Quarante mille enfants sans parents ont été appréhendés à Hambourg, dont beaucoup sont si jeunes qu'ils ne connaissent pas leur nom, pour ne rien dire de leur adresse. Il semble à Stave que leurs visages, certains au sourire timide face au photographe, d'autres indifférents ou effrontés, ou encore craintifs, le suivent fixement du regard tandis qu'il gravit les marches et pousse le lourd portail.

De chaque côté des couloirs sombres, des étagères qui montent jusqu'au plafond et ne laissent qu'un étroit passage. Sur les rayonnages en bois, les fiches d'identité dans de longues rangées de tiroirs numérotés ouverts. Dans les bureaux, de grandes tables chargées de registres : des listes reliées en volumes avec des coordonnées et des photos, avant tout de soldats. Des in-folio de disparus.

L'inspecteur principal résiste à la tentation d'aller aux tiroirs qui portent la lettre «S» pour sortir la fiche «Stave, Karl». À quoi cela servirait-il encore ? Il se rend au bureau d'Andreas Brems, un employé dont il a fait la connaissance lors de ses recherches.

Brems lève les yeux et secoue la tête avec une expression de regret apprise. Comme un croque-mort, se dit Stave.

— Rien de neuf concernant votre fils, monsieur l'inspecteur principal.

— Je suis là pour raisons professionnelles, répond-il d'une voix plus désagréable qu'il ne l'aurait souhaité.

Brems hoche la tête. Ni vexé ni particulièrement curieux, il attend la question, résigné.

Stave lui expose la série d'assassinats. L'employé a un mince sourire.

— Un Anglais est déjà venu à propos de cette histoire, et vos collègues nous ont aussi apporté des exemplaires de l'avis de recherche, expose-t-il patiemment. Aucun d'entre nous ne se rappelle avoir jamais vu l'une des victimes. Et sans un nom, nous ne pouvons pas traiter la demande.

— Et avec une date ?

Brems le regarde, l'air interrogateur.

— Nous classons nos fiches selon le patronyme et le prénom des disparus. Sans patronyme, ça devient compliqué.

Avec les enfants trop jeunes pour connaître leur nom de famille, nous utilisons bien entendu d'autres critères : sexe, âge supposé, lieu où ils ont été trouvés, etc. Un de mes collègues a recoupé les fiches concernées avec les renseignements concernant la fillette assassinée – sans succès.

— Pouvez-vous savoir à quelle date une démarche a été faite à l'Office ?

— Ce genre de renseignement est noté sur chaque fiche – ainsi que le nom de celui ou celle qui fait la demande. Mais les fiches ne sont pas classées par date d'entrée des démarches.

Stave se masse la nuque.

— Est-ce que beaucoup de nouvelles fiches se sont ajoutées ces dernières semaines ? Ne m'intéressent que des demandes enregistrées qui précèdent le premier meurtre et, bien entendu, celles qui sont intervenues entre la date de ce meurtre et aujourd'hui. Soit trente-cinq jours entre début janvier et aujourd'hui.

L'employé secoue la tête, étonné.

— Mais les signalements des disparitions actuelles atterrissent normalement dans vos services, pas à l'Office des disparitions. La guerre est terminée depuis presque deux ans. Il y a longtemps que tous ceux qui n'ont pas revu un parent depuis la fin de la guerre se sont manifestés à nos bureaux.

« En réalité, seuls deux groupes de personnes font encore de nouvelles demandes : primo, des réfugiés qui arrivent seulement maintenant dans les zones ouest. Mais comme, avec ce froid, aucun train de grande ligne ne circule depuis des semaines, il est absolument certain que depuis début janvier, personne n'est arrivé jusqu'ici venant de l'est. Secundo, de temps à autre, nous avons encore des personnes extrêmement désemparées ou inquiètes, qui, pardonnez-moi, ne font pas entièrement confiance à la police. Elles se tournent donc vers nous, parce que nos avis de recherche passent plus facilement d'une zone d'occupation à l'autre grâce à la Croix-Rouge et aux Églises. Il s'agit par exemple d'épouses qui pensent que leur mari s'est enfui en Suède ou même en Amérique.

« Donc, si aujourd'hui quelqu'un se tourne vers notre Office, et non vers la police, cela signifie que la personne disparue n'a pas laissé de traces, ou que des traces sibyllines, ce qui fait que les indices sont si ténus que les parents pensent que la police ne trouvera jamais les personnes en question. C'est pourquoi je vais peut-être découvrir, dans le groupe spécifique de ces disparus-là justement, des renseignements sur vos victimes, à condition que je fasse des recherches orientées, précises. Ou bien alors, je vais tomber, ce que je n'espère pas, sur de nouvelles victimes potentielles, que personne n'a encore découvertes dans les ruines. Peut-être finirons-nous par aboutir à une sorte de modèle référentiel.

Stave a un maigre sourire. Brems hoche lentement la tête. Il vient de comprendre quelque chose, et soudain l'affaire l'intéresse.

— Une de mes collègues s'occupe uniquement de ces nouvelles entrées. Je ne pense pas qu'il y en ait eu beaucoup ces dernières semaines. Je vais l'interroger.

Il quitte rapidement son bureau pour revenir dix minutes plus tard, une fiche de renseignements en main.

— Le seul signalement. Il date du 13 janvier.

— Une semaine avant la découverte du premier cadavre.

Stave prend la carte. Docteur Martin Hellinger, né le 13 mars 1895 à Hambourg-Barmbek, industriel, habitant à Hambourg-Marienthal, signalé disparu par sa femme Hertha. Une photo, manifestement extraite d'un passeport : cheveux rares vraisemblablement gris, lunettes à monture en nickel, joues rondes, dessous du menton scié par le faux col serré de la chemise.

— Manifestement, ce n'est ni un soldat, ni un réfugié. Que fait-il dans votre fichier ?

Brems toussotte.

— Ma collègue s'ennuyait. Et elle a eu pitié de Frau Hellinger. Elle a donc rempli un dossier et envoyé des demandes de renseignement. Vers l'Angleterre.

— L'Angleterre ? Où encore ?

— L'Amérique. Mais pourquoi vers ces deux pays uniquement, je ne sais pas. Frau Hellinger a dit que son mari y était probablement. Peut-être enlevé.

— Et elle ne signale pas les faits à la police ?

Brems tousse, mais ne répond pas.

Stave note tous les renseignements de la fiche. Marienthal est un quartier proche de chez lui. Il ne serait pas inutile de sonner à la porte de Frau Hellinger.

— Merci, grogne-t-il.

— À vous revoir, monsieur l'inspecteur principal. Nous vous ferons signe dès que nous aurons du neuf. Au sujet de votre fils, j'entends.

À l'hôtel de police, il retrouve Maschke et MacDonald et commence par écouter leur rapport. L'inspecteur des mœurs certifie que toutes les cartes de rationnement, sans exception, ont été retirées aux points de distribution. Et MacDonald ne peut pas non plus se vanter d'un succès : la fillette n'avait manifestement fréquenté aucune des écoles de Hambourg. En tout cas, aucun des instituteurs interrogés n'a identifié la victime.

— Il va falloir imprimer de nouvelles affiches, dit Stave, déprimé. Il faut que nous mettions les gens en garde : que personne ne se laisse attirer par des inconnus. Et n'achète de vêtements de provenance louche.

— Et qu'est-ce que vous appelez des vêtements de provenance louche ? demande Maschke.

— Je n'en sais pas plus que vous. Le premier avertissement concerne tout le monde. Le second a pour but de rendre le coupable nerveux, ou du moins de lui pourrir son commerce, si toutefois il tue pour voler.

— Oui, si c'est bien la raison des meurtres, ponctue Maschke.

Alors que les deux hommes se tournent déjà vers la porte du bureau, Stave ouvre son petit carnet. Il leur parle de son détour par l'Office des disparitions et leur lit les quelques renseignements concernant le docteur Hellinger.

— Je vais interroger sa femme.

Maschke lui lance un regard sans expression.

— Je ne vois pas en quoi ça va nous avancer, grommelle-t-il.

MacDonald a rougi. Un instant, l'inspecteur principal croit que c'est le nom du disparu qui l'a troublé. Mais il remarque qu'ayant déjà légèrement entrouvert la porte du bureau, le lieutenant a aperçu Erna Berg, dos tourné, en train de ranger des classeurs sur une étagère. Amoureux et heureux, se dit Stave – et il sent la rude dent de l'envie lui mordre le cœur.

— Demain matin, je passerai chez Frau Hellinger, annonce-t-il.

— Vous aurez besoin de moi ? demande Maschke, sur un ton qui ne laisse aucun doute sur ce qu'il pense de cette démarche.

— Non, répond Stave, que la question n'a pas spécialement chagriné. Et vous, lieutenant, vous m'accompagnez ?

MacDonald rougit encore.

— J'ai une réunion de service jusqu'à midi. Désolé.

Cette «réunion de service» s'appelle Erna Berg, est mariée et c'est ma secrétaire, se dit Stave, qui s'efforce quand même de sourire.

— Bien, dit-il, en ce cas, j'irai seul. Histoire de ne rien négliger, sans plus.

Un billet et un témoin

Mercredi, 5 février 1947

Stave a les yeux fixés sur les vitres de son appartement recouvertes de leur croûte de glace. Il est encore tôt le matin. Il n'a aucun intérêt à se rendre à l'hôtel de police pour refaire ensuite quasiment le même chemin en sens inverse afin d'aller à Marienthal interroger la femme du disparu, mais il peut difficilement sonner à sa porte à six heures du matin, comme jadis la Gestapo. Il se met donc à compter les cristaux de glace qui se sont formés sur un carreau au centre de la fenêtre et sur lesquels il souffle son haleine pour essayer vainement d'oublier le froid et sa douleur à la jambe.

Le jour se lève lentement. Il finit par s'extraire de son lit. En traînant, il ne devrait pas être à destination avant huit heures – et à cette heure, avec ce froid, plus personne ne dort.

Marienthal est une oasis de paix, un quartier résidentiel de l'est de Hambourg, à quelques centaines de mètres à peine de son immeuble. Les Alliés ne s'en sont jamais pris à Marienthal. Au pire, quelques bombes perdues.

Stave marche avec lenteur le long de l'Ahrensburger Strasse en direction du centre. Une lumière grise l'enveloppe. Les piétons s'évitent. Aucun échange de regards. Plus personne ne marche trop près d'une ruine, même si les remblais protègent parfois du vent polaire.

Il s'arrête devant une colonne d'affichage et étudie la dernière œuvre de la brigade criminelle : un avis de recherche, collé le matin même. « 5 000 RM de récompense ! » Avec les photos des trois victimes. En dessous : « Un assassin rôde, une bête humaine sanguinaire. » Suivent les descriptions détaillées des lieux de découverte des corps et des victimes. « Personne ne déplore-t-il la perte de ces disparus assassinés ? Peut-on mourir dans cette ville sans qu'aucun parent, ami ou connaissance ne s'inquiète ? » C'est pourtant bien moi qui ai écrit ça, se dit Stave, étonné. Je devais être fatigué.

Un minuscule square sur le côté gauche de la rue, à peine plus grand qu'un mouchoir de poche. Des pavés, des souches d'arbres hachés et des buissons mutilés, les squelettes de deux bancs dont on a arraché les lattes de bois.

Stave tourne dans la Eichtalstrasse. Des villas des deux côtés, deux étages, pignon sur rue, chaque maison se distingue de la voisine : briques clinker rouges, crépi blanc ou jaune ou murs recouverts de lierre. Le long des trottoirs pavés, des châtaigniers et des hêtres rouges, en partie amputés, en partie intacts. Ses pas résonnent sur les pavés. À cinq cents mètres de là, Margarethe est morte, brûlée vive, et ici tout est comme si rien ne s'était jamais passé, se dit Stave.

Un jardinet laissé à l'abandon sous une couche de givre sale. Derrière, une villa. De laides traînées sur le crépi blanc, un volet de guingois, le reste encore en bon état. Une mince volute de fumée gris-noir monte de la cheminée, l'odeur amère, mais si agréable, des braises de charbon. Et tout d'un coup, Stave est pressé d'entrer dans cette maison.

Comme personne ne répond à son coup de sonnette, il frappe à la porte qui finit par s'ouvrir. Un courant d'air chaud vient à sa rencontre et il frissonne involontairement. Une femme se tient sur le seuil, la cinquantaine, de grandes mèches grises dans ses cheveux longs brun foncé. Visage doux, yeux brun fauve, peignoir élégant quelque peu élimé.

Stave exhibe sa carte de police, se présente.

179

Frau Hellinger hésite un instant, puis elle sourit timidement et le prie d'entrer. Parquet de chêne, commodes Biedermeier. Des marques rectangulaires sur le papier peint des murs, où il y a peu encore étaient accrochés des tableaux. Stave devine avec quoi les Hellinger payent leur charbon. Son hôtesse le conduit vers l'arrière de la villa, jusqu'à une sorte d'oriel qui domine un jardin reposant. Elle lui propose un fauteuil en osier.

— Une tasse de thé ?

L'inspecteur principal hoche la tête, reconnaissant.

— Je ne m'attendais pas à la visite d'un policier, dit-elle.

Stave s'efforce de sourire.

— Pour quelle raison ?

— J'ai signalé la disparition de mon mari au poste de police le plus proche. Un agent a noté ma déclaration sur un formulaire. Et j'ai eu l'impression que l'affaire en resterait là.

— Et c'est pour cela que vous vous êtes tournée vers l'Office des disparitions ?

Elle approuve de la tête et sirote prudemment son thé. Ses mains sont agitées d'un léger tremblement. Stave sort maladroitement son calepin.

— Parlez-moi de votre mari.

— C'est surtout un bricoleur, un bidouilleur professionnel, répond Frau Hellinger en souriant timidement. Il a fondé sa société alors qu'il était encore très jeune. Rien de bien important, mais une affaire très solide. Une entreprise qui fabrique des instruments de précision.

— Quelle sorte d'instruments de précision ?

— Des calculateurs de solution de tir de torpilles, en fait un guidage à programme, avant tout destiné à équiper les sous-marins.

Comme Stave la regarde, perplexe, elle lève la main comme pour s'excuser.

— C'était son invention. Pour autant que j'aie compris, les commandants de sous-marins doivent faire des calculs compliqués avant de lancer une torpille. Il faut qu'ils fassent le point, calculent le cap du navire qu'ils veulent frapper, la vitesse des deux bâtiments, celle de la torpille, la direction des courants, quantité d'autres paramètres encore. Mon mari a mis au point un calculateur qui les assiste dans leur travail. L'officier y entre des données, tourne quelques boutons – et il a le résultat. Un peu comme une machine à calculer de bureau, comme se plaisait à dire mon mari, mais un peu plus complexe. Il livrait ses instruments aux chantiers navals de Blohm & Voss, qui les montaient dans tous les sous-marins qui sortaient de leurs usines.

— Une bonne affaire, je suppose, grommelle Stave. Au moins jusqu'en mai 1945.

Elle le regarde, peinée.

— Après (elle cherche le mot adéquat) la faillite du Reich, et malgré de nombreuses difficultés, mon mari a réussi à maintenir son affaire.

— La majorité des navires qui ont été coulés par des sous-marins allemands étaient anglais. J'ai du mal à croire que les nouveaux maîtres de la ville aient montré un intérêt débordant au maintien d'une entreprise qui a envoyé par le fond la moitié de leur flotte.

Frau Hellinger toussote.

— Bien entendu, mon mari a adapté sa production. Un instrument mécanique, c'est un instrument mécanique, comme il se plaisait toujours à le dire. En réalité, ce qu'il produisait lui importait peu – il suffisait que ce soit assez complexe pour l'intéresser.

— Et qu'est-ce que la société fabrique aujourd'hui ?

— Des chronomètres de précision, des horloges pointeuses pour bureaux et usines. Des appareils qui pilotent des machines.

— Et ce genre de choses se vend déjà aujourd'hui ?

— Mais bien sûr! Beaucoup d'entreprises se mettent à augmenter leur production, même si ça ne va pas sans difficultés. Et nos horloges sont même aux murs des casernes et des clubs britanniques.

C'est à cela qu'on reconnaît les vainqueurs, se dit Stave. Les bras m'en tombent. Quelle que soit l'issue d'une guerre, ils ont toujours de quoi se chauffer et faire des affaires. Et ils habitent des villas. La seule chose qui ne colle pas, c'est que normalement, ceux qui s'en sont tirés ne disparaissent pas du jour au lendemain sans laisser de traces.

— Que s'est-il passé le 13 janvier ? demande-t-il.

— Je n'en sais rien exactement. La veille, nous nous sommes couchés tard. Mon mari a toujours été un lève-tôt. Les nuits courtes ne lui font rien. Il s'est levé à son heure habituelle, je m'en suis rendu compte dans un demi-sommeil. Ensuite, je me suis profondément rendormie. Quand je me suis enfin réveillée, il était peut-être déjà dix heures. Il était parti.

— Parti ?

Un soupçon de rougeur monte aux joues de Frau Hellinger.

— Mon mari et moi, nous sommes mariés depuis trente ans. Après un aussi long temps, on se connaît bien. Il se levait souvent avant moi, mais jamais – au grand jamais! – il ne partait sans me dire au revoir. Et quand il ne se rendait pas à l'entreprise, mais allait en déplacement à la rencontre d'un client, il me le disait toujours.

— Et ce matin-là, quand vous êtes descendue, la maison était vide ?

— Oui. Il était parti sans un mot.

— Est-ce qu'il avait emporté quelque chose avec lui ? De l'argent ?

À présent, les joues de Frau Hellinger sont cramoisies.

— Pas que je sache. Nous n'avons jamais beaucoup de liquide à la maison. Et il ne manque aucun objet de valeur. En tout cas, rien qui n'ait déjà manqué avant, si vous voyez ce que je veux dire.

Stave jette un coup d'œil sur les rectangles défraîchis des murs et hoche la tête, puis il baisse le regard sur les notes qu'il a prises à l'Office des disparitions.

— Vous avez déclaré qu'il portait son manteau en laine bleu marine, son chapeau, une écharpe, des gants.

— Une chose est sûre: ils ne sont plus dans la penderie. Et il s'habillait toujours comme ça, en hiver.

— Et sa serviette en cuir manque aussi.

— Il la prenait tous les matins pour aller au travail.

— Qu'y avait-il dedans ?

Frau Hellinger hausse les épaules.

— Des documents, certainement. Je n'y ai jamais mis le nez.

— Des plans ? Des contrats ?

— Je n'en ai vraiment aucune idée.

Stave se creuse la cervelle pour savoir si un individu qui construit des systèmes de guidage pour sous-marins et des horloges de précision a besoin de fils de fer fin, de collets en fil d'acier.

— La porte d'entrée de la maison était-elle fermée quand vous avez constaté que votre mari était parti ?

Frau Hellinger le regarde, l'air étonné, réfléchit.

— Tirée oui. Mais pas verrouillée.

— Merci beaucoup, murmure Stave en refermant son petit carnet.

— J'oubliais quelque chose, ajoute-t-elle.

Il lève les yeux. Elle hésite, respire profondément.

— Quand je me suis mise à chercher, j'ai trouvé par terre, sous l'armoire – à l'endroit où il a l'habitude de suspendre son manteau – une boulette de papier. Je n'y ai tout d'abord prêté aucune attention, j'ai plutôt pensé que notre femme de ménage devenait négligente. Mais plus tard, quand je n'ai trouvé mon mari nulle part et que j'ai commencé à rassembler des preuves, j'ai ramassé ça.

Elle pêche un bout de papier grand comme la main dans le tiroir d'une commode. Du papier quadrillé aux bords déchirés – un lambeau de papier, arraché à la va-vite d'un cahier comme en utilisent les ingénieurs et les techniciens pour y jeter rapidement quelques calculs ou des croquis.

Il le prend et l'observe en détail. Il a été froissé. Les innombrables plis forment comme une toile d'araignée qui s'est étendue sur la surface. Le verso est vierge. Mais au recto, un mot, noté au crayon, griffonné en toute hâte.

— *Bottleneck*, murmure l'inspecteur principal, déconcerté.

Elle le regarde, désemparée.

— Et je ne parle pas anglais. Une de mes amies m'a traduit.

— « Col de bouteille. »

— Il a écrit ça à toute vitesse, mais c'est sans aucun doute l'écriture de mon mari. Qu'est-ce que ça peut bien vouloir dire ?

— C'est exactement ce que je me demande, répond Stave en étirant les mots.

L'inspecteur principal prend congé, irrésolu, mais pressé. Il ressent la chaleur de la villa dans chaque fibre de son corps. Il serait tellement bon de rester encore un peu, d'enlever son manteau, de siroter du thé chaud. De fermer les yeux, de dormir. D'un autre côté, ce qu'il vient d'apprendre le pousse à partir. Il doit en parler avec ses collègues, échanger des idées, passer au crible les hypothèses les plus folles pour vérifier leur probabilité.

Il marche vite, boite même sans y prêter attention. *Bottleneck*. Col de bouteille. Col, cou. Est-ce un hasard ? Qu'est-ce que cela peut bien signifier ? Hellinger est-il l'assassin ? Mais si oui, pourquoi ce billet ? Pourquoi un mot anglais ? Ou l'industriel disparu n'est-il que le complice de l'assassin ? Ou simple témoin, peut-être ?

Stave s'arrête brusquement : si Hellinger a voulu disparaître ce matin-là, a-t-il laissé ce billet à dessein ? Peu vraisemblable. Mais si, comme sa femme l'a confirmé, il a griffonné ce mot en toute hâte, s'il l'a froissé et qu'il l'a laissé tomber devant l'armoire, à l'endroit même où il a l'habitude d'enfiler son manteau – cela ne signifie-t-il pas qu'il n'avait que peu de temps devant lui ? Et qu'il n'était pas seul ? Mais alors qui était avec Hellinger dans la villa ce matin-là ? Et : l'industriel est-il parti de son plein gré avec cet inconnu ? Ou a-t-il été enlevé, comme le soupçonne sa femme ? Et si oui, par qui ?

Stave entre dans son bureau, toujours perdu dans ses pensées. Assis à sa table de travail, il scrute le bout de papier qu'il a réclamé à Frau Hellinger et qu'elle ne lui a laissé qu'après avoir hésité, craignant peut-être que ce soit le dernier signe de vie de son mari. Et peut-être n'a-t-elle pas tort.

— Appelez-moi Maschke et MacDonald, crie-t-il peu après à Erna Berg à travers la porte fermée.

Maschke apparaît quelques instants plus tard, précédé par une odeur de tabac froid. Peu après, c'est au tour de Mac-Donald.

Stave fait un rapport succinct de sa démarche matinale. Maschke réfléchit longuement et hoche la tête, reconnaissant. MacDonald se contente de le fixer attentivement.

Stave répond à son regard.

— *Bottleneck*, dit-il finalement. C'est ce qui est écrit sur le billet. Rien d'autre.

Il le leur montre. Le lieutenant est devenu tout pâle.

— Qu'est-ce que ça peut bien vouloir dire ? murmure-t-il.

L'inspecteur principal hausse les épaules.

— Ça veut dire qu'il faut que vous interrogiez une fois encore vos camarades. Peut-être que ce mot est en rapport avec notre assassin. Peut-être qu'il n'y a aucun lien – mais même si c'était le cas, la disparition d'Hellinger paraît bien étrange. Et cette trace est la seule qu'il a laissée. Une trace anglaise.

MacDonald baisse la tête, si bien qu'on ne voit presque plus son visage. Une attitude difficile à déchiffrer, se dit Stave. De la honte, parce que cet indice oriente l'enquête vers l'un de ses compatriotes ? Ou de la colère, parce qu'un policier allemand fait une observation à un citoyen britannique ? Le lieutenant lève la tête, s'efforce de faire bonne figure.

— Vous avez raison, monsieur l'inspecteur principal. Une piste anglaise. Je vais la suivre.

Au moment où le Britannique est sur le point de se lever, on frappe à la porte : Erna Berg envoie un sourire furtif au lieutenant avant de s'adresser à Stave.

— Il y a là une dame qui désire vous parler.

— Son nom ?

— Anna von Veckinhausen. Elle prétend que vous la connaissez.

Stave ignore les regards curieux de MacDonald et de Maschke quand il les congédie d'un mouvement de tête. Son collègue des mœurs se presse vers la porte, passe sans un mot devant la femme brune. Le lieutenant est plus poli et lui cède

185

le passage, la salue cordialement, et referme la porte derrière lui.

Enfin, se dit Stave. Il lui désigne une chaise devant son bureau, tout en jetant un regard machinal sur ses mains. Un emplacement plus clair à l'annulaire de la main droite. La trace d'un anneau de mariage ? Divorcée ? Veuve ? Ou ne serait-ce pas, plutôt que la marque d'une bague portée des années durant, le souvenir d'une blessure ? Peut-être une cicatrice en voie de guérison, comme celle laissée par la plaie provoquée par un fil d'acier qu'elle tenait dans ses mains ? Je deviens obsédé, se réprimande-t-il.

Un œil interrogateur sur ses yeux en forme d'amande. Peut-être est-elle en train de regretter d'être venue, se dit l'inspecteur principal. Il lui laisse tout son temps.

Anna von Veckinhausen s'assied en face de lui, pose la main droite sur son épaule gauche. À nouveau ce geste de protection. Puis elle s'efforce de sourire.

— Vous devinez pourquoi je suis venue.

— Je m'en doute.

— Je ne vous ai pas tout dit.

— Lors de votre première déposition, vous avez prétendu avoir emprunté le sentier des ruines afin de prendre un rac-courci pour aller de la Collaustrasse à la Lappenbergsallee. Au cours de la seconde, vous avez déclaré que vous veniez de la Lappenbergsallee pour vous rendre Collaustrasse – et donc, selon cette deuxième version, vous vous déplaciez en sens inverse.

— Je ne vous sous-estimerai plus jamais, murmure-t-elle.

Stave lui adresse un sourire contraint.

— Que faisiez-vous donc vraiment dans les ruines le soir du 25 janvier ? Et qu'avez-vous vu ?

— Le 25 janvier, je n'ai rien vu du tout, en tout cas pas dans les ruines. Pour la bonne raison que je n'y étais pas.

Stave ouvre son petit carnet, feuillette ses notes.

— Mais vous avez signalé le cadavre le 25 janvier. Au poste de police le plus proche.

— En réalité, je ne l'ai pas découvert ce jour-là.

— Mais ?

— Le 20 janvier déjà. Je suivais le sentier – je venais de la Collaustrasse en fait, même si cela n'a plus aucune importance maintenant. J'ai vu le mort, mais je ne suis pas allée à la police.

— Et pour quelle raison ?

— J'avais peur. Je ne voulais pas d'ennuis. De toute ma vie, je n'ai jamais eu affaire avec la police. Je ne suis pas de Hambourg. Je ne connais personne ici qui pourrait m'aider si j'avais des problèmes. Je me suis donc dit que j'allais laisser ce cadavre à quelqu'un d'autre. De toute façon, on ne pouvait plus rien pour cet homme.

— Mais personne ne l'a signalé.

— C'était incompréhensible. J'ai lu le journal. Je m'attendais tous les jours à trouver quelque chose sur ce cadavre nu. Rien. J'ai fini par comprendre que le mort n'avait pas été découvert. En fait, rien de bien étonnant. Il n'y a sans doute pas beaucoup de monde qui passe par ce sentier. Et même en le suivant, on ne peut pas voir le mort. Il était au fond d'un cratère de bombe, à quelque distance. Après cinq jours, je n'ai plus supporté cette attente. Je m'en suis voulu. J'ai informé la police, en faisant comme si je venais juste de découvrir le cadavre de ce vieil homme. Mais ce n'était pas correct de ma part. Je n'ai cessé de penser à ce mensonge, et je me demande si je n'entrave pas la justice. C'est pourquoi je veux tout vous avouer – en espérant qu'il n'est pas trop tard.

L'inspecteur principal reste longtemps muet, puis il demande :

— Si le mort était invisible depuis le sentier, comment se fait-il que vous l'ayez vu ?

— J'étais dans les ruines pour voler. Je n'étais pas sur le sentier.

Stave ne réagit pas. Anna von Veckinhausen sourit d'un air morne.

— Je ne recherchais pas ce que vous pensez, poursuit-elle. Je viens de Königsberg. Famille noble, comme vous l'avez deviné à mon patronyme. Le domaine habituel, l'éducation convenue. Et finalement le banal sauve-qui-peut.

— Vous êtes arrivée à Hambourg quand ?

— J'ai pris la fuite en janvier 1945. Sur le *Wilhelm Gustloff*. Quand il a coulé, j'ai été repêchée par un chasseur de mines qui m'a emmenée dans le Mecklembourg. De là, je me suis débrouillée jusqu'à ce que j'arrive ici en mai 1945.

— Seule ?

— Seule.

La réponse est venue très vite, une réponse très déterminée.

Stave porte à nouveau le regard sur la marque plus claire de son doigt. Il aurait bien aimé savoir si elle était déjà seule quand elle est montée à bord du *Wilhelm Gustloff*. Et si elle a réussi à passer à l'ouest à temps, avant l'arrivée de l'Armée rouge.

— Vous vivez dans une des baraques Nissen de l'Eilbek-kanal depuis votre arrivée ?

— Oui.

— C'est bien loin de la Lappenbergsallee.

— Je me suis spécialisée dans la rapine. La majorité des pilleurs ramassent du bois ou de la ferraille. Des fourneaux ou des pièces électriques. Moi, je cherche des antiquités.

L'inspecteur principal n'en croit pas ses oreilles.

— Dans les immeubles bombardés de gens simples ?

— Il est évident que ce ne sont pas des villas avec des œuvres d'art aux murs. Mais dans chaque appartement, il y avait au moins un bijou de famille. Et chaque champ de ruines est un ancien pâté de maisons avec des centaines d'appartements. Vous ne pouvez pas savoir tout ce qu'un œil exercé peut trouver : d'anciennes bibles de famille, des tasses en porcelaine de Meissen. Des médailles qui datent de la Prusse. Des cuillères à café en argent. La montre de gousset du grand-père.

— Et vous avez cet œil exercé.

— Les antiquités de valeur font partie de ces choses avec lesquelles j'ai grandi. Et durant ces dernières années, j'ai appris à repérer ce genre de trésors, embourbés, cabossés, invisibles entre des briques cassées et des gravats.

— Et ensuite ?

— Je nettoie mes trouvailles. Je note sur un bout de papier ce que j'en sais, âge, origine, ce genre de choses – et je les vends à des officiers britanniques. Ou à des négociants de Hambourg qui ont traversé la guerre sans encombre.

Soudain, Stave pense au mot *Bottleneck*.

— Vous vendez aussi des bouteilles de prix ? De la verrerie gravée, ancienne, rare ? Des flacons de parfum ou des choses comme ça ?

Elle le regarde, surprise, secoue la tête.

— Non. Ce n'est pas le genre d'objets qu'on trouve dans les ruines. En tout cas, pas intacts.

— Connaissez-vous un docteur Martin Hellinger ? Un industriel de Hambourg-Marienthal ? C'est un de vos clients ?

Il lui montre la photo.

— Jamais vu. Et je n'ai jamais entendu ce nom. Pourquoi cette question ?

— Une idée, comme ça. Est-ce que vous veniez de vendre quelque chose au marché, quand nous vous avons interpellée ? Vous aviez plus de cinq cents Reichsmarks sur vous.

— Je venais juste de rencontrer un officier britannique devant le Garrison Theatre et de lui vendre une toile. Du kitsch coloré, des sapins allemands, des cimes allemandes. Vous connaissez. Mais ça lui a plu. J'étais sur le chemin du retour quand je me suis fait prendre dans votre rafle. Pur hasard.

Stave prend des notes. Que MacDonald s'occupe de cette histoire.

— Ainsi, le 20 janvier, dans les ruines qui bordent la Lappensbergsallee, vous étiez en train de chercher des peintures kitsch et des montres de gousset de grands-pères ?

— Il faut bien survivre, d'une manière ou d'une autre. C'est la première fois que j'y allais. C'est assez loin de l'Eilbekkanal, mais j'espérais y faire des trouvailles intéressantes.

— Et vous en avez fait ?

— Je n'en ai pas eu le temps. J'étais à peine arrivée quand j'ai aperçu une ombre qui se déplaçait entre deux vestiges de murs.

— Une ombre ?

— Une silhouette. Le soir tombait déjà, je m'y étais prise tard. J'avais sous-estimé le chemin à faire. En fait, j'ai plus entraperçu un mouvement que repéré un être humain. Vous voyez ce que je veux dire ? J'ai vu furtivement quelque chose. Mais quelque chose de menaçant, d'une certaine manière.

— Et ensuite ?

— Ensuite, je me suis cachée derrière des éboulis.

— Pourquoi ?

— Je ne connaissais pas les lieux. J'étais en train de piller. Suffisamment de raisons pour ne pas se montrer, vous ne trouvez pas ?

— Que s'est-il passé ensuite ?

— J'ai attendu un certain temps. Jusqu'à ce que plus rien ne bouge. Je me suis redressée, je me suis avancée et c'est là que j'ai découvert ce cadavre nu. Vous savez le reste.

— Pouvez-vous me dire quelque chose sur cette silhouette ? Comment était-elle vêtue ? Grande, petite, grosse, maigre ? Un homme ? Une femme ? Un enfant ?

— Pas un enfant, c'est certain. Ni très grande, ni très petite. Peut-être plutôt grande et mince tout de même, car sur le moment, j'ai cru que c'était un homme. Mais quand j'y repense : je n'ai pas vu son visage. Cela aurait pu tout aussi bien être une femme. La silhouette était enveloppée d'un manteau.

— Un manteau en laine ? Un manteau d'homme ? Un manteau de l'armée ?

— Un manteau long, de couleur sombre. Noir ou brun foncé.

— Ou bleu foncé ?

— Possible. La tête était emmitouflée dans une étoffe ou une écharpe. Ou elle portait une casquette, elle-même enveloppée dans un morceau de tissu.

— Vous avez encore vu autre chose ? Ses chaussures ? Ses mains ? Des gants remarquables peut-être ?

— Je n'ai pas fait attention.

— Avez-vous entendu quelque chose ? Des bruits ?

— Des bruits ?

— Des bruits de coups ? Des cris, sourds peut-être, étouffés ? Des appels au secours ?

Anna von Veckinhausen secoue la tête.

— Au contraire, maintenant que vous me le demandez – tout était tellement silencieux. Un silence artificiel. Je crois que c'est ce profond silence qui m'a rendue inconsciemment nerveuse. C'est pour ça que j'ai eu si peur, même si je n'ai fait qu'entrevoir cette silhouette.

Stave ferme brièvement les yeux et réfléchit. Anna von Veckinhausen arrive un peu tard dans les ruines. Il commence à faire nuit, la lumière n'est pas bonne, on y voit mal. D'un autre côté, on ne peut pas être vu non plus. C'est peut-être la meilleure heure pour les pillards, il fait encore suffisamment jour pour un œil aguerri, et déjà si sombre qu'on ne peut pas être répéré.

Elle voit le meurtrier, une ombre en tout cas. Puis elle trouve le cadavre. Elle ne se rend pas à la police – peut-être, comme elle le prétend, parce qu'elle n'ose pas. Peut-être aussi parce qu'elle veut éviter des questions gênantes concernant son activité.

Il croit à son histoire. Tout concorde. Admettons que cette silhouette était celle de l'assassin. Anna von Veckinhausen n'est certainement allée sur le lieu du crime qu'après le meurtre. Le vieux était déjà mort, vraisemblablement déjà nu aussi. Le vieil homme se déplaçait donc alors qu'il faisait encore jour, peut-être bien sur le sentier des ruines. Ou il a été assassiné ailleurs et jeté dans le cratère de bombe ensuite. Mais un criminel oserait-il se risquer à faire ça avant qu'il fasse complètement nuit ?

— L'inconnu vous a-t-il vue ?

Elle hésite. Et à nouveau elle pose la main droite sur son épaule gauche.

— Je me suis vite cachée. Je me suis mise à couvert, comme le dirait sans doute un soldat. Et j'avais l'impression que cette silhouette faisait exactement la même chose que moi. Mais je n'en suis pas sûre.

Merde, se dit Stave. Si ce qu'elle dit est exact, Anna von Veckinhausen n'est pas seulement l'unique témoin du crime : le meurtrier sait aussi qu'il y a un témoin.

— Vous vous rappelez encore autre chose ?

Elle réfléchit.

— Une odeur, finit-elle par dire. Avec cet air glacé, on ne respire pas à pleins poumons, mais je suis tout de même certaine que ça sentait le tabac.

— L'inconnu fumait ?

— Non. En tout cas, je n'ai pas vu de cigarette, pas de braise, pas de fumée. Ça sentait le tabac, tout simplement. C'était dans l'air. Et ça n'a duré qu'un temps.

Un chargement de cigarettes, se dit Stave. Le vieux avait-il des cigarettes et est-ce pour cette raison qu'il est mort ? Vol aggravé par un meurtre ? Donc tout de même en rapport avec des trafics de marché noir ?

— Je vais consigner votre déposition à la machine. Pendant ce temps, je vous prie d'attendre au secrétariat. Vous pourrez ensuite la relire et la signer, si vous n'avez rien à y changer ou à y ajouter.

Elle approuve de la tête, se lève, hésite.

— Et que j'ai pillé ? Vous allez en parler ?

Stave s'autorise un sourire.

— Tenons-nous-en au fait que vous marchiez sur le sentier.

Il l'accompagne à la porte, lui avance une chaise dans le secrétariat, ignore les regards curieux d'Erna Berg. Puis il tape lui-même le procès-verbal d'audition, retire la feuille de papier et son double pelure du rouleau et se relit une fois encore. C'est peu – en tout cas pas un témoignage qui condamnerait quelqu'un à l'échafaud. Mais l'assassin ne connaît pas ce détail.

J'ai un appât, se dit Stave, et déjà il a mauvaise conscience. Car il va appeler le journaliste et le tenir au courant de ce nouveau développement de l'affaire. Il ne citera aucun nom, bien entendu, pas le moindre détail d'une adresse, pas un mot de l'âge. Il dira tout simplement ceci: la police a un témoin – et l'assassin commettra peut-être une erreur.

Il saisit le combiné, sollicite la liaison avec le *Zeit*. Puis il demande à parler à Kleensch. Friture sur la ligne. Durant de longues secondes. Allez! s'impatiente Stave. Il a enfin le journaliste au bout du fil.

— Il y a du nouveau sur l'assassin des ruines.

— Parler pour ne rien dire, c'est pas votre genre, monsieur l'inspecteur principal, réplique le journaliste en s'esclaffant.

Mais Stave entend autre chose dans la voix de son interlocuteur, quelque chose qu'il connaît bien : la fièvre du chasseur. Il le voit saisir précipitamment un crayon et un calepin, avide de transcrire son histoire.

— Il s'agit vraisemblablement d'un individu qui agit seul. Une femme a témoigné qu'elle avait vu une silhouette sur le lieu de découverte du corps. Avec un manteau long, la tête emmitouflée. Nous apprendrons peut-être encore d'autres détails.

— Où a-t-on aperçu cette silhouette ?

Stave hésite. Ne risque-t-il pas de mettre Anna von Veckinhausen en danger s'il lâche cette information ? D'un autre côté, ne serait-il pas possible que le meurtrier revienne sur le lieu de découverte du corps pour effacer toutes les traces éventuelles de son forfait ? Ce serait idiot, mais certains criminels le font. Stave n'a pas assez d'hommes pour surveiller vingt-quatre heures sur vingt-quatre les trois endroits – mais peut-être assez pour un seul.

— Dans le champ de ruines qui longe la Lappenbergsallee. Là où on a retrouvé le vieil homme.

Kleensch respire profondément, réfléchit.

— Et qui est ce mystérieux témoin ?

— Je ne peux rien dire à ce sujet.

— Je comprends.

Nouveau silence, que seul interrompent les crachotements sur la ligne. Est-ce que quelqu'un écoute ? se dit soudain Stave. Il se reprend. Absurde.

— Je ne peux pas vous en dire plus pour l'instant.

— Vous continuerez à me tenir au courant ?

— Oui.

Stave raccroche. On va bien voir ce qui va se passer, se dit-il. Puis il regarde la porte fermée du secrétariat et appelle Anna von Veckinhausen. Son seul témoin. Son appât.

Elle lit consciencieusement le procès-verbal, fait une ou deux fois la moue.

— On ne peut pas dire que vous soyez un poète, mais pour un fonctionnaire, votre prose est très acceptable.

— C'est exactement l'avis du parquet, grogne Stave. Vous reconnaissez tout de même ce que vous avez déclaré ?

Elle répond par sa signature, qu'elle appose sous le texte en lettres enlevées, et elle ajoute la date.

— Je peux partir ? demande-t-elle.

— Je peux vous accompagner ?

Stave est surpris lui-même par sa proposition. Ça lui a échappé. Anna von Veckinhausen le regarde d'un air étonné.

— Je vais dans la même direction que vous, ajoute-t-il précipitamment, sauf que je vais plus loin. Wandsbek.

Elle sourit l'espace d'un instant.

— Si on se dépêche, on aura encore le dernier tram, répond-elle.

Stave se lève d'un bond, attrape son manteau et son chapeau, lui tient la porte. Erna Berg le regarde, troublée.

— Envoyez-moi quelqu'un s'il y a du nouveau, ordonne-t-il.

Pas d'autre explication. Il se sent tout d'un coup plein d'allant, de bonne humeur, comme il ne l'a pas été depuis des années – même si une voix intérieure lui souffle qu'il est idiot, et que c'est exactement ce à quoi il ressemble, à un idiot.

Arrivés devant la porte de l'hôtel de police, ils filent au pas de gymnastique. Il faut qu'ils parviennent à temps place de l'Hôtel-de-Ville pour attraper ce tram. Il ne circule que quelques heures le matin et l'après-midi, pour économiser l'électricité. Ils s'arc-boutent contre le vent, elle son foulard et son châle sur la tête, lui perdu sous son chapeau, col du manteau aux oreilles. Pas le temps de bavarder. Et c'est bien ainsi, se dit Stave : il est suffisamment occupé à se concentrer sur sa démarche et à dissimuler sa claudication du mieux possible.

Ne tombe pas amoureux, se gronde-t-il vivement, ne te rends pas ridicule. C'est ton seul témoin. Un appât qui s'ignore pour piéger un assassin sans scrupule, un appât que tu as mis toi-même en place. Et si c'était elle, la coupable – qui pourrait écarter cette hypothèse ? Tu ne sais presque rien d'elle, tu ne sais même pas si elle est mariée. Son mari et ses enfants l'attendent peut-être dans la baraque ? Des enfants justement : que dirait Karl s'il revenait un jour ? Sa patrie en ruines, sa mère décédée – et son père, celui qu'il méprisait déjà avant la guerre, qui vit avec une autre femme ? Impensable.

Ils traversent la place sous les rafales de vent, une bise qui souffle à pierre fendre. Les joues d'Anna von Veckinhausen sont rouges de froid et des efforts de leur marche forcée. Adorable, se dit Stave, puis il baisse vivement les yeux.

Trois lignes de tramway se croisent devant l'hôtel de ville. Les rails ont été réparés et débarrassés des gravats. Des wagons cabossés, la foule des voyageurs, les bousculades, des commerçants aidés par de gros costauds qui soulèvent de très lourdes palettes chargées de choux et de pommes de terre et qui les enfournent par les portes. Des facteurs fatigués qui chargent des colis. Au moins, pas d'ordures à cette heure, se dit Stave. Car le matin, on charrie dans les voitures les immondices pour les jeter dans les décharges publiques aux portes de la ville. Comment s'en débarrasser autrement ?

Les voyageurs se bousculent entre les colis et les caisses. «Mercantis» du marché noir, employés de bureau et de magasins qui ferment tous les soirs à la même heure à cause des coupures d'électricité. Stave essaie maladroitement de frayer un passage à Anna von Veckinhausen, de l'aider à grimper les trois marches d'accès au wagon.

Elle y arrive seule, mieux que lui, elle prend manifestement plus souvent le tram. Promiscuité dans la voiture : l'odeur des manteaux humides, des chaussures portées depuis bien trop longtemps, de la sueur, relents de mauvaise haleine, effluves de méchant tabac.

De nouveaux voyageurs repoussent Stave et Anna von Veckinhausen contre la fenêtre face à la porte. L'inspecteur principal tente de résister, donne un coup de coude derrière lui sans se retourner, puis se résigne à se laisser refouler. Il est projeté contre cette femme dont il veut se servir d'appât pour attraper l'assassin des ruines. Il sourit pour s'excuser.

— Quelques arrêts, et on pourra de nouveau respirer l'air frais, promet-elle.

Une secousse, le crissement des roues d'acier rouillées sur les rails, les mouvements saccadés quand le tram prend un virage. Des coups aux épaules et à l'estomac, soudain le poids du voyageur d'à côté qui chancelle, la douleur à la main quand quelqu'un cherche précipitamment à agripper la sangle de la poignée et la lui pince. Des jurons à mi-voix, quelques-uns un ton plus haut. Personne ne s'excuse. On s'évite du regard.

Stave ne dit mot. Toute parole énergique se révèle dangereuse. Nul ne sait ce que le voisin a fait pendant la guerre. Pour avoir juré à mi-voix, des gens ont été poignardés sans autre forme de procès par d'anciens combattants du front de l'Est. Et des adolescents, anciens engagés à quinze ans dans les Jeunesses hitlériennes, qui ont aussi combattu sur le front russe, ont battu à mort un passant qui les avait malencontreusement bousculés. Une société dévastée, se dit l'inspecteur principal. Et c'est nous, les flics de la brigade criminelle, qui déblayons les ruines.

Stave n'a pas l'occasion de parler. Cette obscène promiscuité. Tous les passagers pourraient entendre ce qui se dit. Ceux qui ne jurent pas se taisent. Et que pourrais-je bien lui dire ? se demande l'inspecteur principal.

Par bonheur, le tramway se vide aux troisième et quatrième arrêts – non signalés dans cet océan de ruines, des stations où, mystérieusement, des dizaines de voyageurs descendent. Où peuvent-ils bien aller ?

À présent qu'il est possible de se déplacer, un contrôleur en sueur s'approche. Stave lui tend un carnet de billets acheté deux semaines auparavant et dont il ne s'est servi qu'une fois. On ne trouve plus de billet simple. Manque de papier.

Stave prend rarement le tram pour économiser l'argent qu'il investit à la gare dans les cigarettes avec lesquelles il paie des informations. Par ailleurs, la marche renforce sa jambe.

— Deux places, dit-il au contrôleur.

— Vous êtes bien généreux, lui dit Anna von Veckinhausen.

Heureusement qu'elle n'a pas cité mon grade, se dit-il. Si elle avait dit « monsieur l'inspecteur principal », il aurait attiré sur lui l'attention de tous les voyageurs. Aucune amabilité à attendre dans un tram rempli pour moitié d'individus qui viennent de se livrer au marché noir.

— Vous prenez souvent le tram ?

Ma question est superflue, se dit Stave – il y a suffisamment de place à présent pour lui parler normalement.

— J'ai appris ça à Hambourg, reprend-elle.

— Et comment vous déplaciez-vous avant ?

Elle lui lance un regard attentif, un peu amusé aussi.

— C'est une question professionnelle ?

— Privée. Vous n'êtes pas tenue de me répondre.

— En automobile. En calèche. Mais de préférence à cheval.

— Une enfance protégée.

— Une enfance protégée. Je sais ce que vous pensez.

— Et qu'est-ce que je pense ?

— Que je viens de cette race de hobereaux de l'est de l'Elbe. Que ce sont des gens de notre espèce qui ont ruiné l'Allemagne.

— Et c'est le cas ?

Elle lui fait des yeux furibonds.

— Nous étions certes des nationaux allemands. Des conservateurs. Mais ce monsieur Hitler, jamais nous n'avons voté pour lui.

L'inspecteur principal s'étonne, voudrait savoir qui est ce « nous », mais il n'ose pas le lui demander. Le tramway freine, roues grinçantes, et s'arrête devant un reste de façade calcinée.

— C'est là que je descends, annonce Anna von Veckinhausen.

Stave l'accompagne sans lui demander son avis. Une rue rectiligne qui traverse des monceaux de ruines dont dépassent quelques chicots de murs. Des lanternes en fonte surannées, désormais mortes, bordent un côté du chemin. Ce sont les seules à avoir survécu aux dévastations. Stave y voit de grotesques croix de cimetière.

Les baraques Nissen apparaissent à l'ombre du blockhaus, des baraques demi-cylindriques en tôle ondulée de douze mètres sur cinq à six, installées à un carrefour. L'inspecteur principal en compte vingt. La lueur jaune orange d'une bougie vacille ici ou là derrière les lucarnes découpées dans l'arrondi des toits. D'autres sont obscures. L'odeur forte et amère du bois humide qui brûle ; la fumée bleue qui s'élève d'invisibles cheminées en tôle et qui monte, épaisse, tenace, entre les baraques, les ruines, les cordes auxquelles pend du linge gelé, depuis longtemps oublié. Une odeur de soupe aux choux et de chaussures humides. De temps à autre, une silhouette emmitouflée, qui déboule de l'arrêt du tram et qui passe rapidement, pousse la porte d'une baraque et disparaît.

Stave entraperçoit brièvement les tables grossières, les poêles pas assez gros, silhouettes noires en fonte qui trônent au centre des baraques. Partout, des draps et des pans de tissu aux couleurs délavées attachés à des cordes, dans tous les sens, en long et en large. Du linge à sécher ou des séparations provisoires, avec lesquelles des familles luttent pour conquérir un espace privé.

Stave se demande comment quelqu'un qui a été élevé dans une maison de maître s'y retrouve dans une baraque au milieu des ruines. Anna von Veckinhausen a-t-elle honte ? Ou est-elle heureuse d'être encore en vie et d'avoir un toit sur la tête, même si ce n'est qu'une grande moitié de tonneau en tôle pleine de courants d'air ?

Elle se dirige vers une baraque au centre du carrefour – un carrefour où se dresse encore, comme un être fantastique, une colonne d'affichage presque intacte, sur laquelle est collé un avis de recherche de l'assassin des ruines. Anna von Veckinhausen ne peut donc pas échapper aux photos des victimes dès qu'elle sort de sa baraque. C'est peut-être ce qui l'a incitée à un nouveau témoignage, se dit Stave.

Un couple vêtu de manteaux de la Wehrmacht teints en brun les dépasse, la femme attelée à une poussette bosselée dont l'essieu avant grince. Elle ne semble pas abriter un enfant, se dit l'inspecteur principal. Ça m'a plutôt l'air d'une souche d'arbre déterrée quelque part. Il se rappelle son appartement non chauffé et se demande en frissonnant quelle peut bien être la situation dans ces baraques aux doubles murs de tôle si minces.

Anna von Veckinhausen accélère le pas.

Elle veut se débarrasser de moi, se dit l'inspecteur principal, quelque peu déçu. Elle ne veut pas être vue avec moi.

— Merci mille fois de m'avoir accompagnée, dit-elle, arrivée devant sa porte. Vous pensez que j'aurais besoin d'un garde du corps, maintenant ?

— Pourquoi ? demande Stave

— Parce que l'assassin m'a vue.

L'inspecteur principal pense à son entretien avec le journaliste du *Zeit.* Il lève au ciel un regard gêné.

— À condition que la silhouette que vous avez vue soit celle de l'assassin. Et si cette silhouette vous a effectivement aperçue, l'inconnu n'en aura certainement pas plus vu de vous que vous de lui. Il ne connaît pas votre visage et encore moins vos nom et adresse.

— Vous avez certainement raison, répond-elle.

Mais elle ne paraît pas convaincue. Elle lui tend la main.

— Bonsoir, monsieur l'inspecteur principal.

Elle attend qu'il se soit éloigné de quelques pas, puis elle ouvre la porte. Stave ne parvient pas à jeter un coup d'œil à l'intérieur : quand il soulève une fois encore poliment son chapeau, la porte s'est déjà refermée avec un bruit de tôle. Il se retourne lentement et se met en route pour un long trajet à pied jusqu'à Wandsbek – sans boiter. Au cas où elle l'observerait depuis une de ces minuscules tabatières.

Il marche à pas rapides quelques centaines de mètres, s'efforce de ne pas penser à Anna von Veckinhausen, à son fils, à sa femme. Il veut se concentrer sur cette affaire, cette putain d'affaire.

Un industriel de Hambourg, qui a fait commerce d'instruments de guidage avec le Troisième Reich, et une noble conservatrice de Prusse-Orientale – y aurait-il un lien entre eux ? Le mot *Bottleneck* sur un billet et des antiquités volées vendues à des Britanniques – peut-on établir un rapport entre ces deux faits ? Une silhouette emmitouflée dans les ruines. Un long manteau. L'odeur du tabac. Si toutefois il peut faire confiance aux déclarations de son unique témoin. Mais peut-il faire confiance à Anna von Veckinhausen ? Ne pense pas à elle, s'exhorte-t-il, ce n'est pas le moment. Peut-il même encore compter sur quelqu'un ? MacDonald – après tous ces indices qui désignent des Britanniques ? Maschke – que la jeune orpheline a montré du doigt et qui, manifestement, cache quelque chose ? Ehrlich – qui met peut-être à exécution des idées de vengeance et n'a donc aucun intérêt à ce qu'on trouve l'assassin ?

Il gravit péniblement les marches jusqu'à son appartement. Il ne cherche plus à dissimuler sa claudication car la cage d'escalier est sombre. Il s'attend presque à voir Ruge ou un autre agent en uniforme devant sa porte, messager d'une nouvelle assurément mauvaise. Mais le palier est vide. Stave entre et verrouille la porte. Il s'affale sur son canapé dépenaillé. Il a gardé son manteau et son chapeau. Il règne un froid cruel. Il faudrait qu'il aille à la cuisine, se mette quelque chose sous la dent. Trop épuisé. Anna. Ne pas penser à elle. L'inspecteur principal s'endort sur le canapé. Sa dernière réflexion avant de sombrer est de s'étonner de cette grande fatigue qui l'emporte.

Numéro quatre

Mercredi, 12 février 1947

En enfer, se dit Stave, il ne fait pas chaud, mais froid. Depuis la fenêtre de son bureau, les maisons ont l'air d'avoir été nettoyées avec désinvolture : côtés nord et est, les toits et les murs sont balayés par un vent qui s'est chargé de givre dans l'Arctique et qui blanchit crépi et bardeaux à coups de lame d'un rabot invisible. Côté abrité, sur les gouttières, les corniches, aux ouvertures vides des maisons bombardées, il a laissé des dépôts de glace et de grêle pustulentes et des traînées de neige poudreuse. Au rebours de la lumière, la température n'a pas changé depuis janvier : huit heures durant, un soleil blanchâtre, étincelant dans un ciel sans nuages, impressionne le monde d'une clarté qui fait ressortir très nettement tous les détails même les plus infimes. Comme les traits d'une gravure à l'eau-forte de Dürer, l'inspecteur principal distingue la moindre fissure de la façade de la Philharmonie, de l'autre côté de la place, et chaque chapiteau de colonne projette des ombres grotesques. Je suis le seul à marcher à l'aveugle dans la nuit, se dit Stave. Mauvais jeu de mots.

Le troisième rapport d'expertise médico-légale du Dr Czrisini est depuis longtemps rangé dans ses classeurs. Jour supposé du crime : environ le 20 janvier. Aucun autre signe particulier. Stave se demande combien de personnes encore ont été assassinées ce jour-là – et quand leurs corps seront découverts.

L'article de Kleensch a été publié dans le *Zeit*. Posé, sans spéculations inutiles, aucune hystérie, pas d'espoirs hâtifs – juste assez pour signifier que l'enquête progresse. Stave a informé Cuddel Breuer et le procureur Ehrlich pour qu'ils n'apprennent pas les développements de l'affaire en ouvrant le journal.

Sinon, rien à signaler.

Il a posté des hommes sur le lieu de découverte du cadavre, près de la Lappenbergsallee. Un travail détestable par ce froid. Et quelques policiers transis qui, en plus de grelotter, se sont ennuyés à mourir, le détestent à présent parce que personne ne s'est montré. Aucune réaction de l'assassin, aucun renseignement venu de la population, aucune nouvelle piste, rien, rien, trois fois rien.

Pas de réaction non plus de la part d'Anna von Veckinhausen. A-t-elle même lu l'article ? Est-elle furieuse contre lui ? Stave a demandé à MacDonald de vérifier son histoire de tableau kitsch. Elle paraît vraie. Même si le lieutenant n'a pas encore mis la main sur le camarade à qui elle a vendu la peinture. Il s'avère qu'Anna von Veckinhausen est connue de beaucoup d'officiers britanniques, sa marchandise est appréciée. MacDonald a rapporté amicalement à l'inspecteur principal que quelques fonctionnaires supérieurs seraient extrêmement malheureux si elle n'était plus en mesure de fournir. Stave a hoché la tête et grommelé quelques mots incompréhensibles. Message reçu.

Il aurait donc du mal à l'avenir à faire pression sur Anna von Veckinhausen en l'accusant de pillage ou de vente au marché noir. Elle collaborerait de bon gré ou elle ne collaborerait pas. Et si elle avait tout de même quelque chose à voir avec les meurtres, il faudrait à Stave de très bonnes raisons à présenter au procureur pour l'interpeller et l'interroger.

Avec *Bottleneck*, MacDonald n'est arrivé à rien. Et l'industriel Hellinger n'a pas réapparu.

Maschke a interrogé tous les médecins à la retraite – c'était son idée et il a trouvé leurs adresses à l'ordre des médecins. Il les a questionnés sur les victimes, sur le vieil homme avant tout. Sans succès. C'était tout de même une bonne idée, se dit Stave, j'aurais pu l'avoir moi-même. Son collègue des mœurs travaille de mieux en mieux.

Stave fixe du regard les maigres dossiers qu'il a soigneusement alignés sur son bureau. Trois enquêtes. Trois dossiers criminels. Trois fois quelques feuilles et quelques photos. La solution des affaires s'y trouve-t-elle déjà ? Si oui, quel détail a bien pu lui échapper ?

Il est midi pile quand la porte s'ouvre à la volée. Maschke entre en coup de vent.

— Et si vous frappiez ? reproche Stave.

L'inspecteur des mœurs halète :

— Nous avons encore un meurtre.

— Cette fois, c'est moi qui conduis, ordonne Stave alors qu'ils se dirigent vers la Mercedes stationnée devant l'hôtel de police. Dites-moi tout.

— Il s'agit d'un nouveau cadavre.

— Homme ? Femme ?

— Un homme, dans une cave, à Borgfelde, derrière la gare de Berliner Tor. Il vient juste d'être découvert, on l'a signalé vers onze heures et demie au poste le plus proche.

— Une fois de plus à l'est.

— Et à nouveau dans un quartier bombardé.

Stave accélère, fonce jusqu'à l'Alster, pousse le vieux six cylindres asmathique sur le Jungfernstieg, klaxonne quand un homme engoncé dans un manteau de la Wehrmacht ne s'écarte pas assez vite de son chemin. Maschke se cramponne à la poignée de la portière, jointures blanchies.

— La police ne risque pas de nous arrêter, le tranquillise l'inspecteur principal.

Quatre morts, deux hommes, une femme, une fillette. N'empêche que trois cadavres ont été trouvés à l'est de la ville. La dernière victime à mi-chemin environ entre le lieu de découverte de la première, la jeune femme, et de la troisième, la fillette près du canal. Enfin un point commun ?

— 52, Anckelmannstrasse, souffle Maschke entre ses lèvres serrées.

Stave prend un virage, direction Glockengiesserwall. La Mercedes dérape, une roue arrière va taper violemment contre une brique collée sur la chaussée par le gel. Il reprend le contrôle de la voiture.

— À certains endroits, tout est vraiment bien gelé, murmure le policier des mœurs.

— Je commence à prendre goût à la conduite, répond l'inspecteur principal.

Ils passent devant la gare centrale, traversent St. Georg. Des trafiquants du marché noir les suivent du regard, stupéfaits. Stave remet les gaz Borgfelder Strasse. Personne en vue sur cinq cents mètres de ligne droite. Puis, après un virage sec, il arrête la lourde voiture en dérapage, freins grinçants.

— Un mort par jour, ça suffit, grommelle Maschke en ouvrant sa portière.

Stave descend aussi et prend un instant appui sur le capot bosselé. Le moteur fume tellement il est chaud. Stave laisse quelques secondes les mains sur la tôle et jouit de cette chaleur qui circule dans son corps.

— C'était agréable, non ? demande-t-il.

— En tout cas, moi, j'ai eu assez chaud, répond un Maschke renfrogné.

L'inspecteur principal embrasse les abords du regard. Dans son dos, les piliers en acier du métro aérien – un sur six ou sept est tordu –, des façades de quatre ou cinq étages hautes et béantes, des immeubles de rapport calcinés. Des entreprises bombardées. Des entrepôts à moitié éboulés. La rue pavée déblayée par endroits. Pas une maison habitable dans un rayon d'au moins trois cents mètres.

Un point commun, se dit Stave, j'ai mon point commun.

Un agent en uniforme s'approche entre deux murs à demi écroulés, fait un signe de la main, approche encore. Un homme très jeune, presque encore un enfant. Stave ne l'a jamais vu. Il fait un salut militaire, on a l'impression qu'il va claquer des talons. Il a sans doute combattu dans la Wehrmacht. Avec nous, il va devoir oublier quelques simagrées.

— C'est bon, lui dit Stave en se présentant avec Maschke. Où est le corps de cet homme ?

— C'est une femme, monsieur l'inspecteur principal.

Stave fixe le jeune policier, qui se trouble.

— La victime a été découverte par deux hommes dans une cave sans lumière. Ils sont ressortis paniqués, et ont accouru au poste. Ils ont cru que la victime était un homme. Ils ont manifestement mal vu. Il s'agit bien d'une femme.

Stave réfléchit. Il est déconcerté. Deux femmes, une fillette, un vieil homme – est-ce que cette configuration répond mieux aux ressemblances que je cherche entre ces meurtres ?

Le policier les précède.

— L'immeuble du 52 de la Anckelmannstrasse est entièrement détruit, explique-t-il. On peut escalader les éboulis jusqu'à l'entrée de la cave, mais c'est plus simple de faire le tour.

Il conduit Stave et Maschke quelque cinquante mètres plus loin jusqu'à un immeuble qui ne s'est qu'en partie effondré. Un portail en pierres voûté donne accès à des maisons situées à l'arrière, que les trois hommes longent pour revenir vers la cave.

Stave s'arrête devant les restes d'un entrepôt. «Hanseatische Glimmer-Import-Gesellschaft», Société hanséatique d'importation de mica, lit-il en lettres noires délavées sur le mur de briques brutes. Un homme gravit les amoncelements de ruines du numéro 52 de la Anckelmannstrasse : le Dr Czrisini que les policiers de la criminelle saluent d'un signe de tête. L'agent de police leur ouvre la voie vers l'entrée de la cave.

— Attention aux marches, les prévient-il, elles sont déchaussées.

— Pas de porte, grommelle Stave, parvenu au bas de l'escalier branlant.

Semi-obscurité. Il sort son petit carnet et décrit l'accès au lieu de découverte du corps. Le policier en uniforme fait de vaines tentatives pour allumer sa vieille lampe de poche, qui finit par lâcher un rayon jaunâtre fatigué. D'autres personnes apparaissent en haut des marches. Stave ne voit que des chaussures sales et l'ourlet de longs manteaux. Puis il dirige à nouveau son regard vers la caverne obscure.

Un sol en béton, quelques briques par ci par là, des morceaux de crépi tombé, de la poussière grise de ciment. Une seconde cave au fond, si sombre que la lumière de la descente d'escalier n'y parvient plus. De la poussière sur le sol aussi, pas de gravats, aucun aménagement.

Une morte.

Trente-cinq ans, estime Stave, un peu plus jeune peut-être. La femme est allongée nue sur le sol. Collée au béton par le froid. Des taches cadavériques rouge-bleu partout. La bouche légèrement ouverte, les yeux entrouverts de la largeur d'une fente, la main droite contre le sol, la gauche sur le nombril, tous les doigts légèrement crispés. Sans un mot, Stave s'empare de la lampe de poche du policier et en oriente le rayon. Le jeune homme est sur le point de vomir.

— Vous pouvez attendre dehors, l'autorise l'inspecteur principal.

Le Dr Czrisini tire une imposante lampe torche de son porte-documents, plus puissante que celle de Stave. De sa main gantée, il tâte le visage de la morte.

— Visage fin, allongé. Cependant bien nourrie, grommelle-t-il. Cils maquillés, brun foncé, sourcils épilés. Sur les joues d'éventuelles traces de fond de teint. Cheveux blond foncé, apparemment décolorés. Lobes des oreilles percés. Pas de bijou visible à gauche. À droite... (Il hésite, passe une main derrière la nuque, retire un petit objet accroché dans les cheveux et l'expose à la lumière de sa lampe.) Boucle d'oreille gauche détachée, prise dans les cheveux de l'occiput.

Le légiste tend le bijou à Stave.

L'inspecteur principal l'examine attentivement. Un petit pendant d'oreille avec une perle. L'or est façonné en forme de minuscule étoile de mer qui la sertit.

— Une forme inhabituelle, grogne-t-il.

— Je ne suis pas compétent, réplique Czrisini, je ne suis pas spécialiste en bijoux.

Le médecin légiste écarte un peu plus les paupières du cadavre.

— Yeux bleu-gris.

Puis il entrouvre les mâchoires, éclaire la cavité buccale.

— Mâchoire supérieure, deux prothèses dentaires : incisive latérale droite, première molaire droite. Mâchoire inférieure, droite, deux molaires en or.

Il étudie soigneusement la victime en partant de la tête.

— Corps gelé. Date de rigidité cadavérique impossible à déterminer. Date de la mort inconnue pour l'instant. Traces de strangulation sur le cou, devant, à gauche, rouge brun, larges de deux centimètres. À droite, derrière, cinq millimètres seulement. Marques de ligotage aux deux poignets, de trois à cinq centimètres de long. Ongles particulièrement soignés, polis, vernis rouge clair, les extrémités soulignées à l'aide de vernis blanc. Trace claire au poignet gauche et à l'annulaire droit. Probablement des marques de montre et de bague. Longue cicatrice d'opération, environ quatorze centimètres, du nombril au pubis, vraisemblablement une opération au bas-ventre, bien guérie, cicatrisée.

— Pas de traces de traînées dans la poussière du sol de la cave, poursuit Stave. Pas de saletés sur le corps. Improbable qu'elle ait été tuée ici.

— Elle a été tuée ailleurs et transportée ici *post mortem*, affirme Maschke. Pour dissimuler le corps.

— Et peut-être aussi pour la déshabiller en paix et la dépouiller, complète l'inspecteur principal. Mais en ce cas, il faut que l'assassin ait descendu la victime sur les marches bancales et l'ait portée jusqu'ici, avec en plus une lampe à la main.

— Un costaud, intervient le médecin légiste.

— Aura-t-il prémédité son coup ? remarque Maschke. Connaissait-il déjà cette cave et a-t-il décidé, avant même de tuer, qu'il cacherait sa victime ici ? Ou a-t-il cherché, après le meurtre seulement, l'endroit le plus proche pour faire disparaître le corps et sera-t-il tombé sur cette cave par hasard ?

Stave se gratte la tête, perplexe.

— Il avait à coup sûr une lampe. Ce qui dénote la préméditation. Mais il a peut-être toujours une lampe sur lui. Ou il connaît si bien les lieux qu'il peut entrer dans cette cave dans l'obscurité la plus complète.

— Je me demande d'où peut bien venir cette femme, murmure le légiste, songeur.

— Elle appartenait certainement à un milieu aisé, riche peut-être, argumente Stave. Des dents en or. Des boucles d'oreille. Une montre de poignet. Une bague. Du vernis à ongles. Je ne me rappelle pas quand j'ai vu pour la dernière fois une femme aux ongles manucurés.

— Du vernis trop cher, trop discret et trop soigné pour une putain, complète Maschke. C'était une dame.

— Et elle n'a certainement pas vécu derrière la gare à Borgefelde, dit Stave d'une voix presque enjouée. Winterhude, peut-être ? Blankenese ? En tout cas, un beau quartier. Intact. Avec un voisinage intact lui aussi. Quelqu'un la connaît certainement.

Czrisini désigne l'annulaire gauche, puis le bas-ventre.

— Elle était probablement mariée. Et il y a donc un mari. Vu sa cicatrice, je ne pense pas qu'elle ait eu des enfants. Cela étant, cette particularité pourrait être un avantage pour l'enquête. Ce genre d'intervention chirurgicale est plus rare que des appendicites ou des soins dentaires. On devrait pouvoir trouver un chirurgien ou un gynécologue qui se rappelle avoir pratiqué cette opération.

— Est-ce qu'on peut déterminer l'heure de la mort ?

— Pas ici. Je vais faire dégeler le corps. On en saura plus après l'autopsie, la décomposition du cerveau a sans doute déjà commencé.

La toute récente euphorie de Stave s'envole.

— Vous pensez donc que la victime est ici depuis longtemps ?

Le médecin légiste confirme d'un signe de tête.

— En tout cas pas depuis hier.

Impossible, se dit Stave. Une femme riche, un mari, des voisins – si cette femme a été assassinée il y a quelques jours, sa disparition n'a pas pu passer inaperçue. Mais il ne se rappelle aucune déclaration récente de disparition qui correspondrait à la victime. Il faut que je sorte d'ici, se dit-il.

— Interrogeons les deux individus qui l'ont trouvée, propose Stave. Docteur Czrisini, vos hommes peuvent enlever le cadavre dès que le photographe aura terminé son travail.

Deux hommes : le ferrailleur August Hoffmann et son ouvrier Heinrich Scharfenort, tous deux environ de l'âge de Stave et très pâles de visage.

— C'est vous qui avez trouvé la victime ?

L'inspecteur principal choisit délibérément un qualificatif neutre. Hoffmann le regarde tout de même d'un air gêné.

— On a vraiment cru que c'était un homme. Et je viens juste d'apprendre que c'est une femme, là, en bas.

— L'essentiel est que vous ayez signalé votre découverte, réplique Stave. Comment ça s'est passé ?

L'ouvrier baisse les yeux, laisse son patron répondre.

— On cherchait des plateaux à tarte.

— Des plateaux à tarte ?

— Jusqu'en 1943, il y avait ici une grande boulangerie. Il n'y a pas longtemps, j'ai trouvé un grand plateau à tarte. Par hasard, ajoute-t-il vivement. Je me suis donc dit qu'il devait y en avoir d'autres. Alors je me suis mis en route ce matin avec Scharfenort pour...

Il hésite. L'inspecteur principal se montre compréhensif.

— ... pour chercher du métal, complète-t-il. Et c'est pour cette raison que vous êtes descendus dans cette cave.

— Oui. Ça fait longtemps que la surface des ruines a été ratissée. On a pris des lampes au carbure pour inspecter les caves.

— Et c'est comme ça que vous êtes arrivés dans celle-ci ?

Le ferrailleur opine et, pour un temps, il a l'air de vouloir disparaître derrière un pan de mur pour vomir. Mais il se ressaisit.

— Nous avons descendu les marches et éclairé la première cave. Puis la seconde. Et tout d'un coup, j'ai vu le pied nu.

— Et vous ?

L'ouvrier lève la tête.

— J'étais derrière mon patron. Je n'ai rien vu. Herr Hoffmann a crié : « Un mort ! » et on s'est dépêché de sortir.

— Vous avez encore vu autre chose d'anormal ?

— J'ai eu ma dose d'anormal.

— Personne ?

Ils secouent la tête.

— Vous êtes déjà venus ici avant ? Ces derniers jours ? Vous avez déclaré que vous aviez trouvé ce plateau à tarte par hasard.

— J'ai pris un raccourci voici trois jours, un raccourci que je ne prends jamais d'habitude. J'ai vu le plateau dans une entrée de cave à moitié comblée. D'où mon idée de lampe à carbure. Sinon, non, je ne suis jamais venu dans le coin.

— Savez-vous si quelqu'un vient ici régulièrement ? Quelqu'un qui emprunte le même raccourci que vous ?

Nouvelle réponse négative.

Stave congédie les deux témoins d'un bref hochement de tête.

— Du nouveau ?

Cuddel Breuer ne regarde pas Stave. Il observe un chien policier frigorifié et tremblant en train de promener sans grande envie sa truffe sur le sol parmi les décombres.

— Il ne signale pas, commente-t-il.

Stave renonce lui aussi à une expression toute faite pour le saluer.

— Le Dr Czrisini pense que la morte pourrait être là depuis quelques jours. Et le lieu de découverte ne semble pas non plus être celui du crime.

Breuer hoche la tête en signe d'assentiment, met la main à la poche de son grand manteau, en sort une imposante lampe torche et descend dans la cave sans un mot. Seul.

Il n'a plus confiance en moi, se dit Stave. Quelques minutes plus tard, le patron de la judiciaire est remonté.

— Une affaire rudement compliquée que vous avez là, Stave. Passez à mon bureau quand vous en aurez terminé ici.

Il tourne les talons sans saluer.

Au moins, tu n'as rien trouvé non plus, se dit Stave en faisant la moue.

Alors que Breuer s'apprête à contourner un chicot de mur haut de trois mètres environ, il manque se retrouver nez à nez avec un individu qui escalade les ruines en trébuchant : Kleensch, le journaliste du *Zeit*.

Rien ne me sera épargné, aujourd'hui, grommelle l'inspecteur principal. Il hésite un instant. Faut-il ignorer le reporter ? L'envoyer promener ? Il ne cesserait de fouiner partout, de poser des questions, de répandre l'inquiétude. Il vaut mieux que je tienne les rênes, se persuade Stave. Il s'avance vers Kleensch, lui serre la main, le conduit à la cave.

Le journaliste contemple la morte dans la lumière jaunâtre de la lampe de poche. Le regard d'un professionnel.

— Une nouvelle victime de l'assassin des ruines, constate-t-il.

Il pense déjà à son article, devine Stave. Il ne lui cache rien de ce qu'ils ont trouvé et lui indique en particulier les indices qui montrent que la défunte venait sans doute d'un milieu aisé.

— De nos jours, quand les femmes riches disparaissent, on ne s'en inquiète pas plus que des pauvres. C'est ça, la démocratie, commente Kleensch.

— Vous n'allez pas écrire ça, tout de même ?

Il sourit.

— Mon rédacteur en chef n'apprécierait certainement pas. Et ça ne ferait pas non plus plaisir aux Britanniques. Et j'aimerais aussi garder mon boulot. Cigarette ?

— Ne fumez pas sur le lieu de découverte du corps, s'il vous plaît, répond l'inspecteur principal tout en le remerciant d'un signe de tête et en lui indiquant la sortie.

— Personne n'a envie de lire des choses comme ça, tente Stave sans trop y croire, pour empêcher la parution du prochain article.

Kleensch le regarde d'un air indulgent.

— Vous vous trompez. Les gens adorent les histoires de meurtre. Des histoires qui les font frissonner. Seulement, personne ne veut entendre la morale de l'histoire. Je m'épargne donc ces quelques lignes, ce qui me laisse plus de place pour les détails. Si vous voyez ce que je veux dire.

Stave approuve, la mine résignée.

— Chacun son travail.

— Les gens vont avoir peur, même si je vous promets que je saurai être prudent. Mais c'est comme ça : l'assassin des ruines va devenir une personnification du Mal, un croquemitaine. Cette horrible période de froid va enfin avoir un visage – même s'il est difficilement reconnaissable. Ça pourrait être tout le monde et n'importe qui : n'importe quelle silhouette dans la rue, derrière moi, une ombre quelconque dans les ruines, tout nouveau voisin taciturne. Tout le monde va soupçonner tout le monde. Ce sera pire que les délations au temps d'Hitler. Mais il n'y a rien à faire. Vous allez vivre un enfer, désolé. Mais vous finirez par attraper le type qui a fait ça. Et vous serez un héros.

— Merci pour votre optimisme.

— Ça aide beaucoup, l'optimisme. Surtout quand on est confronté à la mort.

Kleensch lève son chapeau et s'en va en trébuchant sur les décombres.

Au moins, il n'a parlé à personne d'autre, se dit Stave. Il aurait été désagréable qu'il ennuie Breuer avec ses questions – et c'est Stave qui aurait payé les pots cassés.

L'inspecteur principal rentre en Mercedes. Seul, car Maschke a refusé poliment de monter dans la voiture sous le fallacieux prétexte qu'il voulait marcher un peu pour garder la forme.

Parvenu au Jungfernstieg, l'inspecteur principal freine brusquement. La voiture s'arrête sur quelques mètres, pneus couinants. C'est l'occasion ou jamais, se dit Stave.

Depuis quelques jours, désorienté comme jamais encore auparavant, il a pensé consulter un psychologue à propos de son affaire. Il s'est même déjà renseigné discrètement sur les meilleurs de Hambourg. Mais il a repoussé l'idée. D'une part par timidité, et aussi parce qu'aucun flic de la criminelle ne pense grand bien des psychologues. Par honte enfin, parce qu'en faisant cette démarche, il admettrait devant les collègues qu'il est désemparé : un acte désespéré, voilà déjà Stave qui consulte un psychologue! Et qui sait, peut-être qu'il pourra s'allonger lui-même sur le divan ?

Jamais.

Mais le voilà seul. Et le hasard veut qu'il se soit arrêté à quelques mètres du cabinet du psychologue le plus célèbre de Hambourg, le professeur Walter Bürger-Prinz.

Stave s'avance sur l'avenue qui mène, sur la droite, après quelques marches d'un escalier en pierre, au bord du lac Alster gelé dont la surface brille au soleil. À gauche se dressent les imposantes façades à colonnes d'immeubles qui ont traversé intacts le déluge de bombes. Et l'inspecteur principal ressent à nouveau le besoin de protester en hurlant silencieusement sa colère contre cette injustice. Pourquoi toute cette magnificence est-elle épargnée, cette richesse qui repose si souvent sur la cupidité et le mépris des autres ?

Stave se ressaisit. En quoi un psychologue est-il responsable du fait que les Britanniques ont préféré raser des quartiers ouvriers plutôt qu'un des prestigieux boulevards de Hambourg ?

Il n'a pas en tête l'adresse exacte du cabinet, mais en descendant lentement l'avenue, il repère à côté d'une entrée d'immeuble une grande plaque en laiton avec le nom du professeur. Cinquième étage. L'inspecteur principal pousse une porte haute de trois mètres : escalier en marbre blanc, main courante en fer forgé – mais plus aucune ampoule au lustre, constate-t-il avec satisfaction. Un antique ascenseur au centre de la cage d'escalier, mais qui ne fonctionne pas par manque d'électricité. Il commence à gravir les marches avec lenteur.

Quand il entre enfin au secrétariat, il s'enfonce jusqu'aux chevilles dans un tapis moelleux, aperçoit des fauteuils club anglais, un bureau et une armoire à classeurs en teck, hume le parfum séduisant d'un Earl Grey mêlé à celui de l'encaustique. Stave se sent minable dans ses godasses usées, son costume élimé et son manteau dépenaillé. Derrière le bureau, trône une réceptionniste : la cinquantaine passée, chignon sévère, cheveux gris, lunettes à monture en nickel.

— Vous désirez ?

Elle a dit ça comme si elle avait annoncé: «Interdit aux mendiants et aux visiteurs médicaux.»

Stave avait l'intention de demander poliment si le professeur aurait éventuellement l'obligeance de le recevoir, ne serait-ce que quelques instants. Mais ces façades intimidantes, cet escalier en marbre qui n'en finit pas, ce lourd parfum de bien-être et maintenant ce mépris calculé et froid ont eu raison de sa sérénité. Il marche d'un pas furieux jusqu'au bureau, exhibe brusquement sa carte de police qu'il brandit sous le nez de la dame de fer.

— Stave, police judiciaire. Je veux parler au professeur Bürger-Prinz. Immédiatement.

Elle se penche en arrière, choquée et déconcertée: jamais personne ne lui a parlé sur ce ton. Un bref instant, les traits de son visage se métamorphosent en une grotesque grimace d'indignation, puis elle se reprend, et sans un mot se lève, disparaît derrière une porte capitonnée d'un cuir épais.

Stave n'a pas longtemps à attendre. Dès qu'il a passé la porte du cabinet, il est dans un autre monde. Une vaste pièce donnant sur l'Alster, des fenêtres de la hauteur d'une porte, un bureau, trois fauteuils et, effectivement, un divan. Rien de tout cela n'est «precious english», mais curieusement moderne et suranné à la fois – tout date d'avant-guerre. Bauhaus, pense Stave. Les fauteuils en forme de cube à structure en tubes d'acier chromé tendus de cuir noir, le divan, une chaise-longue moulée, elle aussi en acier chromé. Certainement très confortable, se dit l'inspecteur principal, même si cela ressemble à une version luxueuse des tables de dissection du Dr Czrisini. Et, d'une certaine manière, c'est bien ce dont il est question ici aussi: disséquer des âmes.

Aux murs blancs, un unique tableau entre les fenêtres qui font face à la porte. Des traits noirs, tourmentés, sur un fond ocre. De l'art moderne, sans doute, se dit Stave. Parquet de chêne, encaustiqué et brillant. Sur la banquette de la fenêtre du milieu la statuette de bronze d'un homme assis, genre oriental. Un bouddha ? Pas de certificat encadré au mur, aucun diplôme, nulle photo de famille sur le bureau, pas de téléphone.

Stave a vu jadis un portrait de Freud dans un livre et s'attendait insconsciemment à rencontrer un sosie du fameux savant. En réalité, il a face à lui un homme qui aurait pu poser pour une affiche de recrutement de la SS : le professeur Bürger-Prinz mesure environ un mètre quatre-vingt dix, il est athlétique, ses cheveux blonds sont coupés ras et il a les yeux du bleu le plus limpide qu'il ait jamais vu. De la couleur de l'eau d'un fjord norvégien. L'inspecteur principal sent que le professeur a lu dans ses pensées.

— Qu'est-ce qui vous pousse à une si brutale irruption chez moi ?

La voix est profonde, agréable, la voix de quelqu'un qui a l'habitude de parler, ou celle d'un chanteur. La poignée de main est ferme.

Stave est soulagé lorsque Bürger-Prinz ne lui propose pas de s'allonger sur le divan, mais lui désigne un des deux fauteuils. Il s'excuse pour son intrusion brutale. Puis il se met à parler des victimes, des lieux de leur découverte, du peu d'indices. De médailles aux dessins mystérieux. D'avis de recherche auxquels personne ne réagit. De morts que personne ne vient identifier. De marques de strangulation et de peau nue. De ruines et de murs calcinés, d'une fine couche de neige sur le sol d'un sentier.

Le psychologue ne l'interrompt pas. Les yeux vifs irritants l'observent fixement, il ne prend aucune note. Détendu mais attentif, il ne bronche pas dans son fauteuil. Mon histoire l'a peut-être passionné, se dit Stave, elle a éveillé son intérêt professionnel. Ou il sait parfaitement se contrôler.

— J'ai lu cette histoire d'assassin des ruines, finit pas dire le psychologue lorsque Stave est à court d'idées. Dans *Die Zeit*. Et les photos des victimes vous contemplent depuis toutes les colonnes d'affichage.

— Reconnaissez-vous un schéma dans tout ça, un point commun ? Les meurtres vous disent-ils quelque chose sur le meurtrier ? Quelque chose qui nous aurait échappé ? Qui peut bien commettre des crimes pareils et pourquoi ? Quel

lien y a-t-il entre ces meurtres – en dehors du mode opératoire identique ? Je suis à la recherche de nouveaux indices.

— Et vous êtes dans une impasse.

— Exact, je suis dans une impasse.

Bürger-Prinz lève un sourcil.

— J'espère que vous n'attendez pas sérieusement de moi
que je vous propose à l'instant une solution à cette affaire
pour laquelle un enquêteur chevronné comme vous se creuse
vainement la cervelle depuis des semaines.

— Peut-être pourriez-vous dégager quelque chose comme
un dénominateur commun, insiste Stave. Le choix des lieux
où l'assassin abandonne ses victimes, par exemple. Ou le
choix des victimes.

Le psychologue se lève, se rend à son bureau, ouvre un
tiroir, déplie un plan de la ville, l'étudie.

— Des champs de ruines, des quartiers de petites gens
bombardés, trois fois à l'est, une fois à l'ouest de l'Alster. Une
cave, une cage d'ascenseur, un cratère de bombe. L'assassin
cache ses victimes, et il s'en tient là.

— Qu'est-ce que vous voulez dire ?

— Qu'il n'a pas l'intention de les faire disparaître. Il ne
veut pas les ensevelir. Il prend juste le temps de ne pas se faire
prendre.

— Rien d'étonnant, il avait effectivement peu de temps
devant lui: toutes les victimes – excepté la dernière, pour
laquelle on attend encore l'autopsie – ont été assassinées le
même jour. Le 20 janvier.

— Mais les corps n'ont pas nécessairement été disséminés
le même jour.

Stave fixe le psychologue.

— Vous voulez dire que quelqu'un tue plusieurs personnes, qu'il cache tous les corps au même endroit ? Et
qu'ensuite seulement il vide peu à peu son entrepôt ?

Bürger-Prinz sourit de manière indulgente.

— Il fait assez froid pour procéder ainsi. Et votre inconnu
ne serait pas le premier assassin à charrier ses cadavres d'un
endroit à un autre, des jours voire des semaines après ses
crimes.

— Vous voulez dire que quelqu'un joue un jeu pervers avec nous ?

— C'est possible. Mais l'assassin a peut-être des raisons d'ordre tout à fait banal. Il ne peut transporter qu'un cadavre à la fois. Il est peut-être au travail plusieurs nuits d'affilée.

— Plusieurs nuits d'affilée ?

L'inspecteur principal ferme les yeux tandis que Bürger-Prinz poursuit son raisonnement.

— Quoi qu'il en soit, il agit de manière réfléchie. Rationnelle. Il doit donc y avoir encore un autre point commun entre les lieux de découverte : ceux qui sont à l'est sont proches de la gare centrale, et à l'ouest, on n'est pas loin de la gare de Dammtor.

— L'assassin choisit ses victimes dans les trains ? Ou à la gare ?

— Il les tue non loin de là et les cache ensuite dans les ruines avoisinantes.

— Toutes les victimes le même jour ? Quatre morts, deux gares différentes. Les trains ne roulent que le jour. Après huit heures du soir, les gares sont vides. Si l'assassin agresse ses victimes durant la journée, comment s'y prend-il pour transporter les corps dans les ruines sans se faire repérer ? S'il les cache la nuit, comment a-t-il pu les rencontrer auparavant à la gare ? Les tue-t-il quelque part le jour, attend-il des heures pour les transbahuter et les cacher ensuite ? Il y a peu de chances.

— Si l'on admet qu'il choisit ses victimes parmi les derniers trains de la journée, ce n'est pas impensable. Un train qui arrive à cinq heures et demie du soir entre dans une gare mal éclairée alors qu'il fait déjà nuit. Donc très sombre. Et avec ce froid, les lieux alentours sont bien solitaires. Disons qu'il tue le vieil homme à Dammtor, puis les trois femmes à la gare centrale. C'est réalisable.

— Vous pensez à un meurtrier expérimenté ?

Bürger-Prinz réfléchit.

— Ce criminel choisit peut-être chaque fois la victime la plus faible ? marmonne-t-il. Le voyageur qu'il espère maîtriser le plus facilement. Une femme, une enfant, un homme âgé.

L'inspecteur principal se rappelle les longues heures passées à la gare, ses regards scrutateurs sur les voitures qui arrivent, les milliers de personnes qui se sont bousculées sur les quais en passant à côté de lui. Il secoue la tête.

— Je veux bien vous croire pour la fillette – pour le vieil homme aussi. Mais les femmes n'entrent pas dans votre schéma. Vous ne trouverez de nos jours aucun train dans lequel une femme est la personne la plus faible. Il y a toujours des enfants dans les gares, des vieux et des invalides de guerre. (Il hésite. Il a une idée.) Le vieil homme est la seule victime à avoir été rouée de coups, avec une extrême brutalité d'après les constatations du médecin légiste. Et pourtant, des quatre personnes que l'assassin a choisies jusqu'à présent, ce n'était pas le plus costaud, et encore moins le plus mobile. Les deux femmes auraient certainement été pour lui des adversaires plus coriaces, ou elles auraient certainement pu prendre la fuite.

Le psychologue sourit.

— Je vois où vous voulez en venir : une famille. Quelqu'un éprouve une haine mortelle envers toute une famille – la sienne, probablement. Et c'est pourquoi tous les membres de cette famille sont condamnés à mort. Le vieux, le patriarche doit souffrir plus particulièrement, le meurtrier le roue de coups avant de serrer le fil métallique.

Stave hoche la tête.

— Ça peut aussi être le fait du hasard. Peut-être que l'assassin veut étrangler toutes ses victimes de telle façon qu'elles ne puissent même pas se défendre. Il se glisse peut-être derrière elles. Ou ils les assomme. Et, exceptionnellement, avec le vieil homme quelque chose n'a pas marché comme d'habitude, il n'a pas réussi à le maîtriser, et il a dû cogner. Mais si ce n'est pas un hasard...

— ... alors les coups sont le signe d'une colère particulièrement violente. D'une haine. D'une envie de vengeance, de punition, de représailles.

— Dans ce cas, le meurtrier connaissait la victime. Il élimine tout le monde pour des raisons que nous ignorons encore. Mais il agresse le vieux de manière particulièrement cruelle.

— Il le punit.

— Un homme âgé, une femme d'une trentaine d'années, une jeune femme d'environ vingt ans, une fillette de huit ans maximum – qui peut en vouloir autant à des êtres aussi différents ? Un dément, qui assassine tous ses parents ?

— Si l'on suit cette idée, toutes les victimes seraient parentes.

— Et c'est pourquoi personne n'a signalé les disparitions. Le seul parent qui pourrait le faire, c'est l'assassin.

Le psychologue regarde par la fenêtre.

— Le vieil homme pourrait être le père des deux femmes. Le grand-père de la fillette, mais peut-être aussi de la plus jeune des deux femmes. L'une d'entre elles serait-elle alors la mère de la petite ? Il y en a une qui serait trop jeune. Ce pourrait être alors la plus âgée – mais vous me dites que le légiste ne croit pas qu'elle ait jamais enfanté.

— Elle a subi une opération au bas-ventre. Nous ne savons pas quand. Et avant l'autopsie, nous ne savons même pas de quoi elle a été opérée.

— Avec une cicatrice de quatorze centimètres, il ne doit plus y avoir grand-chose d'intact dans les parages, remarque cyniquement le psychologue.

— Bien. Examinons l'hypothèse suivante : nous avons le grand-père, la fille, la petite fille et une jeune parente, peut-être la plus jeune sœur de la femme la plus âgée.

Stave sourit pour la première fois depuis qu'il est entré dans le cabinet du professeur.

— Admettons encore que le *modus operandi* et la déposition du témoin désignent un homme. Et admettons que ce criminel est parent avec les victimes. Reste donc comme principal suspect le mari de la femme la plus âgée et donc le père de la fillette. C'est lui que nous devons rechercher.

Bürger-Prinz le regarde avec un soupçon de compassion dans le regard.

— Peut-être que vous allez le trouver, lui aussi, dans les ruines, allongé sur le sol, gelé, avec des marques de strangulation au cou.

L'inspecteur principal respire profondément. Il vient d'avoir une hallucination : tous les jours, il va trouver dans les décombres un cadavre gelé, une fillette, un garçon, une femme, un homme... Et quand cet hiver qui n'en finit pas prendra tout de même fin, ce seront des cadavres nus allongés depuis des mois dans des caves sans avoir été découverts qui vont dégeler et l'odeur de leur décomposition va attirer les rats et, finalement, la police.

— Si nous sommes réellement face à un drame familial, poursuit le psychologue à voix retenue, il nous manque encore quelques acteurs. Une grand-mère. Le second couple de grands parents. Le père de l'enfant et le mari supposé de la femme la plus âgée. D'autres enfants encore, peut-être. Des frères et sœurs, des parents adultes. Pour ne rien dire des parents au second ou au troisième degré. Beaucoup de victimes potentielles – ou de criminels potentiels.

Stave soupire.

— Vous pensez que nous devrions encore trouver d'autres corps qui suivent ce schéma ? Et qu'alors seulement nous saurons avec certitude s'il s'agit d'une même famille ?

Bürger-Prinz secoue la tête.

— Quand vous en serez au vingtième cadavre, nous serons relativement certains qu'il ne s'agit pas d'une famille. Mais avec seulement quelques victimes de plus ? Un garçon et une fillette entreraient tout aussi bien dans le schéma que deux vieilles personnes des deux sexes. Un homme tout autant qu'une femme. Réfléchissez : vous prendriez un homme entre trente-cinq et cinquante ans pour le mari et le père. Un homme plus jeune pour un frère ou peut-être le mari de la plus jeune femme. Soyez-en convaincu : la prochaine victime que vous allez trouver entrera dans ce schéma. La suivante aussi. Et vous ne serez pas plus avancé que maintenant.

— Et qu'en est-il de la médaille ?

Bürger-Prinz se penche en arrière et lève les yeux au plafond.

— Les deux victimes qui les portaient ont certainement des liens entre elles.

— Si toutefois l'assassin ne les a pas déposées auprès d'elles pour laisser un faux indice.

— Je ne pense pas. Trop discret, ou plutôt trop aléatoire. Vous avez trouvé deux morts sans médaille, ce qui signifie que le meurtrier n'a rien laissé sur les lieux, ou s'il a laissé quelque chose, il l'a tellement bien caché que vous ne l'avez pas trouvé. Dans les deux cas, cela ne correspondrait pas à un assassin qui veut à tout prix laisser des indices.

— Les médailles appartiennent donc aux victimes. Une famille ? Quelque chose comme un blason ?

— À ma connaissance, ce blason n'appartient à aucune famille hambourgeoise, répond le psychologue. Cela dit, ce n'est pas nécessairement un blason.

— Mais ?

— Un signe religieux, peut-être ? Une croix et deux dagues, il y a du spirituel, là-dedans.

— Une secte ? Comme les témoins de Jéhovah ? Le vieil homme était circoncis.

— Comme les juifs. Mais comme les musulmans aussi, soit dit en passant.

— Les juifs et les musulmans ne porteraient sûrement pas de croix.

— Donc des chrétiens. Les quatre victimes appartiennent peut-être à la même paroisse.

— Et aucun membre de cette paroisse ne signale leur disparition ? Pas un curé, pas un maître à penser ?

— Les sectes ne tiennent pas spécialement à se montrer au grand jour et elles n'aiment pas non plus attirer l'attention de la police. Surtout après ces dernières années.

Stave pense aux témoins de Jéhovah, stigmatisés par les nazis comme «étudiants de la Bible» et jetés dans les camps de concentration. Il a beaucoup appris durant ces quelques minutes avec le psychologue, plus qu'il n'avait osé l'espérer. Mais *quid* de ces faits et hypothèses ? Quelle place leur assigner dans l'affaire qui l'occupe ? Y a-t-il un seul élément important dans tout cela ? Ou est-il en train d'errer dans une voie sans issue ?

— Merci pour le temps que vous m'avez accordé, dit l'inspecteur principal, résigné, en se levant.

De retour à l'hôtel de police, Stave longe à pas lents le couloir obscur qui le conduit à son bureau. Il s'arrête brusquement à la porte du secrétariat. Elle n'est que poussée. Il reconnaît deux silhouettes : Erna Berg et MacDonald. L'inspecteur principal est tenté de toussoter discrètement avant d'entrer.

Mais ils ne sont pas en train de flirter. Sa secrétaire est assise à son bureau. Le jeune Britannique est debout derrière elle, à moitié penché sur son visage en larmes et il lui chuchote à l'oreille.

Stave se réjouit de ne pas comprendre un mot de ce qu'il lui murmure. Ça ne me regarde pas, se dit-il. Un drame entre amoureux, alors qu'ils ne sont ensemble que depuis quelques jours. Afin de leur accorder encore un peu de temps pour discuter, il se rend chez son patron qui lui a demandé de passer le voir.

Une fois encore, Stave fait le point, surmonte sa pudeur et rend compte de sa visite chez Bürger-Prinz.

— Vous ne négligez vraiment rien.

Stave se tait, irrité, ne sachant si ce qu'il vient d'entendre est un compliment ou un sarcasme.

— Je fais de mon mieux.

— Vous allez expliquer ça au maire, dit Breuer. Il nous attend. Et c'est peu dire que cette affaire ne le réjouit pas.

C'est en Mercedes que Stave et Breuer font les quelques mètres qui séparent l'hôtel de police de l'hôtel de ville. Stave aurait préféré y aller à pied. Il aurait eu plus de temps pour réfléchir.

L'hôtel de ville est intact. C'est un imposant bâtiment à la façade néo-Renaissance surmonté d'une haute tour pointue. Un symbole de la richesse hanséatique et de la fierté de la bourgeoisie de la ville, inconvenant à présent, seul rescapé au milieu de ruines. Un tramway vire sur la place, s'arrête en grinçant. Des commerçants et des facteurs bardés de colis en descendent. Des passants se hâtent de traverser, comme s'ils couraient encore vers l'abri antiaérien le plus proche, hurlement des sirènes dans les oreilles.

L'inspecteur principal suit son patron et ils pénètrent dans l'énorme bâtisse. Ils longent des couloirs assombris et parviennent à un bureau non chauffé. Le maire Max Brauer les reçoit. C'est un homme corpulent au visage carré, aux yeux clairs, une force de la nature aux cheveux gris sévèrement coiffés en arrière. Il vient juste d'avoir soixante ans et il a été maire d'Altona jusqu'en 1933. Chassé par les nazis, il a émigré en Chine, plus tard aux États-Unis. Il est rentré un an auparavant et depuis trois mois il est maire de la ville la plus importante de la Hanse.

Stave le connaît peu. Il l'a brièvement rencontré en décembre 1946, alors qu'il travaillait sur une affaire de rixe au couteau entre des trafiquants de marché noir d'Altona et interrogeait des témoins sur les lieux du crime, dans le quartier Palmaille et la Elbuferstrasse. Il sonnait à la porte des riverains. C'était un dimanche matin. Sur l'une des mansardes du numéro 49, à côté de la sonnette, il avait bien lu le nom de «Brauer», mais sans plus, le nom est commun. Il se troubla un peu quand il se retrouva subitement face au maire. Celui-ci le reconnaît aussi à présent, lui serre vigoureusement la main.

— Je vous prie de m'excuser, mais il n'y a pas de chauffage.

Max Brauer a gardé son manteau, mais ne semble pas avoir très froid.

Cuddel Breuer laisse à Stave le soin d'exposer les faits.

— Il faut que nous fassions quelque chose, finit par dire le maire. Montrer que nous sommes présents. Agir.

Cuddel Breuer hoche la tête en signe d'assentiment, Stave se contente de fixer le vide.

— Je n'ai encore jamais connu un hiver aussi rigoureux, poursuit le maire. Personne n'est capable de prévoir quand cette période de forte gelée va enfin cesser. Dans une semaine ? Pas avant un mois ? Ou deux ? Comment survivre ? Même en temps ordinaire, cela aurait été un défi. Des ruptures de conduites d'eau dans toute la ville, des poteaux électriques cassés en deux, des convois de charbon bloqués, des routes encombrées de congères, impraticables. Inutile de vous expliquer tout ça. Mais en plus, dans cette situation extraordinaire que nous vivons…

J'ai compris, se dit Stave. Tu n'es maire que depuis trois mois. Les gens attendent de toi des actes. L'inspecteur principal aurait bien aimé donner un coup de main au maire, il a voté pour lui en novembre 1946. Mais comment ? Il se sent minable et se tait.

— Nous allons faire imprimer de nouvelles affiches pour avertir la population, répond Cuddel Breuer à sa place.

— Nous avons mis sur le coup le maximum d'agents, complète Stave, qui retrouve enfin la parole. Les Britanniques coopèrent. Nous avons suivi plus de pistes, jusque dans la zone soviétique, que pour toute autre affaire depuis l'effondrement du Reich. Et pourtant, nous ne connaissons toujours pas, jusqu'à aujourd'hui, l'identité de ces morts. Cela n'est encore jamais arrivé.

Le maire hoche la tête d'un air compréhensif, sourit même.

— On ne peut pas forcer une arrestation, ni extorquer des aveux, je le sais bien. Mais je lis aussi les journaux. Et j'entends ce qui se dit en ville. Je reçois du courrier. On me rapporte des rumeurs – même des bavardages entre les employés municipaux.

« Tout le monde a peur. Tout le monde se demande qui sont ces morts – et qui est l'assassin. Chacun a sa théorie, tout le monde soupçonne tout le monde. Des bruits pernicieux circulent. Comme si cette misère, ces privations sans fin et les humiliations alimentaient une haine qui se cherche un objet. Et l'assassin sans visage pourrait être cet objet. Aussi longtemps qu'il fera aussi froid et que vous n'aurez pas arrêté cet assassin, cette colère grandira. Et on reprochera son échec à la police. Puis on accusera l'administration tout entière de défaillances. Et on finira par exprimer à haute voix ce qu'on pense certainement déjà tout bas ici ou là: que ce ne serait jamais arrivé avant, avec Adolf, avec le Führer. Mais je ne resterai pas les bras croisés face à un assassin dément qui crée une situation telle que nos concitoyens aient la nostalgie des nazis.

Stave a déjà entendu l'une ou l'autre variante de ce discours dans la bouche de Breuer, du procureur Ehrlich, de MacDonald, et même du journaliste Kleensch. Il fixe des yeux le maire qui continue à les regarder d'un air aimable. Mais l'inspecteur principal a compris qu'il y avait quelque chose de nouveau dans ce qu'il vient d'entendre – un ultimatum. Faites enfin quelque chose, ou le maire en personne, pour ne pas avoir la réputation d'être impuissant, va passer un savon à la police judiciaire. Stave comprend qu'il ne s'agit même pas d'arrêter l'assassin. Il suffit, au fond, que ces affreuses manchettes disparaissent, remplacées par des bonnes, ou mieux encore, qu'il n'y ait plus de manchettes du tout. Quand les gens se seront calmés. Quand ils auront oublié les crimes.

— Je suppose que ces affiches sont déjà imprimées ? demande Brauer.

Pour la première fois depuis que Stave le connaît, Cuddel Breuer a l'air embarrassé.

— Nous pensons à renouveler les demandes de renseignements sur les victimes. Et à avertir la population.

— Allez-y. Mais l'inspecteur principal a dit qu'il ne se faisait pas grande illusion quant à leur identification avec l'aide de ces horribles photos qui nous toisent depuis toutes les colonnes d'affichage. Je vous propose donc, au cas où cette nouvelle série n'apporterait pas de résultats, d'être plus discrets à l'avenir.

— Sans gros titres, je comprends, commente Stave.

Brauer sourit tristement.

— Mes soucis ne se limitent plus depuis longtemps à quelques ruptures de conduites d'eau. Les hôpitaux sont débordés : pneumonies, sous-nutrition, gelures. Tous les jours, il meurt bien plus de gens que ce cinglé n'en a tué jusqu'à aujourd'hui. Si on prend les choses du point de vue statistique, ce fou représente un problème insignifiant. Mais ce n'est malheureusement pas le cas du point de vue psychologique. Il ne faut pas que cet assassin devienne le symbole de nos faillites. C'est tout ce que je vous demande.

Breuer et Stave regagnent en silence la Mercedes. Ce n'est que lorsque les lourdes portières sont refermées que l'inspecteur principal parle, presque comme s'il craignait qu'on l'entende depuis l'hôtel de ville.

— Et qu'est-ce qu'il se passera si on n'arrive jamais à identifier ces morts ? demande-t-il. Si cette affaire reste à jamais irrésolue ? Si l'assassin s'en tire ?

— Il ne vous restera plus qu'à prier que le dégel arrive, grommelle Breuer en lançant le moteur. Pour qu'après notre rétrogradation nous ne nous gelions pas les bijoux de famille en réglant la circulation à un carrefour.

Lorsque Stave, abattu et affamé, claudique le long du couloir et parvient à son secrétariat, il est vide. Erna Berg et Mac-Donald ont disparu. Il entre dans son bureau et reste interdit. Il sent qu'il manque quelque chose. Il lui faut une seconde pour réaliser.

Les dossiers des crimes ne sont plus à leur place.

Il se précipite à sa table de travail, certain qu'il les a laissés là quand Maschke lui a annoncé la nouvelle du quatrième assassinat et qu'il est sorti précipitamment à sa suite. Il ne les avait pas replacés dans le tiroir. Sa secrétaire les aurait-elle rangés ? Elle n'a jamais osé faire ça, toucher à ses papiers. Il ouvre tout de même vivement le tiroir aux classeurs suspendus.

Rien.

Il regarde autour de lui, désorienté. Pas d'affolement, se dit-il, ressaisis-toi.

Pas de dossiers non plus chez Erna Berg.

La respiration oppressée, Stave s'assied lentement à sa place. Quelqu'un aurait-il volé ces documents ? Maschke, qui est rentré à l'hôtel de police alors que Stave était encore chez Bürger-Prinz ? MacDonald, penché sur Erna Berg dans le secrétariat et lui chuchotant à l'oreille ? Ou Erna Berg, manifestement à bout de nerfs ? Mais pour quelle raison l'un d'entre eux volerait-il ces dossiers ?

Un instant, Stave a l'horrible soupçon que l'assassin des ruines lui-même s'est glissé dans la place pour supprimer

le peu de traces de ses méfaits. Absurde, se dit-il. Ou pas ?
Quelqu'un sabote l'enquête.

Que faire à présent ? Aller voir Breuer ? Immédiatement
après que le maire en personne leur a passé un savon, il le
suspendrait sur-le-champ de ses fonctions pour négligence
avérée. Filer subrepticement au bureau du procureur Ehrlich ? Le résultat serait identique. Je ne peux plus faire
confiance à personne, se dit Stave. On cherche à m'éliminer.

Il reste au bureau jusque tard dans la nuit. Il étudie ses
notes et consigne par écrit ce qu'il se rappelle encore des
crimes. Il priera discrètement le Dr Czrisini de lui fournir
des doubles de ses procès-verbaux d'autopsie. Il se procurera
de nouveaux clichés auprès du photographe de l'identité judiciaire. Au besoin, il pourra convoquer à nouveau les quelques
témoins. Anna von Veckinhausen, par exemple. Il pense à
elle, mais s'efforce rapidement de se concentrer sur son nouveau problème.

Quand il se lève péniblement de sa chaise, peu avant
minuit, il sait qu'il est en mesure de poursuivre ses investigations officielles concernant l'assassin des ruines. Mais il
commencera aussi une enquête très privée sur cette affaire de
vol de dossiers. Il va rechercher officieusement des preuves.
Il va tester discrètement ceux qu'il prenait jusque-là pour des
collègues, certains même pour des amis, et il va chercher les
mobiles et sonder les opportunités des uns et des autres.

Et il ne fera plus confiance à personne.

Entre collègues

Jeudi, 13 février 1947

De l'eau glacée sur la peau, puis ce savon de ménage couleur de bile de la marque Sunlight qui mousse avec des petites bulles. Stave sait que dans la savonnerie du quartier Bahrenfeld, on utilise aussi des os bouillis. L'an passé, il y a enquêté parce qu'il soupçonnait un assassin d'avoir balancé sa victime dans un chaudron. Il n'a trouvé aucune preuve – mais qui sait.

Il se lave et se frotte la peau jusqu'à ce qu'elle le brûle. Il ressent le besoin de se rincer de toute cette saleté, visible et invisible. Après tout, il fait maintenant suffisamment jour le matin pour qu'il se voie dans le miroir fendillé du lavabo. Et ce qu'il voit ne lui remonte pas le moral.

Dans la rue, il est heureux de ne pas porter l'uniforme. Personne ne devine en lui un policier. Des affiches partout : « Qui connaît ces personnes ? » En dessous, quatre photos des cadavres. Puis le texte qui sollicite, supplie si on le lit bien, d'identifier au moins l'un des morts. Cuddel Breuer a autorisé soixante mille affiches. Elles occupent chaque mur encore debout, chaque colonne d'affichage intacte, chaque panneau. Elles ont été envoyées par courrier spécial dans les autres villes, jusque dans la zone soviétique.

Ne te fais pas d'illusions, se dit Stave. Les passants semblent marcher dans les rues encore plus vite que la veille. Ils paraissent éviter encore plus les regards, disparaître encore plus sous leurs manteaux et leurs écharpes. Plus personne ne longe directement les remblais et les champs de ruines. On passe au large, comme s'ils couvaient une épidémie. On préfère marcher au milieu de la rue que dans l'ombre d'une façade vide ou le long d'un mur à demi éboulé.

Dans les entrailles éviscérées d'un immeuble bombardé, quelqu'un a encastré une échoppe. Avec son toit de carton bitumé, elle ressemble à une tumeur. Un torchon gelé, raide comme une planche, oscille sur une corde à linge. Dans la façade de guingois, on a inséré une fenêtre de soupirail récupérée. Un mouvement brusque fait trembler des pans de rideaux en lambeaux. Quelqu'un me surveille, se dit l'inspecteur principal. Quelqu'un est aux aguets. Il se sent épié par des regards furtifs et tourne discrètement la tête. Personne. Il marche plus vite, puis plus lentement, tourne brusquement à droite, fait demi-tour et revient dans la rue. Personne. Que des silhouettes emmitouflées, pressées, sorties d'on ne sait où et qui vont on ne sait où.

Tu vas te rendre malade, se dit-il.

En ouvrant la porte de son bureau, il espère un miracle : les dossiers sont sur sa table de travail, une erreur regrettable d'un collègue, tout est en ordre.

Mais les documents n'ont pas réapparu.

Stave arpente les longs couloirs à la recherche du photographe de l'identité judiciaire. Il ne peut pas envoyer Erna Berg, elle n'est pas encore arrivée. Curieux, se dit Stave. Il s'entretient avec le photographe dans son laboratoire et lui commande à nouveau les clichés de toutes les victimes de l'assassin des ruines. Il ignore le regard étonné de son collègue.

Lorsqu'il revient à son bureau, Erna Berg est en train d'ouvrir la porte du secrétariat : pâle, les yeux gonflés, rougis, mais s'efforçant de sauvegarder les apparences.

Chagrin d'amour, analyse Stave. Si elle ne veut pas m'en parler… Il la salue aimablement, comme si de rien n'était.

— Appelez-moi donc Maschke, s'il vous plaît, dit-il, et de manière un peu plus sournoise, il ajoute : et pour cette après-midi, deux heures, le lieutenant MacDonald.

Dès que Maschke arrive, Stave se met en route avec lui pour retrouver le Dr Czrisini. Il veut être présent quand le légiste disséquera le cadavre. Son collègue a blêmi quand il lui a annoncé le but de leur excursion, et il ne dit rien durant tout le trajet.

Il leur faut à peine un quart d'heure à pied. Ils traversent le Wall, passent devant la gare de Dammtor. Si Bürger-Prinz a raison, se dit Stave, je suis en train de traverser un des territoires de l'assassin des ruines. La fumée blanche d'une locomotive s'échappe des verrières voûtées en verre et en acier. Des passants en manteau, la tête protégée par toutes sortes d'étoffes, des centaines de piétons, comme partout en ville. Il n'a aucun espoir de dépister un suspect dans les environs. Quand je vois tous ces gens, je ne suis pas le plus faible, songe Stave, il ne risque pas de s'intéresser à moi.

Les deux hommes poursuivent leur route à grandes enjambées, traversent le terrain dévasté de l'université, tournent dans la Neue Rabenstrasse, un coin tranquille de Rotherbaum proche de l'Alster, où est implanté l'institut médicolégal. Stave se demande combien de propriétaires de villas savent qu'on découpe des cadavres près de chez eux.

Quelques minutes plus tard, ils sont dans une salle lumineuse devant une table de dissection en aluminium sur laquelle est allongée la victime. Dégelée. Le Dr Czrisini salue Stave, puis Maschke, leur présente un jeune assistant à lunettes chargé de noter les observations du légiste et de rédiger le procès-verbal.

Stave leur serre la main et se fait petit dans son manteau, ce qui lui vaut le regard méprisant de l'assistant, à qui il répond par un sourire amical. Ne te fais aucune illusion, se dit-il, je ne tomberai pas dans les pommes. En revanche, il n'en est pas si convaincu pour son collègue des mœurs : à peine Maschke a-t-il tendu la main aux deux médecins qu'on a l'impression qu'il va vomir dans les cuvettes chromées. Stave a froid, sans plus. Les deux médecins aussi ont gardé leur manteau sous la blouse blanche.

Czrisini commence à examiner la tête, la tâte du bout des doigts avant de saisir le scalpel, puis la scie d'autopsie. Il travaille avec méthode et dicte des observations que Stave connaît déjà. Mais soudain, il dresse l'oreille :

— Front, gauche, petite blessure sèche, rouge foncé, annonce le légiste, environ un centimètre sur deux. Sang coagulé sur la peau du crâne. Front, droite, œdème au-dessus de la paupière. Peut-être des traces de coups.

Il n'y a donc pas que le vieil homme qui a été maltraité, se dit Stave. Au moins l'une des deux femmes s'est défendue avant de mourir – ou bien l'assassin a exercé sur elle aussi une haine peu commune, comme pour le petit vieux.

Czrisini scie le crâne en deux. Puanteur à tomber à la renverse. L'assistant jette un œil qu'il croit discret à Stave, qui lui rend un sourire sardonique.

Maschke par contre émet un gargouillis, porte la main à sa bouche et se précipite vers la porte du laboratoire. Regard narquois de l'assistant. Stave aimerait lui botter le train. Ce type devrait être heureux de constater que tout le monde n'est pas insensible devant la dissection d'un cadavre, se dit Stave.

— Cerveau déjà très décomposé, dicte un Czrisini totalement impassible. Ce qui indique que la mort remonte à environ quatre semaines, ajoute-t-il en regardant l'inspecteur principal.

— Le 20 janvier donc, marmonne Stave.

— Bien possible, répond le légiste.

Le regard de l'assistant se promène de l'un à l'autre. Il est manifestement décontenancé d'entendre que les deux hommes concluent à une date aussi précise.

— Prothèse à la mâchoire supérieure, poursuit Czrisini. Mâchoire inférieure droite, deux fausses molaires. En or. Os hyoïde brisé, les deux grandes cornes écrasées, dicte-t-il pour son rapport, alors qu'il est passé à l'examen du cou. Preuve irréfutable d'une mort par strangulation. Sans doute la cause du décès.

Le médecin légiste poursuit son travail le long du corps qu'il incise et scrute attentivement, dont il examine la peau et les os, les nerfs et les organes.

— Bol alimentaire abondant, dit-il.

La puanteur ne diminue pas. L'assistant de Czrisini envoie un nouveau coup d'œil rapide à Stave.

— Qu'est-ce qu'elle a bien pu manger ? demande l'inspecteur principal.

— Vraisemblablement du pain. Ou un potage de gruau. En quantité suffisante en tout cas pour être rassasiée.

Le légiste en arrive enfin au bas-ventre de la morte. Stave s'approche, curieux.

— Aucune trace de lésions au vagin, marmonne-t-il.

Il reprend le scalpel, coupe dans la ligne de la cicatrice de l'ancienne opération, et refait le chemin qu'un chirurgien a déjà pris avant lui.

— À gauche de l'utérus, absence d'annexes.

— Suite à l'opération ?

— Probable. Mais regardez, la trompe utérine droite adhère. L'ovaire est relativement gros.

Il hésite. Avec le scalpel, il enlève des tissus que Stave est incapable de rapporter à un quelconque organe.

— Là, dit le légiste. (Il désigne quelque chose de rouge.) Entièrement irrigué, environ de la taille d'une cerise.

Pour la première fois, Stave est pris de nausée.

— Un embryon ? halète-t-il.

— Non. Une tumeur.

— Cancer ?

— Bénigne ou maligne, impossible à dire. Et puis, peu importe, maintenant, n'est-ce pas ?

L'inspecteur principal a repris des couleurs.

— Cette femme aurait-elle pu être mère ?

Le médecin légiste contemple longuement le pelvis béant à moitié vide de la morte. Les organes qu'il a prélevés sont rangés dans les cuvettes en acier chromé.

— Je ne pense pas. Cette femme a des adhérences et des kystes au bas-ventre, et ce depuis longtemps vraisemblablement. C'est sans doute pourquoi il y a eu annexectomie à gauche. À droite aussi, les annexes sont anormales. Et il y a aussi cette tumeur. En outre, il n'y a aucun signe d'accouchement, pas d'anciennes abrasions vaginales par exemple. Non, et je parierais ma dernière chemise : cette femme n'a jamais eu d'enfant.

— À quand remonte l'ablation ?

— Difficile à dire. Les plaies opératoires sont parfaitement cicatrisées. Pas l'année dernière en tout cas. Probablement au cours de ces dix dernières années. Avant, elle aurait été bien trop jeune pour une intervention de ce type.

— Entre 1937 et début 1946. Chez un médecin ?

Czrisini lui lance un regard étonné, secoue la tête.

— Non. Si tout s'est passé dans les règles de l'art, l'intervention a été faite dans le bloc opératoire d'un hôpital.

— Est-ce que beaucoup d'hôpitaux pratiquent ce genre d'opération ?

— Sur tout le territoire ? Des centaines.

— Dommage.

Stave suit la fin de l'autopsie en silence. Il n'attend plus aucun élément susceptible de faire progresser son enquête.

Ce qui, la veille encore, dans le cabinet du professeur Bürger-Prinz, était une belle hypothèse pour un drame familial – un homme, la seule victime rouée de coups et une femme qui aurait pu être la mère de la fillette – vient d'être taillé en pièces comme un organe en décomposition par le scalpel du médecin légiste : la femme allongée sur la table n'a jamais eu d'enfants. Et, vraisemblablement, elle aussi a été battue par son assassin avant qu'il l'étrangle.

Et pourtant : quatre morts. Et selon toute vraisemblance, tous les quatre assassinés le même jour. Deux médailles. Cette femme que l'on a autopsiée est d'un milieu aisé. Les boucles d'oreilles en forme d'étoile de mer. Pas des mains d'ouvrière. Pas des mains d'ouvrier non plus chez le vieil homme, ni chez la jeune femme. Trop de points communs pour que tout cela soit dû au hasard, se dit Stave. Les quatre victimes font partie d'un même groupe.

Cette opération du bas-ventre mène-t-elle à une autre piste ? Si la victime n'est pas de Hambourg – personne n'est venu l'identifier – l'intervention a sans doute eu lieu ailleurs. À l'est ? À Königsberg ? Dans des villes bombardées ? À Berlin ? Partout, en fait, du nord au sud, de Flensburg à Garmisch. Qui se rappellerait cette femme ? Où trouver d'anciens dossiers médicaux ? Où le chirurgien qui a opéré réside-t-il à présent – si toutefois il est encore en vie, ce qui est bien improbable.

— Je vous envoie le compte rendu, annonce Czrisini, tandis qu'il se lave les mains.

— S'il vous plaît, mettez-moi aussi une nouvelle copie des trois autres autopsies, demande Stave, et il ignore le regard étonné de l'assistant.

Devant l'institut médico-légal, Maschke est appuyé dos au mur, le visage pâle. Une Lucky Strike entre les doigts, il fume, et sa main tremble encore un peu.

— Désolé de vous avoir demandé de venir, lui dit l'inspecteur principal. Je pensais que cet aspect de notre travail vous intéresserait aussi.

— Je préfère rester avec mes radasses, répond Maschke, et cette fois le ton n'a absolument rien de cynique.

À l'heure dite, MacDonald entre dans le bureau de Stave. Le lieutenant est pâle, fébrile. Il a évité le regard d'Erna Berg et il regarde à peine Stave. La nervosité le cerne comme un nuage de mauvaise lotion après-rasage.

— Vous voulez que je mette un écriteau : « *Out of Bounds for German Civilians !* » ? grommelle l'inspecteur principal pour souligner l'arrogance de son attitude.

MacDonald le fixe un instant du regard, irrité, comme si cette apostrophe le tirait brusquement d'un rêve. Il secoue la tête en manière d'excuse.

— Les Anglais ne pensent pas à mal quand ils sont arrogants, badine-t-il. Tradition coloniale, barrières. Ne vous en faites pas pour ça, mon vieux.

— Une barrière reste une barrière, et je ne suis pas un coolie, rétorque Stave.

— N'empêche que ce genre d'écriteau n'est pas perfide, mais d'une parfaite honnêteté, reprend le lieutenant, qui a retrouvé tout son sérieux. Je vous assure qu'en Angleterre, on met bien d'autres barrières. Invisibles, sournoises. À Oxford, dans certains clubs, dans les mess d'officiers. D'une certaine manière, elles vous donnent brusquement honte de votre origine, de votre famille, de votre nom.

Stave pense à sa propre carrière dans la police. Pas spécialement brillante. En plus, il a eu des problèmes avec les nazis. Mais a-t-il jamais eu honte de son origine ? Lui a-t-on claqué la porte au nez parce qu'il n'était pas bien né ? Il se demande quels combats discrets MacDonald a dû mener pour être parvenu là où il est.

— Je n'ai personnellement rien contre votre nom, dit-il à haute voix.

— Vous le prononcez même correctement, réplique Mac-Donald avec le sourire.

Stave sourit aussi. C'est bon de ne pas être constamment sur le qui-vive, se dit-il.

Arrive Maschke. Stave lui a ordonné une pause. Il semble remis de la séance d'autopsie. À nous trois, on va bien finir par y arriver, se dit l'inspecteur principal.

Il referme la porte du bureau et rend compte de la nécropsie. Aucune nouvelle de l'Office de lutte contre le marché noir, où il a envoyé des photos de la boucle d'oreille. Le bijou n'a pas fait surface. Un policier a couru les quelques bijoutiers de la ville qui tiennent déjà boutique ouverte : rien. Aucun d'entre eux n'a fabriqué un tel bijou. Il ne parle pas de sa visite à Bürger-Prinz.

— De nouvelles suggestions ? demande-t-il finalement.

Maschke prend la parole :

— Envoyons les photos des trois victimes adultes et les renseignements que nous avons sur elles à tous les services de police judiciaire de l'ancien territoire du Reich. Pour autant qu'ils existent encore. Peut-être qu'un de nos morts n'est pas une simple victime, peut-être qu'il est coupable dans une affaire quelconque et donc fiché par l'identité judiciaire.

Stave opine, involontairement contrarié. Une idée simple qu'il aurait pu trouver lui-même. Ça me détruit le moral, se dit-il. Mais c'est bien que Maschke soit sur le coup.

— Admettons cependant, dit-il, que toutes les victimes soient membres d'une même famille. Une famille aisée. Mais pas de Hambourg.

Ils analysent cette hypothèse. En fait, seuls Maschke et Stave discutent, car MacDonald regarde par la fenêtre, perdu dans ses pensées. Pour Stave, la conversation a un air de déjà-vu, à peu de choses près, elle suit celle qu'il a eue avec le psychologue. Sauf que plus personne n'évoque sérieusement la possibilité que la plus âgée des deux femmes puisse être la mère de la fillette.

— S'il s'agit d'un crime entre parents d'une même famille, en l'absence de nouveaux indices, nous ne saurons rien des mobiles, affirme Maschke, l'air fatigué. Si quelqu'un était en colère contre son papy parce qu'un jour il lui a piqué sa trottinette, et qu'il liquide toute sa famille pour ça – comment le savoir ? Ou si l'oncle pervers a agressé sexuellement ses nièces ? Ou si l'épouse tourmentée pendant des années a eu envie de se débarrasser d'une famille gênante ? Autant de mobiles possibles, mais on n'en saura rien : nous n'avons aucun indice, aucune nouvelle piste.

— Excepté s'il s'agit d'une captation d'héritage, réplique Stave. Quelqu'un tue tous ses parents pour toucher l'héritage. Toutes les victimes étaient bien nourries, donc aisées. Il y a donc certainement quelque chose à hériter. Il y a toujours eu des gens qui tuaient pour quelques marks. Mais, de nos jours, notre assassin n'est pas motivé par la seule envie de toucher l'héritage, il est aussi poussé par la nécessité : un logis qu'il pourra chauffer, quelques vieilles médailles ou des peintures à vendre au marché noir. Ce qui fait la différence entre mourir de froid et ne pas mourir de froid. Entre mourir de faim et ne pas mourir de faim. En réalité, je ne pense pas que cette hypothèse soit très probante, parce que les victimes ont été dépouillées de manière effroyablement consciencieuse. Quelqu'un qui veut capter un héritage agirait-il de la sorte ? Mais on ne peut pas entièrement négliger l'hypothèse.

Maschke réfléchit quelques instants, opine.

— Bien, soit, marmonne-t-il, que faisons-nous maintenant ?

236

— Comme nous allons envoyer photos et renseignements à tous les services du territoire de l'ex-Troisième Reich, nous allons aussi les prier de nous faire part de leurs informations concernant des affaires d'héritage suspectes. En plus, à Hambourg et dans le Schleswig-Holstein, nous allons rendre une petite visite à tous les bureaux d'état civil, toutes les administrations de tous les cimetières ainsi qu'à toutes les entreprises de pompes funèbres. Nous allons rechercher des personnes signalées comme décédées, même si leur mort est tout à fait naturelle, qui correspondraient à la description de nos quatre victimes. Toutes les inhumations annoncées ont-elles vraiment eu lieu ?

L'inspecteur des mœurs le regarde avec de grands yeux.

— Admettons, explique Stave, qu'un homme étrangle sa femme. Il signale le décès pour toucher l'héritage et annonce les funérailles. Mais il ne faut pas que cet enterrement ait lieu, on pourrait remarquer les marques de strangulation. Il va donc se débarrasser du corps dans les ruines et décommande la cérémonie. Il ne viendrait certainement à l'idée d'aucun fonctionnaire de l'état civil de demander si l'enterrement a réellement eu lieu. Et encore moins par les temps qui courent. Et un entrepreneur de pompes funèbres qui perd un contrat ne fonce pas nécessairement à l'état civil et encore moins au poste de police le plus proche : il pense qu'il s'est fait doubler par un concurrent.

— Heureux de ne pas être votre oncle à héritage, grogne Maschke.

— Nous allons nous livrer à deux enquêtes minutieuses, un travail de bénédictin, reprend Stave. Il faut que nous rédigions les lettres aux services de police, aux bureaux d'état civil, etc. Et pour cela, il nous faut encore des dizaines de photos. Des centaines même, probablement. Frau Berg va se charger de ça.

Il voit que MacDonald tressaille en entendant le nom de sa secrétaire.

— Et deuxièmement, poursuit Stave, nous allons envoyer un courrier à tous les chirurgiens qui ont fait des annexectomies au cours de ces dix dernières années – avec à l'appui des photos de la femme la plus âgée, de son visage et du bas-ventre. Nous allons rendre visite personnellement à ceux qui habitent dans un rayon de deux cents kilomètres. Ce sera plus rapide que la voie postale. Et c'est vous qui allez vous y coller, Maschke.

— C'est mon jour de chance, réplique le policier, pas trop mécontent de la tâche qu'on lui confie. Tant que je n'ai pas besoin d'assister à la prochaine autopsie, je suis votre homme.

Il est très content de prendre du champ, se dit Stave. Il ne sera pas dans la ligne de mire, au cas où on me chercherait encore des noises à cause de l'assassin des ruines. Maschke ne se doute pas que l'inspecteur principal, avec toute la sympathie qu'il a su lui inspirer entre-temps, ne lui fait pas cette fleur pour ménager sa carrière, mais parce qu'il obéit à une arrière-pensée.

Stave se lève.

— Au travail.

Après que les deux hommes ont quitté son bureau, Stave attend un peu avant de gagner la porte du secrétariat. Erna Berg et MacDonald, se dit-il, lui seront peut-être reconnaissants de ces quelques instants de tranquillité. Mais quand il passe enfin le seuil, sa secrétaire est seule à sa table de travail. Il lui explique ce qu'il y a à faire, elle prend des notes – d'une main tremblante.

Il finit par se sentir trop bête pour continuer à faire comme si de rien n'était.

— Vous avez des soucis ? demande-t-il.

Il remarque trop tard que sa question est personnelle, maladroite.

— Vous n'êtes pas tenue de me répondre, naturellement, bégaye-t-il.

Ce qui a l'air encore bien plus stupide.

Une piètre tentative d'esquisser un sourire, puis Erna Berg éclate en sanglots. Stave voit les larmes couler entre les mains qu'elle a pressées sur son visage. Il tire son mouchoir de sa poche, renonce à un geste trop intime, et se met à essuyer les petites taches du plateau de la table de travail. Un temps infini s'écoule, durant lequel il ne sait quelle attitude adopter, tout en redoutant que quelqu'un franchisse la porte du secrétariat.

Erna Berg se calme enfin un peu, prend le mouchoir qu'il tient toujours à la main, essuie ses larmes, se mouche.

— Je ne peux pas vous le rendre comme ça, marmonne-t-elle en l'empochant. Je vous le rapporterai demain, lavé et repassé.

— Vous pouvez le garder, réplique-t-il.

— Un souci en moins, répond-elle. Je suis désolé de me donner en spectacle.

— Vous pouvez prendre votre journée.

Elle fait un signe effrayé de la main.

— En ce moment, je me sens mieux ici qu'à la maison. (Elle respire profondément.) Vous vous doutez certainement de quelque chose ? demande-t-elle timidement.

— MacDonald ?

— James, le lieutenant MacDonald, m'a prévenue ; il croit que vous nous avez surpris.

— Vous n'avez rien fait de répréhensible qui mérite une enquête de flagrance.

— Merci pour ce pieux et amical mensonge. Le lieutenant MacDonald et moi-même nous sommes rapprochés ces dernières semaines.

— Ce n'est pas un crime.

— Quand on est une femme mariée, qu'on attend un enfant et que le mari revient brusquement, on peut dire que c'en est un...

Stave s'assied sur la chaise qui fait face au bureau.

— Nous vivons une période agitée, marmonne-t-il.

— Voyez-vous, je pensais être veuve. Mon mari était porté disparu. Aucune nouvelle, aucun signe de vie, depuis des années. Vous connaissez ça. (Elle rougit, penche le visage vers le sol.) Et puis, le lieutenant MacDonald est entré dans votre bureau. Nous avons discuté, nous étions tous les deux seuls, sans attaches... une chose en amenant une autre... Que je sois si vite enceinte, ce n'était pas prévu. Mais nous voulons cet enfant. Nous rêvons d'un avenir commun. Y compris avec mon fils, que MacDonald comptait adopter. Nous voulons partir en Angleterre un de ces jours. Loin de toutes ces ruines. (Elle se couvre le visage des mains.) Et il y a deux jours, on frappe à ma porte. Je pense que c'est James, je suis surprise qu'il vienne à cette heure, je me réjouis, j'ouvre vivement la porte – et je tombe nez à nez avec mon mari. Ou ce qu'il en reste. Une ombre. Une jambe en moins. Et ce regard dans les yeux, perdu, impuissant et, quelque part, brutal.

Une crise de larmes. Stave attend qu'elle se soit un peu calmée. Il est content qu'elle détourne le regard. L'envie et la colère le secouent comme un reflux de bile. L'envie, parce que le mari qu'elle croyait perdu est soudainement rentré, alors que Karl est toujours disparu. Et la colère, parce qu'Erna Berg ne parvient même pas à se réjouir de ce miracle.

— Votre mari se doute-t-il de vos… difficultés ? demande Stave, qui cherche ses mots, gêné.

Elle secoue la tête.

— En attendant, James et moi, nous ne nous rencontrons plus jamais en dehors du travail. Pour lui aussi, c'est un choc. Mais je ne pourrai pas éternellement cacher mon état. D'autant qu'il m'est impossible de prétendre que l'enfant est de mon mari. Pour la bonne raison que je suis incapable de faire ça, vous comprenez ?

Stave ne comprend que trop bien. Un homme qui a laissé une jambe quelque part en Russie, qui rentre estropié chez sa jeune femme. Sa femme qui écarquille les yeux d'horreur quand elle ouvre sa porte. Et qui le soir s'écarte de lui dans le lit conjugal, comme s'il avait la lèpre. Est-ce que son fils l'évite aussi, cet homme presque inconnu pour lui, cet infirme ?

— Qu'est-ce que vous comptez faire ?

Brusquement, elle se redresse, se force à sourire.

— Commencer par taper toutes ces lettres, monsieur l'inspecteur principal, répond-elle.

Stave se lève d'un bond.

— Il va de soi que tout cela ne me regarde absolument pas, bougonne-t-il. Excusez ma question.

Il retourne à son bureau et referme la porte derrière lui.

Stave contemple les quatre épingles à tête rouge piquées sur son plan de la ville. Trois lieux de découverte à l'est, un à l'ouest. En fin de compte, les trois emplacements à l'est de l'Alster sont à peine à un quart d'heure de marche l'un de l'autre. La Lappenbergsallee, cependant, est distante d'au moins une heure de chacun de ces trois points.

Sauf si l'assassin avait une voiture, ou une camionnette.

Stave examine cette hypothèse. Cela dénoncerait un des rares Allemands disposant d'une autorisation spéciale. Ou un Britannique. Par ailleurs, un véhicule à moteur ne serait-il pas trop voyant ? En plus, impossible en voiture d'approcher de très près un des quatre lieux de découverte – il aurait donc fallu se coltiner les corps de la rue carrossable la plus proche à leur cachette. Quasiment impossible de jour sans être vu. Et de nuit ? La présence d'une voiture serait encore plus voyante, car les Britanniques ne roulent quasiment jamais une fois la nuit tombée, et pour les Allemands, c'est strictement interdit.

Merde alors, se dit Stave, rien ne va. Il y a toujours un hic quelque part, un détail qui ne colle pas dans le tableau. Il se remémore la dernière autopsie. Pour quelle raison un meurtrier si âpre au butin, qui enlève jusqu'à sa petite culotte à sa victime, lui laisserait-il ses dents en or ? Avec de l'or, tout s'achète au marché noir.

En dépouillant ses victimes, ne cherche-t-il qu'à brouiller les pistes ? Mais d'un autre côté, s'il n'arrache pas les dents en or, s'il n'agresse pas sexuellement, s'il n'éprouve pas de rancœur familiale – pourquoi diable les tue-t-il ?

Stave pourrait se cogner la tête contre les murs tellement il est furieux – furieux contre l'assassin, contre sa propre impuissance, contre ses collègues qui le laissent tomber, mettent en scène leurs drames privés ou vont même jusqu'à saboter son travail.

Sur ces entrefaites, il est six heures du soir. Le secrétariat est vide, tout est tranquille dans le couloir. Puisque je n'avance pas avec cette enquête, se dit Stave, je vais en commencer une autre. Occulte.

Il sort de son bureau, longe à pas comptés le couloir assombri, jette un œil discret dans les bureaux aux portes non fermées. Une fin de journée paisible. Stave parvient à la cage d'escalier, descend deux étages, marque un temps d'arrêt. Quiconque le verrait penserait qu'il rentre chez lui. Dorénavant, il se risque en terre inconnue. L'inspecteur principal prend une profonde inspiration, ouvre une porte et pénètre dans le couloir de la brigade des mœurs.

Un long corridor avec des portes à gauche et à droite, comme à l'étage de la police judiciaire. Aucune lumière nulle part. Il suit le couloir à moitié obscur, parcourt des yeux les plaques sur les portes.

« Inspecteur Lothar Maschke. »

Un regard à droite, un coup d'œil à gauche et il actionne la clenche.

La porte n'est pas verrouillée.

Stave se glisse sans bruit dans la place, referme vite derrière lui. Son cœur bat à tout rompre. De toute sa vie, il n'a quasiment jamais rien fait d'illégal et maintenant ça : un fric-frac dans le bureau d'un collègue.

Il tire une lampe de sa poche, l'allume, regarde autour de lui. Pas de secrétariat, un bureau minuscule, une impression de malpropreté. Une montagne de dossiers sur la table de travail, des photos anthropométriques, des calepins, des paquets de Lucky Strike vides, écrasés. Un cendrier débordant de mégots. Une chaise mal rangée. Au mur, un plan de Hambourg, fixé de travers à l'aide de punaises rouillées. Les quatre lieux de découverte des corps sont marqués d'une croix au crayon gras rouge. Sur le mur voisin, le brevet de l'école de police, non encadré, lui aussi affiché de travers.

Stave s'approche du bureau, observe de près tout ce qui s'y trouve, sans toutefois toucher à rien. Une photographie encadrée : une dame d'un certain âge au regard sévère. L'inspecteur principal se souvient que son collègue vit encore chez sa mère. Excepté ce cadre, aucune touche personnelle. Le désordre sur le bureau – des dépouilles de l'enquête, copies des procès-verbaux d'autopsie, photos anthropométriques, listes de chirurgiens et de dentistes.

Aucun des dossiers disparus.

Stave enfile des gants de cuir fins et noirs et s'applique à examiner soigneusement les monceaux de papiers en prenant garde de les remettre en place. Qui sait si ce chaos n'est qu'apparent et ne correspond pas à un ordre précis ?

Rien.

Restent les tiroirs, deux de chaque côté. En haut à gauche, des cigarettes en vrac, différents briquets. Stave fronce le sourcil : ça fait beaucoup pour un salaire d'inspecteur débutant. De deux choses l'une, ou son collègue en dépense la moitié en fumée, ou il puise à des sources insolites pour un fonctionnaire de police.

En bas, à gauche, un compartiment plus profond : des fiches cartonnées, certaines avec une photo anthropométrique. Stave en sort quelques-unes, les étudie. Collées sur les cartes, les photos sont du genre de celles qui servent à l'identification des délinquants. En regard, des patronymes. Au verso, des notes de l'écriture scolaire de Maschke.

« Surnom usuel : Léna ou la Danoise. »

« Un couteau à chaque cheville. »

« Fille de Willy Warncke (le gros Willy). »

« Yvonne Delluc, a de la famille ici. »

« Attention : Isabelle, bien vue des officiers britanniques. À prendre avec des pincettes. »

« Arrêtée au marché noir le 5-1-47 avec une paire de bas Nylon, 20 cigarettes. »

L'inspecteur principal feuillette rapidement les liasses de fiches : des prostituées, des souteneurs, des prostituées, des souteneurs. Aucun client. Le nombre de personnes que Maschke a fichées durant le court laps de temps qui le sépare de son brevet d'inspecteur est impressionnant.

Les fiches sont empilées sans ordre apparent, mais Stave pense que Maschke sait exactement où se trouve celle qu'il cherche. Derrière cette négligence apparente se cache un système de classement, se dit-il.

Tiroir du haut, à droite. Des crayons, un taille-crayons endommagé, des carnets en lambeaux – vierges souvent, avec beaucoup de pages arrachées. D'autres, plus ou moins remplis, que Maschke a vraisemblablement l'intention de réutiliser. Puis des gommes friables, deux trombones tordus, quelques punaises rouillées, des brins de tabac.

Compartiment du bas, même profondeur que celui de droite. Environ une douzaine de bouts de papier, certains froissés, trois carnets encore. Stave y envoie un rayon de lumière laiteuse et survole les pages du regard. Des colonnes de chiffres griffonnés. Parfois quelques-uns seulement par feuille, parfois plusieurs. Les carnets eux aussi renferment des accumulations de chiffres incompréhensibles. Des numéros de téléphone ? Des combinaisons de coffres de banque ? Aucune explication, pas de nom, pas même un signe d'écriture.

Sous les bouts de papier et les carnets, un indicateur horaire des chemins de fer de la Reichsbahn pour toutes les zones occupées – quasiment inutile cet hiver, se dit Stave, car personne ne sait à quel moment circulent les trains, quand toutefois ils circulent.

Des cartes aussi, de celles qu'utilisait la Wehrmacht. Allemagne du Nord, Basse-Saxe, Danemark, Pays-Bas, Belgique et Luxembourg, France, Bavière et Autriche, Suisse.

Étonné, Stave regarde ces cartes pliées avec soin. Les environs de Hambourg sont certes intéressants pour un policier. Mais ces pays étrangers ? Il se fait une idée : tous sont au nord, à l'ouest et au sud des frontières du Reich. Maschke était un soldat de la Wehrmacht, engagé sur le front ouest. Pourquoi a-t-il gardé tout ça ? Pourquoi, alors qu'il combattait dans un sous-marin, a-t-il toutes ces cartes ? Stave les laisse de nouveau glisser entre ses doigts. Il semble qu'elles n'aient pas été utilisées – excepté une, la carte routière Michelin de la France. Les pliures sont plus claires, avec de petites traces d'usure sur les bords. Il la déplie avec précaution sur le bureau accidenté. La France entière, une carte grande comme le dessus de la table de travail.

Des notes griffonnées au crayon. Des symboles militaires, des lettres et des chiffres, manifestement des abréviations qui désignent des unités combattantes. Des dates en regard. Certaines indications gommées, remplacées par de nouvelles, quelquefois raturées à la hâte et surchargées.

L'itinéraire d'une retraite.

Les plus anciennes notes remontent au 1er juin 1944. À gauche, presque sur la côte atlantique, au nord-est de Bordeaux. Puis une ligne vers le nord, la Normandie. Le débarquement du 6 juin des Alliés, se dit Stave. Ensuite, toujours direction est. Dernière note, fin novembre 1944, aux environs de Strasbourg.

Alors que l'inspecteur principal va pour replier la carte, le rayon de la lampe de poche tombe sur le recto d'un des plis. Un cachet du Troisième Reich à moitié effacé : aigle et croix gammée sous des lettres d'imprimerie en majuscules gothiques. Stave est sur le point de ranger la carte avec les autres quand il hésite, perplexe – il vient de repérer un sigle dans le cachet ; les deux runes de la SS.

Il dirige le faisceau de la lampe sur le tampon, déchiffre péniblement sous les runes des lettres en partie effacées, que la pluie a délavées par endroits : « 3e Komp. 1er Bat. SS-Panzergrenadier Regiment "Der Führer" », un régiment de grenadiers blindés de la SS.

Et en dessous, d'un crayon presque illisible : « Hans Herthge. » De l'écriture de Maschke.

Stave n'a pas le temps de réfléchir à sa découverte ; il entend un bruit dans le couloir.

Des pas.

L'inspecteur principal a deux secondes pour réagir. Il y a de fortes chances que l'inconnu poursuive sa route. Mais… Faut-il qu'il soit surpris dans le bureau d'un collègue, une lampe de poche à la main ? Se cacher ? Mais où ?

Il y va au culot, repousse vivement le tiroir, fourre la carte de France et ses gants de cuir dans la poche de son manteau, éteint la torche et allume la lampe de bureau. Quitte à être surpris, autant jouer les innocents.

Les pas se rapprochent, puis c'est le silence. Quelqu'un s'est arrêté devant la porte. Stave se penche sur le bureau, fait semblant d'examiner les piles de papiers comme s'il cherchait quelque chose de précis.

La clenche pivote, lentement. L'inspecteur principal lève les yeux. Le procureur Ehrlich.

Les deux hommes se dévisagent un instant, émus et gênés.

— Bonsoir, finit par dire Stave, qui retrouve son aplomb le premier. Je peux vous être utile ?

— Me serais-je trompé de couloir ? réplique le procureur. Je croyais que c'était le bureau de l'inspecteur Maschke.

— Atterrissage parfait. Mais mon collègue a déjà fini sa journée.

Le procureur le toise, étonné.

— Et vous avez été muté aux mœurs ?

Stave a quelques secondes pour inventer une histoire.

— Demain, Maschke va commencer la tournée des chirurgiens qui ont pratiqué des interventions du genre de celle qu'a subie notre quatrième victime. Je l'avais déjà envoyé chez les médecins. Les prothèses, la hernie inguinale, vous vous rappelez ? Je me demande si le même chirurgien qui opère des hernies inguinales chez des hommes fait aussi des opérations du bas-ventre chez les femmes, des annexectomies. Si les victimes appartenaient effectivement à une même famille, ce serait une approche. Et comme Maschke est déjà parti, je cherche dans son bureau. (En manière d'excuse, il désigne les monceaux de papiers devant lui.) Mais je crains qu'il me faille attendre demain pour lui proposer mon hypothèse.

Ehrlich le regarde un instant, l'air sceptique, sourit et hoche la tête.

— Je comprends, grogne-t-il. (En fait, il a l'air de ne rien comprendre du tout.) Il faudra donc que j'attende, moi aussi, avant de pouvoir lui parler. Dommage.

Le procureur amorce une révérence, puis il referme la porte derrière lui. Un bruit de pas dans le couloir, qui s'amenuise de plus en plus.

Stave respire profondément. Des gouttes de sueur froide perlent entre ses omoplates et ruissellent le long de sa colonne vertébrale. Ehrlich a-t-il gobé son histoire ? Parlera-t-il à Maschke de cette rencontre inopinée ? De toute façon, pour que son histoire soit vraiment crédible, il faut qu'il entretienne l'inspecteur des mœurs de cette hypothèse stupide des chirurgiens.

Il attend encore quelque temps pour être certain qu'Ehrlich est bien parti, remet les papiers en place. Doit-il aussi ranger la carte de France ? Il décide de la garder. En attendant. Le temps de vérifier ce qu'il en est de ce « Hans Herthge ».

Il éteint la lumière, sort dans le couloir et se hâte de quitter l'hôtel de police plongé dans l'obscurité. Ce n'est que quand il est sur la place exposée à tous vents qu'il se rend compte qu'Ehrlich ne lui a pas dit ce qu'il voulait demander à Maschke à une heure si tardive.

Des rues sombres, des ruines qui ressemblent à des châteaux hantés, quelque part le moteur d'une jeep britannique qui pétarade dans la nuit ; à moitié enfoui dans des gravats de briques, un rideau gelé que la bise fait claquer. Sinon, un silence pesant. Ces dernières années, Stave s'est tellement habitué à cette ville dévastée qu'il n'y pense quasiment jamais. Mais alors qu'il se hâte de rentrer chez lui, il se sent mal à l'aise, troublé. Menacé.

Des ombres qui tressaillent dans des ouvertures de fenêtres. Des silhouettes de murs dépecés. Des cadavres ? Ou un assassin accroupi, caché, qui guette un promeneur nocturne ? Je deviens paranoïaque, se dit une fois encore l'inspecteur principal.

Il se surprend à marcher au milieu de la rue, le plus loin possible des remblais de ruines, frissonnant comme si quelqu'un le guettait. Il se retourne d'une pièce. Rien.

Et il a tout de même l'impression de ne pas être seul.

Il met la main à son pistolet, bascule le levier du cran de sûreté du FN 22 et marche plus vite malgré la douleur dans sa jambe gauche. Le chemin paraît interminable.

Lorsque Stave est enfin parvenu devant son immeuble, il monte l'escalier obscur deux marches à la fois, cherche le trou de la serrure, referme vivement la porte de son appartement derrière lui. Son cœur bat la chamade, il a le souffle court.

Je me conduis comme un idiot, se reproche-t-il, comme un débutant. Si quelqu'un s'était approché de moi pour me demander l'heure, je l'aurais abattu tellement j'avais la frousse. Il attend que ses mains cessent de trembler, remet le cran de sûreté du FN 22 qu'il replace dans son étui. Il faut que je dorme plus, se dit-il, que je me réchauffe. Si seulement ce gel pouvait enfin cesser ! Mais en même temps, il redoute la débâcle. Il craint des cadavres en décomposition, puants.

Il prépare son repas, du pain au goût de papier mâché, une fine tranche de fromage, de l'eau, une pomme de terre blette qu'il avale à moitié cuite alors qu'elle a passé une heure sur sa cuisinière de survie. Puis il attend le sommeil, allongé de tout son long sur son lit, sans bouger, comme un mort. Une fatigue qui pèse des tonnes. Mais dans sa tête quelque chose refuse de le laisser glisser au pays des rêves.

Il finit par tâtonner pour chercher le bouton de son poste de TSF. Une lueur jaunâtre sur le vieux cadran tandis que les lampes chauffent. Depuis des mois, il n'a pas écouté la radio. Au temps des nazis, les sons tonitruants de Liszt, puis : « Le commandement suprême de la Wehrmacht communique ! » Les voix précipitées de Hitler ou de Goebbels et, entre-temps, menaçant comme une averse de grêle contre une vitre, le chœur des brailleurs de « Heil ! » dans un stade quelconque. La musique de Wagner. Il en avait tellement soupé qu'il ne tournait plus le bouton de son poste. Il savait que des collègues et des voisins écoutaient la BBC en cachette, il n'avait jamais osé le faire.

Une nouvelle station est censée émettre pour la première fois : la Nordwestdeutscher Rundfunk. Des officiers britanniques, de jeunes journalistes allemands, une sorte de BBC à destination des Allemands. Stave en a entendu parler. De temps en temps, moyennement intéressé, il a écouté les collègues en discuter et compter les jours qui les séparaient du moment où ils pourraient enfin à nouveau écouter la radio.

Mais à présent, le sommeil ne venant pas, il écoute sans vraiment entendre. L'illusion d'une deuxième voix dans la chambre. Un présentateur. Friture, craquements dûs à l'électricité statique, des minutes sans le moindre son, et les lampes éteintes, l'obscurité à la moindre panne de courant. Puis c'est une pièce radiophonique. Stave ne prête pas attention au nom de l'auteur, écoute à moitié les indications scéniques, les dialogues, jouit seulement des bruits dans son appartement, de la douce lueur du cadran du poste, du retour de ce rayon de normalité.

Stave entend parler d'un homme qui rentre de la guerre et dont personne ne veut. Il entend cet homme qui parle avec l'Elbe. Curieux, se dit-il, comment parler à un fleuve quand il est sous un mètre de glace ?

Et il part à la dérive, plonge dans un rêve où son fils parle à l'Elbe dont les vagues adoptent le visage de Margarethe. Il fait chaud, les maisons brillent au soleil, indemnes. Stave se sent triste et en même temps il frissonne de joie, et il glisse au-delà des rêves dans le royaume des ténèbres les plus sombres, dans un sommeil plus profond qu'il n'en a jamais connu ces dernières années.

Révélations

Assis à son bureau, Stave est au téléphone depuis sept heures du matin. Lorsque la pulpe de son index droit est irritée à force de tourner le disque du cadran, l'inspecteur principal fait pirouetter un crayon. Fébrile, il a déjà essayé de joindre Maschke vendredi. En vain. Il veut absolument s'entretenir avec lui avant Ehrlich, pour lui servir sa version de leur rencontre inopinée dans son bureau. Il ne réussit à le joindre dans aucun hôtel, aucun poste de police du Nord de l'Allemagne, aucun hôpital. Il a parlé à des personnes qui avaient reçu son collègue des mœurs, mais il les avait toujours quittées quelques heures auparavant. Comme s'il voulait m'échapper, se dit Stave. Absurde.

Il a passé son week-end à la gare – ce qui lui a laissé beaucoup de temps pour réfléchir, car plus cet hiver se prolonge, moins on extrait de charbon et de plus en plus de locomotives restent en panne, tubulures rompues ou chaudières éclatées. Il entre moins de trains en gare en une journée que jadis en une heure.

Stave a arpenté les quais vides. Et pas uniquement pour chasser le froid de ses jambes. Il était inquiet, s'imaginait

qu'Ehrlich parlerait à Maschke durant cette fin de semaine
– à son sujet. Ou que Maschke était revenu à l'improviste pour le week-end et était passé à son bureau. Stave
le voyait en train de pénétrer dans ce réduit au désordre
apparent, peut-être tout simplement à la recherche d'un
innocent paquet de cigarettes. Puis il l'imagine perplexe
quand il remarque qu'un papier a été dérangé dans une pile
de documents. Stave se le figure alors explorant les lieux,
découvrant ici ou là des différences dans ce désordre soigneusement organisé. Il ouvre alors le grand tiroir de droite,
feuillette le paquet de cartes et remarque qu'il en manque
une. Et c'est à ce moment précis que le téléphone sonne.
C'est Ehrlich…

Quand il ne pensait pas à Maschke, ses réflexions tour-
naient autour de l'assassin des ruines. Et s'il était à la gare,
lui aussi ? Stave en quête de son fils, l'autre en chasse d'une
proie. Et s'il allait même mettre la main sur son fils avant
lui, descendant d'un wagon, titubant de fatigue ? Un soldat
épuisé libéré d'un camp de prisonniers, un gibier facile. Un
agent de police interpellerait Stave : « Nous avons un nouveau cadavre. » Un champ de ruines. Un jeune homme nu.
Stave s'approche, et c'est le choc…

L'inspecteur principal avait erré à pas feutrés dans l'immense
hall de gare, inquiet, furieux. Quand le dernier train du soir
avait quitté la place en brinquebalant avec des soupirs d'asth-
matique, il avait été comme toujours épuisé, transi de froid,
déçu et à la fois un peu soulagé qu'il ne soit rien arrivé. Et
qu'il ait un week-end de plus derrière lui.

Soudain, le téléphone sonne. Stave sursaute, saisit vivement le combiné.

— Maschke à l'appareil.

Friture, crachotements, voix fluctuante. Comme si son
collègue appelait depuis le pôle Nord.

— Ça fait une heure que j'essaie de vous joindre.
Qu'est-ce qui se passe ? C'est toujours occupé.

Stave s'efforce de ne pas laisser transparaître son soulagement.

— J'avais quelques coups de fil à donner. Rien d'important. Quoi de neuf ?

Maschke est à Travemünde. Il peste contre les trafiquants du Kurhotel : une chambre avec vue sur la mer, petit déjeuner avec du vrai café et de la confiture : cinq cents Reichsmarks la nuit. Le soir, la bouteille de whisky à huit cents Reichsmarks.

— L'hôtel est complet, crie-t-il pour dominer les crachotements, c'est comme si la guerre n'avait jamais eu lieu. Il n'y a que les clients qui ont changé.

— Vous avez l'air de dire que les gros trafiquants viennent y flamber leurs gros billets. C'est donc bien comme avant la guerre.

Stave ne peut s'empêcher d'éprouver une légère joie face à l'amertume de l'inspecteur des mœurs : le cynique Maschke, la terreur des putains et des macs, croit toujours en la bonté de l'homme.

Ou n'y croit-il plus ?

L'inspecteur principal se tromperait-il ? Il pense à nouveau à la carte de France frappée du cachet de la Waffen-SS et au nom de « Hans Herthge ». Est-ce que je ne devrais pas, au fil de la conversation, l'interpeller brusquement avec ce nom : « Herthge » ? Histoire de voir comment il réagira. Mais il renonce vite à cette idée. Il faudrait qu'il explique trop de choses. Il préfère donc conseiller à Maschke de chercher des chirurgiens ayant pratiqué à la fois des interventions sur des ovaires et des opérations de hernies. Stave fait bien attention aux mots qu'il emploie. Il reste vague, n'avoue pas ouvertement être allé dans son bureau – mais il s'arrange pour que, au cas où Ehrlich parlerait à l'inspecteur des mœurs, il puisse lui répliquer qu'ils en ont déjà discuté tous les deux au téléphone, qu'il veuille bien se le rappeler.

Maschke se tait. Se méfierait-il ? Il finit par répondre :
— Entendu.

Malgré la mauvaise liaison, Stave devine un léger scepticisme dans sa voix.

— Hernies et ovaires, reprend-il. Jusqu'à présent, j'ai ratissé le terrain, de Hambourg jusqu'à la Baltique. Je monte jusqu'à la frontière danoise. Ensuite, je traverse le pays en diagonale et je redescends en longeant la mer du Nord. Il me faut encore quelques jours. J'ai déjà rencontré une vingtaine de chirurgiens environ. Étonnant le nombre de types qui jouent du scalpel dans le bas-ventre des femmes ! Mais aucun d'entre eux ne connaît la dame que nous recherchons. Pendant que j'y étais, j'ai demandé à tous les médecins si la femme en question aurait pu avoir des enfants. Tous ont répondu que c'était hautement improbable.

— Qu'en est-il des autres victimes ?

— Je montre à chaque médecin toutes ces putains de photos de l'identité. Le vieux, la jeune femme, la fillette – aucune des victimes ne semble avoir jamais consulté un médecin. Ça devait être des gens en bonne santé. Excepté quelques maux de gorge sur la fin.

— Faisons le point tous les deux jours, même si vous faites chou blanc. Travaillez minutieusement. Posez aussi vos questions à des médecins plus âgés, à la retraite. Si nécessaire, restez un jour de plus : ça vaudra toujours mieux que de chercher une heure de moins.

Comme ça, je serai débarrassé de lui, se dit Stave, en reposant le combiné.

Entre-temps, la machine à écrire cliquète, Erna Berg est arrivée.

— Comment allez-vous ? lui demande Stave, et il se rend compte que sa question est totalement superflue : elle a l'air de quelqu'un qui n'a pas fermé l'œil de la nuit depuis trois jours.

— Bien, ment-elle.

Le chant des tiges métalliques sur le rouleau devient plus sonore.

— Trouvez-moi donc quelques classeurs à levier. J'ai encore des dossiers à classer.

Un ballon d'essai. Erna Berg se contente d'opiner.

Le mot « dossiers » ne l'a pas rendue nerveuse. De tous les collègues, c'est pourtant elle qui aurait eu le plus facilement accès aux dossiers des crimes pour les faire disparaître.

Mais elle n'a pas de mobile. Elle ne réagit même pas au mot. Ou alors c'est une excellente actrice. Mais dans ce cas, ne réussirait-elle pas à mieux donner le change pour cette histoire avec MacDonald et son mari ?

Erna Berg lève les yeux de sa machine et le regarde.

— Que puis-je encore faire pour vous ?

Stave se rend compte qu'il l'observait. Il rougit et secoue la tête, puis se reprend :

— Appelez-moi MacDonald.

Elle sourit comme par magie.

— J'aimerais bien, mais le lieutenant a disparu.

— Disparu ?

— Disparu. Introuvable. Même à son bureau, personne ne peut me dire où il est. J'appelle souvent, et pas toujours pour des raisons professionnelles. J'attends parfois quelques heures avant de réussir à le joindre, et puis tout d'un coup James est là et il me parle comme si de rien n'était. Je ne sais pas ce qu'il a fait durant tout ce temps. Il a peut-être une autre femme dans sa vie ?

— Je ne crois pas, répond machinalement l'inspecteur principal, quoiqu'il ne connaisse pas assez le Britannique pour l'affirmer. Essayez encore.

— Ça, inutile de me le dire ! Je vous fais signe dès que je l'ai au bout du fil.

Stave se retire dans son bureau. Maschke est sur la touche. MacDonald introuvable. Erna Berg a assez à faire avec ses propres soucis. Ehrlich et Cuddel Breuer ne campent pas devant sa porte – cette fin de semaine sans cadavre lui accorde une pause, un délai de grâce avant les prochaines difficultés.

Je vais tout reprendre à zéro, se dit l'inspecteur principal. Sans être dérangé, seul. Je vais revoir les témoins les plus importants.

— Demandez-moi une voiture.

— Pour toute la journée ?

— Une demi-journée. Même deux heures, s'il n'y a pas moyen de faire autrement.

— Et où voulez-vous aller ?

— Enquêter, répond Stave laconiquement.

254

Une demi-heure plus tard, il pousse le moteur de la vieille Mercedes en faisant chanter les pneus sur les pavés de la Elbuferstrasse. Stave s'est demandé s'il devait s'annoncer par un coup de téléphone, mais il y a renoncé. La surprise lui sera peut-être bénéfique. Si on le refoule au Warburg Children's Health Home, il pourra toujours se rabattre sur la voie officielle, avec l'aide de MacDonald si besoin, à condition qu'il refasse surface à temps. Il se demande incidemment pourquoi le lieutenant a disparu, et si au bout du compte Erna Berg n'a pas raison.

Il se gare devant la propriété. Le portail est verrouillé et il n'y a personne en vue. L'inspecteur principal sonne. Après une très longue minute, un adolescent descend à sa rencontre.

— Vous désirez ?

Stave porte machinalement la main à la poche de son manteau pour brandir sa carte de police, mais il se ravise. Il ne donne que son nom.

— J'aimerais parler à Mlle DuBois, dit-il.

Le garçon disparaît. Une minute s'écoule, puis deux. L'inspecteur principal se demande s'il n'a pas choisi la mauvaise tactique, quand soudain il aperçoit la mince silhouette de la gouvernante. Elle ouvre le portail et lui fait signe de monter l'allée gravillonnée en voiture.

— Je suis désolée que vous n'ayez toujours pas trouvé l'assassin, lui dit-elle en guise de bienvenue.

— Qu'est-ce qui vous fait croire ça ?

— Sinon, pourquoi seriez-vous revenu ?

Stave la suit dans la véranda tout en se demandant ce qu'il peut lui révéler sans se trahir.

— Je ne suis pas venu à cause de l'assassin des ruines, commence-t-il après avoir pris place.

— Une autre enquête ?

— Peut-être. Je n'en suis qu'au début.

— Et vous avez besoin de mon aide ?

Thérèse DuBois sourit. L'air triomphant, se dit Stave.

— Anouk Magaldi ! Vous m'avez priée de vous donner son nom lors de votre dernière visite. Et depuis, je suis curieuse de savoir pourquoi, et je me demandais quand vous alliez venir me le dire.

— Est-ce que je peux lui parler ?

— Pourquoi ?

— Elle semble connaître mon collègue. De par le passé. (Thérèse DuBois se tait.) Mon collègue n'est pas au courant de ma démarche. (Il hésite.) J'ai de sérieuses raisons de me poser des questions sur l'identité de cet homme.

— Vous pensez que c'était un nazi ?

— Il y en avait tellement ! Je voudrais savoir quelle sorte de nazi.

— S'il a fait quelque chose qui pourrait intéresser le procureur Ehrlich ?

Stave la regarde, stupéfait. Il opine, presque à son corps défendant.

— Oui.

— Je vais chercher la petite.

Quelques minutes plus tard, la fillette est en face de lui, fluette pour son âge. Des bras et des jambes fins comme des tiges de bambou, de longs cheveux noirs, de grands yeux. Stave lui tend la main, mais elle ignore son geste, se contente de l'observer. Sur le qui-vive, se dit-il, prête à fuir.

— Est-ce que tu parles allemand ?

Anouk secoue la tête en signe de dénégation.

— Je traduirai, propose Thérèse DuBois.

— Pourquoi as-tu fait ce geste quand tu as vu le policier l'autre jour ? demande l'inspecteur principal en mimant son jeu de main sur la gorge.

À peine la gouvernante a-t-elle traduit deux mots, que la petite l'interrompt. Un flot de paroles précipitées, qu'elle bredouille comme à bout de souffle. Des gestes : elle mime, jette quelque chose au loin, se baisse, rampe, lève les mains, ferme les yeux, fait une grimace de douleur, court comme si elle s'enfuyait.

Stave ne comprend pas un mot de ce qu'elle dit – mais les mouvements saccadés de la fillette lui en disent assez. Avant même que Thérèse DuBois commence enfin à traduire, il sait qu'elle a évoqué un massacre.

— Anouk est juive. Elle vivait avec sa famille dans un petit village au nord-ouest de Limoges, explique la gouvernante. C'est pourquoi ils étaient extrêmement prudents pendant l'occupation allemande. Plus prudents que leurs voisins. Des soldats ont encerclé le village au cours de l'été 1944, et la famille s'est vite réfugiée dans la cave. La majorité des habitants ne se sont pas cachés.

— Quels soldats ?

— Des Allemands. Des Waffen-SS. Le débarquement en Normandie avait commencé quatre jours auparavant. Ils étaient en route pour le front. Les Français ont cru que l'occupation allemande serait bientôt finie. Il y avait beaucoup d'actes de résistance dans la région. Et les SS se sont vengés ce jour-là, sur ce village-là.

Stave se tait, attend la suite du récit.

— Ils ont traîné tous les hommes et les adolescents dans des garages ou des granges et les ont fusillés. Ils ont refoulé les femmes et les enfants dans l'église. Ils ont mis le feu à la maison de Dieu, y ont jeté des grenades à main et l'ont mitraillée. À la fin, presque tous les habitants étaient morts, plus de six cents personnes. Dont un tiers d'enfants.

« Les parents d'Anouk ont eux aussi été fusillés après qu'on les a découverts. Elle a réussi à échapper au massacre, accroupie derrière des rayonnages d'outils et des planches. Les SS ne l'ont pas repérée. Elle s'est faufilée jusqu'à un soupirail d'où elle a tout vu. Après la tuerie, les assassins ont mis le feu aux maisons. Quand la chaleur est devenue insupportable dans sa cave, la petite s'est enfuie. Personne ne l'a remarquée et le lendemain elle est tombée dans les bras d'un groupe de résistants. C'est ce qui l'a sauvée. Seuls quelques habitants ont survécu au carnage.

Stave regarde la fillette d'un air grave et lui demande avec lenteur :

— Et l'homme, celui avec qui je suis venu, faisait partie de ces soldats ?

La gouvernante traduit. La petite opine, puis c'est à nouveau une cascade de mots et une succession heurtée de gestes : des coups de pied, un index sur une détente.

— Il faisait partie de la troupe qui a extirpé ses parents de la cave. Et elle l'a vu plus tard en train de tirer dans l'église en flammes. Il riait.

Stave ferme les yeux et essaie de se représenter la scène : un jeune homme, un grand escogriffe en uniforme noir avec la casquette à visière sur laquelle la tête de mort attire les regards. Ou plus vraisemblablement est-il coiffé d'un casque, en train de fumer certainement, riant aux éclats.

— Comment s'appelle ce village ?

— Oradour-sur-Glane.

— Le massacre a eu lieu à quelle date ?

— Le 10 juin 1944.

Stave sort la carte de France trouvée dans le bureau de Maschke et l'étale sur le sol. La fillette le fixe des yeux en silence.

— Pouvez-vous me montrer ce village sur la carte ?

La gouvernante cherche, pose le doigt presque au centre.

L'inspecteur principal se penche. Exactement à l'endroit désigné, une date au crayon : « 10 juin 44 ».

Contrairement à son habitude, Stave conduit très lentement sur le chemin du retour. Lothar Maschke s'appelle en réalité Hans Herthge. Ce n'est pas un sous-marinier, mais un ancien Waffen-SS. Un tueur, qui a participé au massacre de plus de six cents personnes.

Et nous qui nous excitons sur quatre malheureux cadavres ! se dit-il. Puis il se reprend : mais avec raison. Un meurtre reste un meurtre.

Que faire ? Il a le témoignage d'une fillette de huit ans. Thérèse DuBois lui a promis que la petite témoignerait devant un tribunal. Elle a dit cela comme si elle s'attendait à ce que Stave se rende sans tarder chez le procureur Ehrlich. Mais que pourrait faire le magistrat ? Reconnu coupable,

Maschke/Herthge serait condamné à mort. Mais la déposition d'une gamine de huit ans suffirait-elle pour mettre sur le billot la tête d'un fonctionnaire de police ? Peut-on vraiment envisager d'apporter la preuve que Maschke et Herthge sont une seule et même personne ? Il y a bien cette carte Michelin, mais Stave se l'est procurée dans des circonstances douteuses. Que plaiderait un avocat astucieux ? Finalement, Maschke serait reconnu non coupable par manque de preuves – et Stave serait le délateur, le salaud de collègue. Il ne lui resterait plus qu'à démissionner.

Il faut que j'en parle à Ehrlich, se dit Stave. Confidentiellement. Qu'on voie ce qu'il est possible de faire. Chercher d'autres preuves par exemple. Puis il freine brutalement. La voiture pile sur le bord de la chaussée.

Ce fameux soir où Ehrlich voulait entrer dans le bureau de Maschke, il ne lui a pas dit pour quelle raison il voulait rencontrer le policier des mœurs. Peut-être n'avait-il absolument pas l'intention de le rencontrer ? Peut-être que le procureur, comme l'inspecteur principal, venait fouiner dans le bureau du policier – ou est-il venu pour une autre raison ? Mais laquelle ? Il est possible aussi qu'Ehrlich se doute depuis longtemps que tout n'est pas clair dans le passé de Maschke. Qu'avait prétendu Thérèse DuBois ? Qu'Ehrlich s'occupe toujours de nouvelles affaires. Un vengeur. Quelqu'un qui a des comptes à régler avec les nazis.

Stave regarde à travers le pare-brise sale. Un homme qui pousse sur le trottoir une vieille bicyclette sans pneus, aux jantes voilées, l'observe d'un air méfiant, puis poursuit précipitamment sa route. L'inspecteur principal ne lui prête plus attention. Qui joue à quoi, dans tout ça ? se dit-il. Pas étonnant que Maschke soit sorti pendant leur visite au foyer d'enfants. Pas étonnant que les investigations concernant les personnes déplacées ne lui conviennent pas – il craint toujours que l'une d'entre elles le reconnaisse. Qui sait quels crimes le SS a encore commis ? Chaque Juif, chaque réfugié survivant, chaque ex-prisonnier pourrait être le témoin qui le pointe du doigt. Pas étonnant non plus que Maschke ait voulu faire passer un trafiquant de marché noir pour l'assassin. Pas étonnant qu'il ait utilisé la violence et qu'il ait roué de coups le premier suspect venu pour lui extorquer des aveux.

Est-ce pour cela que l'homme a volé les dossiers ? Contiennent-ils quelque chose qui pourrait attirer l'attention sur son passé SS ? Mais quoi ? Stave frissonne, et il sait que ce n'est pas à cause des rafales glaciales qui soufflent en hurlant et secouent la voiture.

Les pensées de Stave dérivent vers le procureur. Ehrlich s'intéresse-t-il réellement à l'assassin des ruines ? Cette affaire n'est-elle pour lui qu'un prétexte pour confondre Maschke/ Herthge qu'il soupçonne depuis un certain temps ? Le procureur a-t-il même eu l'intention, comme il l'a tenté avec le bureau de Maschke, de perquisitionner le bureau de Stave ? Et est-ce lui qui a emporté les dossiers ? Mais Stave, cette fois encore, ne trouve aucun incident susceptible d'étayer ce soupçon, aucun comportement insolite, aucun mobile.

Au moment de quitter le foyer, Stave avait expliqué à Thérèse DuBois qu'à elle seule la déposition d'une fillette de huit ans n'aboutirait pas à une condamnation de Maschke. Elle avait souri tristement.

— Il est plus facile de massacrer six cents personnes en une journée que de traduire un assassin en justice.

— Il finira devant la justice, je vous le promets, avait répondu l'inspecteur principal.

Il se demande à présent s'il pourra tenir sa promesse.

Arrivé à l'hôtel de police, il se traîne péniblement le long du corridor qui mène à son bureau. Il ignore sa faim, les élancements dans sa jambe. Erna Berg est en train de reposer le combiné au moment où il entre.

— MacDonald ?

— Il vient de se manifester. Il arrive.

— D'autres nouvelles ?

— Non. Pas un coup de fil. Pas un visiteur.

— Et pas de nouveau cadavre.

Erna Berg sourit, gênée.

— Je peux prendre mon après-midi ? J'aimerais bien me soumettre à un examen. Chez un gynécologue.

Stave la fixe du regard. Gynécologue – ou faiseuse d'anges ? En quoi cela me concerne, se dit Stave et il opine.

— Allez-y. Je ne pense pas qu'il y ait encore beaucoup à faire aujourd'hui.

Il hésite un instant.

— Bonne chance, ajoute-t-il, mais d'une voix si faible qu'Erna Berg ne l'entend déjà plus.

Lorsque sa secrétaire est partie, il ne lâche pas le téléphone pendant une demi-heure. Il appelle des hôtels et des postes de police des côtes de la Baltique. Maschke reste introuvable. Sans doute chez un médecin, se dit l'inspecteur principal.

Doit-il réclamer le dossier personnel de Maschke ? Il y trouvera peut-être un indice sur son changement d'identité. Un document falsifié par exemple, une incompatibilité dans son CV ? Mais quel prétexte inventer pour le demander à son collègue du service du personnel ? Qu'un vieil ami lui communique en toute discrétion des renseignements confidentiels, c'est une chose ; c'en est une autre qu'il lui transmette tout un dossier ! Pas question. Il n'y a pas d'autre issue : Stave va devoir parler au procureur. Ehrlich aura plus facilement accès au dossier personnel de l'inspecteur des mœurs.

Stave est tout de même satisfait. J'en sais plus, se dit-il, il suffit que je me débrouille tout seul. Maschke égal Herthge, il en est sûr.

On frappe à la porte de son bureau : MacDonald.

— J'ai vérifié l'histoire d'Anna von Veckinhausen, rapporte le lieutenant. Le jour en question, elle a effectivement vendu, devant le Garrison Theatre, un tableau à un officier britannique. J'ai vu l'œuvre. Bon kitsch allemand. Prix : cinq cent vingt Reichsmarks.

Puis il respire profondément.

— Où est votre secrétaire ? demande-t-il, mine de rien.

— Chez le gynécologue, répond Stave.

MacDonald se masse les tempes. Depuis que l'inspecteur principal le connaît, c'est la première fois qu'il lui voit cet air fatigué.

— Pour tout dire, je n'ai pas de chance avec les femmes.

— Erna Berg me semble pourtant très amoureuse, réplique l'inspecteur principal d'un ton guindé, ne sachant comment consoler le lieutenant.

MacDonald sourit.

— Un sentiment très fâcheux pour une femme mariée… Et je m'y connais !

Il se tait. Stave ne répond pas, se contente d'attendre la suite.

— Erna est la seconde femme dans ma vie qui a vraiment de l'importance pour moi, reprend l'officier. La première était merveilleuse, heureuse de vivre, intelligente. Malheureusement, elle était mariée. Avec un camarade de régiment. Fils d'un lord, héritier d'un joli château, d'une grande fortune et d'une demi-douzaine d'exquis titres de noblesse.

— Ça ressemble à un duel inégal.

— Vous voulez dire à un scandale. Cette dame se serait peut-être décidée un jour en ma faveur, mais les premières rumeurs de notre liaison ont pointé le bout du nez au Club, au mess des officiers.

— Barrières invisibles, grogne Stave.

MacDonald sourit.

— Une dame noble et un obscur Écossais. Elle aurait été socialement liquidée, et moi, de toute façon. Elle est donc retournée à son mari. Conformément à son rang. (Le lieutenant agite la main, comme s'il chassait un insecte gênant.) Une bonne raison pour rejoindre le front, vous ne trouvez pas ?

— Une bonne raison pour rester dans cette ville.

Stave sourit à MacDonald pour saluer son départ.

— Erna Berg n'est définitivement pas une dame de la noblesse, ajoute-t-il pour le consoler.

À propos de femme noble, se dit Stave, je vais interroger à nouveau quelques témoins. Anna von Veckinhausen, par exemple.

Il prend le tramway jusqu'à l'arrêt près du mur noir calciné. La rue avec les lanternes. Stave s'y est pris tôt, il est à peine trois heures de l'après-midi. Les magasins d'alimentation sont fermés depuis longtemps, les files d'attente se sont rompues. Quelques enfants qui avaient classe le matin jouent sur la place, bravant le froid. Mais beaucoup sont encore à l'école, leurs parents travaillent ou « cherchent » quelque chose au marché noir. Il n'y a presque personne sur les sentiers des ruines.

Le moment idéal pour l'assassin, se dit brusquement l'inspecteur principal. Pourquoi est-ce que je crois qu'il n'agit que le soir ou durant la nuit ? S'il agresse ses victimes en début d'après-midi, il ne risque quasiment pas non plus de se faire prendre.

Cette idée collerait-elle avec la version d'Anna von Veckinhausen ? Elle a repéré la silhouette au crépuscule. Alors que, se dit Stave, le vieil homme de la Lappenbergsallee était déjà mort. L'assassin le traîne jusqu'à l'endroit où il veut le cacher, le dépouille. Cela prend du temps. Possible qu'il ait été dérangé peu avant la tombée de la nuit par le témoin qui rôdait dans les décombres.

Les baraques de Nissen au carrefour. Personne en vue. Celle, presque au centre du croisement, où habite Anna von Veckinhausen. Ou plus précisément, celle derrière la porte de laquelle elle a disparu le soir où il l'a raccompagnée. Il n'avait pas réussi à y jeter un coup d'œil. Et à présent, il ne sait même pas si son témoin est là. Elle fouille peut-être quelque part des ruines, à la recherche d'antiquités. Peu importe – il aurait eu du mal à l'appeler pour s'annoncer, car il n'y a pas de cabine téléphonique dans le lotissement.

L'inspecteur principal frappe à la porte. Le bruit sonore d'un coup de marteau sur un bidon d'essence vide. Un vieil homme édenté ouvre très rapidement, comme s'il épiait derrière l'entrée. Chemise tachée. Une odeur d'oignons. L'estomac de Stave crie famine.

L'inspecteur principal se présente sans faire mention de sa qualité de policier. Il ne voudrait pas gêner Anna von Veckinhausen. Il demande après elle.

— Jamais entendu ce nom, grommelle le vieux en l'examinant d'un air méfiant.

Son témoin l'aurait-il trompé ? N'habite-t-elle pas ici ? Il la décrit.

— Ah, celle-là ! répond le vieux, intéressé, et il libère le passage.

Stave entre. Depuis combien de temps ce vieil homme habite-t-il sous le même toit qu'Anna von Veckinhausen ? Il ne connaît même pas son nom.

Au centre de la baraque, le poêle en fonte cylindrique ronfle, plus petit qu'un tonnelet de bière. À travers les fentes de la trappe qui joint mal, la lueur des flammes orangées. Une légère odeur de suie stagne dans l'air confiné. La hutte n'est guère plus grande qu'une gloriette de jardin ouvrier. Le visage de Stave s'empourpre en quelques secondes à la chaleur du feu, alors que son dos tourné vers le mur de tôle reste froid. Si le fourneau s'éteignait, ils mourraient tous de froid, se dit-il. Il se demande si les habitants organisent un tour de garde la nuit pour que le feu ne meure pas. Comme à l'âge des cavernes.

Des couvertures grises de la Wehrmacht sont tendues sur des fils de fer à travers la baraque. Depuis le centre de la hutte, où trône le poêle, on accède à quatre compartiments séparés.

Le vieil homme passe devant le poêle et se dirige vers le coin gauche. Il agite une couverture.

— De la visite ! crie-t-il comme s'il était dans une cour de caserne.

Quelques instants plus tard, Anna von Veckinhausen repousse la cloison d'étoffe. Stave a le temps d'apercevoir brièvement un lit de camp, deux caisses retournées qui doivent servir de table et de siège, une malle, un petit tableau à l'huile posé contre le mur bombé : une église en hiver.

Elle s'avance rapidement vers lui, fait vivement retomber la couverture, lui coupant ainsi la vue de son logis. Elle a peut-être quelque chose à cacher, se dit Stave. Ou elle a peut-être honte, tout simplement. Elle a l'air lasse – et pas spécialement heureuse de le voir.

— J'aurais encore quelques questions à vous poser, commence-t-il.

— Votre ami du journal a besoin de matière pour son prochain article ?

Avant qu'il ne puisse répondre, elle a disparu dans sa niche. L'inspecteur principal redoute un instant s'être fait planter là comme un débutant. Quelle idée il a eue. Elle n'est pas tenue de lui répondre, sauf sur convocation. Mais avec quel motif la citer ? Que se passera-t-il si elle se plaint auprès de ses amis officiers britanniques ? Il a déjà assez d'ennuis comme ça. Il est soulagé quand elle réapparaît quelques secondes plus tard, en manteau et une écharpe sur la tête.

Le vieil homme est toujours debout près du poêle et les regarde d'un air curieux.

— Allons nous promener, propose Anna von Veckin-hausen – à voix assez haute pour que son co-locataire l'entende.

Stave aurait préféré rester près du feu pour goûter sa chaleur. Mais il opine, heureux qu'elle accepte de lui parler.

Ils déambulent à travers les ruines, jusqu'à la Wandse. Avant la guerre, cette rivière formait des mares par endroits et serpentait entre des prairies et des bouquets de hêtres. Un ruban vert qui aboutissait au lac Alster, une zone marécageuse de quelques centaines de mètres de large et quelques kilomètres de long. Des canards sur une eau tranquille, attirés par les bouts de pain que leur jetaient les enfants. De temps à autre, un héron cendré qui guettait des poissons, caché dans les roseaux, immobile comme une sculpture. Des papillons, des moineaux, des écureuils qui cabriolaient dans les branches et faisaient bruisser les feuilles, des taupinières.

À présent, la Wandse est une bande de glace noire et grise, gelée sur toute sa profondeur. Poissons, hérons et canards ont disparu, morts de froid, à moins qu'ils n'aient terminé leur existence sur un fourneau de survie. Les arbres ont été coupés par des ramasseurs de bois de chauffage. Ne subsistent que les gros troncs, certains avec des cicatrices d'éclats de bombes, d'autres brûlés par endroits. Les prairies ont le plus souvent disparu sous des monceaux de gravats, de briques cassées et de poussière de ciment, déchargés là lors du déblaiement des rues avoisinantes.

Alors qu'ils sont enfin parvenus sur la berge de la rivière, Anna von Veckinhausen s'arrête et accuse, la voix pleine de reproches :

— Vous êtes allé raconter au journaliste que j'avais vu l'assassin des ruines.

Stave, heureux de pouvoir délasser un instant sa jambe gauche, lève une main apaisante.

— Je lui ai dit qu'une femme avait vu l'assassin des ruines. Kleensch l'aurait appris de toute façon. Il vaut mieux qu'il imprime ma version des faits que d'en inventer une.

— L'assassin sait maintenant qu'il y a un témoin. Il sait peut-être même que c'est moi, car il m'a probablement repérée ce soir-là.

— S'il vous a effectivement vue, il a sans doute pensé que vous pourriez aller à la police. Mais même après cet article dans *Die Zeit*, il ne sait pas qui vous êtes, ni comment vous vous appelez, ni où vous habitez. (Anna von Veckinhausen hausse les épaules.) J'avais espéré que cet article rendrait notre assassin nerveux, concède l'inspecteur principal. Si nerveux qu'il retournerait sur le lieu du crime. Pour supprimer des traces ou quelque chose comme ça. Ça arrive souvent.

— Et ?

Stave secoue la tête.

— Nos investigations ne le dérangent manifestement pas. Il ne se sent pas menacé.

Anna von Veckinhausen contemple l'eau gelée.

— Sans doute, répond-elle. Est-ce que je suis sous surveillance ?

Stave la regarde, étonné.

— Non. Pourquoi cette question ?

— Ne suis-je pas votre unique témoin ? Ne craignez-vous pas que le meurtrier me guette pour me réduire à jamais au silence ?

— Il ne sait rien de vous. Voulez-vous que nous vous protégions ?

Elle sourit furtivement pour la première fois.

— Vaut mieux pas.

— Vous vous sentez observée ?

Elle croise l'avant-bras sur sa poitrine comme il l'a déjà vue faire souvent.

— N'avons-nous pas tous le sentiment d'être observés ?

Elle se remet en marche, déambule le long de la rivière gelée. Stave reste à sa hauteur. Il a faim et il est fatigué, sa jambe lui fait mal. Il aimerait l'inviter dans un café, ne serait-ce qu'une maison à moitié détruite, pour une maigre soupe aux choux. Mais il n'ose pas le lui proposer. Il ne voit plus non plus quelle question lui poser. En fait, je suis idiot d'être revenu, se dit-il. Même avec ce froid, même pour marcher à travers ce parc dévasté. Il est toutefois agréable de côtoyer à nouveau une femme, même en prenant grand soin de ne pas trop s'approcher d'elle, de garder toujours la distance. Et pourtant, la démarche élégante d'Anna von Veckinhausen le séduit, malgré ce manteau minable qui l'enveloppe et les lourdes bottes qu'elle traîne aux pieds. La mèche de cheveux noirs qui s'échappe de sous son écharpe et glisse sur son front, qu'elle replace quelquefois d'un geste machinal, pas assez loin en arrière cependant pour qu'elle ne retombe pas. Sa vulnérabilité, quand elle barre sa poitrine avec le bras. Ses rares sourires. Stave croit même renifler un nuage de son parfum, mais ce n'est qu'une illusion, avec ce froid glacial.

Ne sois pas stupide, se tance-t-il.

Comme il ne trouve rien de mieux, il repose les questions qu'il a déjà posées. Elle répond volontiers. Aucune contradiction dans ce qu'elle dit, constate-t-il avec satisfaction. Stave est tout simplement heureux d'entendre sa voix, de marcher à côté d'elle.

Ils finissent par prendre machinalement le chemin du retour. Il commence à faire sombre, mais la rivière gelée brille comme un sentier lumineux.

— Vous êtes en panne dans votre enquête, conclut Anna von Veckinhausen.

Ce n'est pas une question, une simple constatation qui n'a rien d'inamical.

Il sourit douloureusement.

— Je n'ai encore jamais eu à enquêter sur de tels crimes, avoue-t-il. Nous ne sommes même pas capables d'identifier les victimes.

— Cela vous étonne ?

Il la regarde, l'air surpris, opine.

Elle secoue la tête. D'un geste de la main, elle désigne les monceaux de ruines.

— Vous croyez en la bonté de l'homme. Malgré tout.

— Je ne vois pas ce que l'identification de quatre morts vient faire avec la croyance en la bonté de l'homme.

Anna von Veckinhausen lui adresse un sourire, un sourire de pitié, juge-t-il.

— J'ai entendu le vieux tout à l'heure, dans la hutte, celui qui vous a ouvert la porte. Johann Schwarzhuber. Veuf, réfugié de Breslau, à Hambourg depuis huit mois, ancien membre du NSDAP, ancien ébéniste, retraité, pas de famille. Je sais tout cela sur lui, alors que nous n'avons même pas échangé dix mots. Mais que sait-il de moi ?

— Pas même votre nom.

— Si je ne revenais pas de cette promenade à la Wandse, monsieur l'inspecteur principal, le brave retraité Johann Schwarzhuber ne le remarquerait même pas. Et si ma photo surgissait sur une de vos affiches, il n'irait pas à la police. Il détournerait les yeux, marmonnerait quelques mots pas très flatteurs à mon égard et pillerait ma cahute avant que quelqu'un d'autre le fasse. Depuis huit mois, nous ne sommes séparés que par une couverture en laine déchirée. Nous avons froid ensemble, nous avons faim ensemble. Et pourtant Johann Schwarzhuber me laisserait mourir sans hésiter. Et les deux familles avec leurs petits enfants, qui vivent aussi dans notre baraque, en feraient autant. Et le monde entier aussi. Personne ne viendrait à mon secours, chacun pour soi.

« Hambourg est plein de Johann Schwarzhuber. Des milliers d'entre eux rôdent dans les ruines ou habitent dans des caves, guettent dans les baraques, épient à travers des fenêtres givrées. Je parie même que quelques-uns d'entre eux connaissent ces quatre morts et qu'ils se disent : Que quelqu'un d'autre s'en occupe et aille à la police !

— Possible que Hambourg soit plein de Johann Schwarz-huber, rétorque l'inspecteur principal, mais tous les Hambourgeois ne sont pas des Johann Schwarzhuber. Si vous disparaissiez au cours de cette promenade, ce vieil homme ne le signalerait peut-être pas, mais quelqu'un d'autre s'en chargerait.

Anna von Veckinhausen le regarde longuement et finit par secouer la tête avec un sourire las.

— Vous vous trompez, murmure-t-elle.

Elle se tait et fixe la rivière gelée.

— Alors, j'ai beaucoup de chance que vous n'ayez pas détourné le regard pour vous éviter des ennuis, et que vous soyez allée à la police, dit Stave.

Personne pour signaler la disparition d'Anna von Veckinhausen, se dit-il. C'est triste, effectivement – et quelque part il se réjouit : pas un mari, en tout cas.

Soudain, il a une idée. Il lui présente une photo de la boucle d'oreille de la quatrième victime.

— Vous êtes experte en bijoux et en art. Vous connaissez ça ?

Anna von Veckinhausen s'empare avec précaution de la photo, comme si c'était le bijou lui-même. Elle ne l'étudie que quelques instants, puis :

— René Lalique, dit-elle.

Stave écarquille les yeux. Elle sourit d'un air indulgent.

— Un bijoutier, dont un fonctionnaire de police n'a pas les moyens de se payer les créations. Art nouveau. René Lalique était un créateur parisien. Il a fabriqué ce type de bijoux entre 1890 et 1914 environ. Quel rapport avec vos meurtres ?

L'inspecteur principal reprend la photo.

— Si je réussis à arrêter ce type, ça sera avant tout à vous que je le devrai, grommelle-t-il entre les dents.

Puis il raconte à Anna von Veckinhausen dans quelles circonstances il a trouvé cette boucle d'oreille.

— Où Lalique vendait-il ses créations ?

— À Paris, exclusivement. Mais vous avez là presque une antiquité. Ces pendants d'oreille ont pu passer entre plusieurs mains avant que votre quatrième victime les porte.

— Celle qui les a portés était donc très probablement en France, et sans doute avant la guerre. Et vraisemblablement, elle était riche.

— Celui qui les lui a offerts était riche.

Stave pense aux médailles.

— Des étoiles de mer et des perles : peut-il y avoir un rapport avec une quelconque religion ? Un emblème de secte ou quelque chose comme ça ?

Elle le regarde, stupéfaite, réfléchit longuement, secoue la tête.

— Dommage, soupire l'inspecteur principal. Cela aurait été trop beau que vous fassiez tout mon travail !

Anna von Veckinhausen sourit de nouveau. Lorsqu'ils sont parvenus à la baraque, elle lui tend la main. Stave la prend, la garde un instant de trop dans la sienne.

— Faites-moi signe si un jour vous avez envie d'un tableau pour l'accrocher au mur nu de votre bureau.

— Je ferai appel à vous. Promis.

L'inspecteur principal marche dans les ruines, perdu dans ses pensées, épuisé par les kilomètres parcourus. Étrangement heureux aussi. Enfin, du nouveau, se dit-il, et aussi : quelque chose est en train de naître entre Anna von Veckinhausen et moi – mais il ne se pose pas la question de savoir quoi.

Comme il doit traverser Marienthal pour rentrer chez lui – il est maintenant si tard que l'électricité a été coupée pour les tramways – il décide, c'est son jour de chance, de repasser chez les Hellinger. L'industriel est peut-être rentré sans s'être donné la peine de signaler son retour. Cela arrive souvent. Sa femme aura peut-être quelque chose à ajouter à son témoignage. Et de toute façon, la villa est bien chauffée, et le thé lui aussi est chaud.

La rue avec les grandes villas, sombres comme des tombeaux. Alors qu'il approche de la propriété, il regrette brièvement sa décision de débarquer à l'improviste lorsqu'il voit Frau Hellinger en sanglots, assise devant sa table de cuisine. Stave hésite un instant, puis frappe à la porte. Il attend longtemps avant qu'elle s'ouvre enfin. La femme de l'industriel a l'air pâle, mais si l'inspecteur principal ne l'avait pas vue par la fenêtre, il n'aurait jamais cru qu'elle avait pleuré. Elle le regarde, craintive.

Elle pense sans doute que je suis porteur d'une mauvaise nouvelle, se dit Stave, et vite il sourit, lui annonce qu'il ne sait rien de neuf – mais qu'elle s'est peut-être rappelé quelque chose depuis leur dernier entretien.

Elle le prie d'entrer. La chaleur, l'odeur des braises de charbon, le parfum du thé.

— Je ne vois pas ce que je pourrais encore ajouter, marmonne-t-elle. Vous savez déjà que mon mari est en affaires avec les Anglais.

Stave se tait et sirote son thé.

— Vous savez aussi qu'il a créé un calculateur de solution de tir de torpille pour les sous-marins. Que voulez-vous que je vous dise de plus ?

L'inspecteur principal a une idée soudaine :

— Quel a été le dernier visiteur de votre mari avant sa dispararition ?

Elle réfléchit.

— La veille… personne. Deux jours auparavant, un officier anglais. Il venait souvent à la maison ou chez mon mari, au bureau. Pour discuter de problèmes techniques, je suppose, mais je n'en sais pas plus.

— Vous connaissez cet homme ?

— Oh oui, un charmant jeune homme. Qui n'avait vraiment pas l'air d'un militaire. Le lieutenant MacDonald. James C. MacDonald.

Signes de vie

Seul le froid libère Stave. Il s'était retourné dans tous les sens dans son sommeil, avait repoussé les couvertures et était resté couché ainsi, baigné de sueur sur le drap froissé, jusqu'à ce que le froid coupant comme une lame de rasoir fasse éclater la bulle de cauchemar qui le retenait prisonnier. Feu. Bombes. Fumée. Une puanteur de chair brûlée. Le visage de Margarethe. Toujours des scènes du même film – différentes toutefois : cette fois, Stave a vu Margarethe dans les flammes. Il les affrontait en hurlant, mais elle ne l'entendait pas crier : son corps gisait sur le sol de la cuisine, gelé malgré la chaleur torride. Le cou portait la trace sombre d'une fine marque rouge. Et ses yeux sans regard recouverts d'une mince pellicule de givre étaient ouverts sur le vide.

Stave se ressaisit : il faut que je résolve cette affaire, sinon elle va finir par me pourrir la vie. Jadis, quand il rentrait à la maison, il se débarrassait de son travail et de ses enquêtes comme d'un manteau à la patère du vestibule. L'appartement était comme une citadelle de bonheur privé. Jusqu'à ce que les bombes tombent.

Stave progresse dans sa chambre en tâtonnant et en jurant. La glace qui couvre les vitres estompe la lumière blanche du petit matin. Tandis qu'il chancelle vers la table de la cuisine, il a l'impression d'être plongé dans une purée de pois : une faible lueur grise masque tout, les proportions de la table sont déformées, elle a perdu son aplomb, de même que celles de la chaise avec son pied rafistolé. À quelques millimètres près, sa main rate le dossier qu'il voulait agripper et il manque renverser le bol à café émaillé. Mais ça n'a pas grande importance : il n'a pas de café, et il n'y a pas plus d'eau chaude que de lumière.

Coupure de courant.

Stave a oublié que l'électricité est coupée deux fois par semaine dans les quartiers de la ville, à tour de rôle, puisqu'il n'y a pas assez de charbon pour les centrales thermiques. C'est au tour de Wandsbek, il aurait dû s'y préparer. Où donc est la bougie ?

Pas besoin de lumière pour réfléchir, se dit-il pour se donner du courage. Il résume les faits aussi bien que possible.

MacDonald. L'Anglais l'a trompé, il lui a caché sa visite chez l'industriel. Pour quelle raison ? Y a-t-il un rapport avec les meurtres ? Hellinger sera-t-il le prochain mort qu'ils vont trouver gelé dans une cave ? Avec, enfin, un indice qui mènera à l'assassin ? MacDonald ? Absurde, en fait.

Mais il ne s'est jamais intéressé à l'alibi du lieutenant. Erna Berg ne lui a-t-elle pas confié qu'il restait parfois introuvable pendant des heures ? Que fait-il durant ce temps ? Ce pourrait être lui. Reste le mobile. Certainement pas le vol. Les officiers des troupes d'occupation britanniques se conduisent comme des seigneurs, des coloniaux. Il lui suffit de penser aux antiquités qu'Anna von Veckinhausen leur vend. Ceci encore : lorsqu'il lui a montré les photos des morts, Frau Hellinger n'a reconnu aucune des victimes. Si elles n'avaient aucun lien direct avec la disparition de son mari, y aurait-il tout de même un rapport entre elles et l'industriel ? Et une fois encore, quel rôle jouerait MacDonald dans cette histoire ?

Et le vol des dossiers ? Dans ces dossiers, le nom de Hellinger est mentionné – un nom qui jusque-là n'apparaissait que sur les listes de l'Office des disparitions et dans la main courante d'un poste de police. Que personne n'a donc remarqué, alors qu'on peut consulter les dossiers des crimes. Stave évidemment, Maschke pour le moins, Cuddel Breuer ainsi que le procureur Ehrlich. Ce qui augmente le risque que l'un d'entre eux, à un moment ou un autre, établisse un lien entre Hellinger et MacDonald. D'autant que ce mystérieux mot anglais, *Bottleneck*, est griffonné sur ce billet, lui aussi classé dans les dossiers. Le lieutenant les fait donc disparaître pour une raison encore inconnue. Parce qu'il veut garder secret son contact avec Hellinger, par exemple. Bien entendu, il sait que le vol va alerter Stave. Mais il sait aussi que l'inspecteur principal ne risque pas de se précipiter chez son supérieur, pas dans une affaire de cette importance. Les dossiers disparus, plus personne ne peut y mettre le nez. Ce pourrait être un mobile.

L'occasion a-t-elle fait le larron ? MacDonald est venu assez souvent au secrétariat pour rendre visite à Erna Berg, y compris en l'absence de Stave. Il a suffi d'une seconde pour que les dossiers se volatilisent sous son manteau d'uniforme. Sa secrétaire est peut-être même complice et c'est elle qui a volé les documents à la demande de son amant. Si elle a mauvaise conscience à cause de son acte, Stave n'a rien remarqué, tellement elle est désespérée par sa situation personnelle.

Il pense à la boucle d'oreille de la morte. Un bijoutier parisien. Des gens riches. Quand la victime aurait-elle pu séjourner à Paris ? Avant la guerre ? Il y a dix, quinze ans maximum, en tant que jeune adulte ? Une adolescente porterait-elle un tel bijou ? Il essaie de se représenter Margarethe avec de tels pendants d'oreilles. Absurde. Jeune et amoureuse, elle rêvait de bien autre chose. D'un appartement plus spacieux. De jouets pour Karl. D'un autre enfant. Cela dit, Anna von Veckinhausen a prétendu que le bijou datait d'avant 1914, une époque à laquelle la quatrième victime était définitivement trop jeune pour l'acheter ou pour qu'on le lui offre. Un bijou de famille donc. Qui peut bien avoir des bijoux de famille français à Hambourg ? Par les temps qui courent ? Des familles riches. Mais pourquoi diable alors personne ne signale-t-il cette disparition ?

L'enquête avance, mais dans quelle direction ? Sa respiration forme des petits nuages devant sa bouche, comme une fumée de cigarette.

Ce qui le ramène à Maschke.

Jusqu'à la veille au soir, il était encore heureux de le savoir au loin. Il a changé d'avis. Il a cru jusque-là qu'il pourrait, grâce à MacDonald, avoir recours aux Britanniques pour le récupérer quand il le déciderait. Mais il ne peut plus faire confiance au lieutenant. Il vaudrait donc mieux que son collègue des mœurs rentre à Hambourg et soit sous son contrôle direct. Il faut absolument que je le joigne au téléphone, se dit Stave, et il ne faudra surtout pas que je me trahisse quand je lui demanderai d'interrompre ses recherches et de rentrer. Immédiatement.

Il enfile maladroitement le lourd manteau. Une fine couche de givre s'est formée durant la nuit qui en recouvre le dos et les épaules, comme un vernis qui craque et poudroie le sol de l'entrée. Tout a pris une taille, se dit-il, j'ai trop maigri. Une taille de trop. Cette affaire est-elle, elle aussi, trop grande pour moi ?

Chapeau, écharpe, gants, pistolet, lampe de poche, carte de police. Pourquoi s'encombrer de tout ça, finalement ? Pourquoi est-ce que je sors dans le froid ? Pourquoi je marche arc-bouté contre ce vent polaire ? Pourquoi je passe mon temps avec des gens comme MacDonald, Ehrlich, Maschke ou Erna Berg, qui poursuivent chacun leur propre intérêt ? Qui suivent leur route sur laquelle je les dérange.

Mais que faire d'autre ? Rester ratatiné dans cet appartement grisâtre et penser à sa femme calcinée ? Et à ce fils aigri qui croupit quelque part ? Si toutefois il est encore vivant. J'ai quarante-trois ans, se dit Stave, et je n'ai pas fait grand-chose de bien dans ma vie.

Il quitte son appartement, verrouille comme toujours soigneusement sa porte, descend l'escalier obscur selon une technique éprouvée. À peine est-il sorti que le vent glacial lui fouette les joues.

— Comment allez-vous ? demande-t-il à Erna Berg une heure plus tard.

— L'enfant se porte bien. D'après le médecin, dans quelques semaines, on verra mon ventre s'arrondir.

Pas d'avortement donc. Stave veut lui demander quelle décision elle a prise. Se confessera-t-elle à son mari ? S'enfuiera-t-elle avec MacDonald ? Mais il trouve ces questions trop intimes. Il referme la porte de son bureau derrière lui.

Il passe son temps à téléphoner. Impossible de joindre Maschke. Stave est inquiet parce qu'il ne trouve même pas un hôtel où il serait descendu la veille. Il ne va tout de même pas s'enfuir ! supplie-t-il, décontenancé, et il se demande s'il ne s'est pas trahi à un moment ou un autre. Il finit par se lever, quitte l'hôtel de police et traverse la place, les quelques mètres qui le séparent du palais de justice.

Ehrlich passe la main sur son crâne chauve. Il a l'air heureux de le voir. Son bureau sent toujours le thé. Earl Grey.

— Que puis-je pour vous ?

Stave aurait bien aimé répondre : « Arrêter mon collègue. » Mais on n'en est pas encore là.

— Je n'ai malheureusement rien de neuf à vous annoncer concernant l'assassin des ruines. Cela dit, je suis sur une autre enquête et je viens vous demander votre soutien. Une assistance administrative discrète, pour ainsi dire.

— La discrétion est la mère du parquet, répond Ehrlich en souriant finement.

J'ai éveillé sa curiosité, se dit Stave. C'est très bien. Mais j'espère qu'il ne sera pas trop à cheval sur les principes.

— Je vous prie de m'autoriser à consulter certains dossiers. Mais je ne vous dirai pas encore au sujet de quelle affaire, si toutefois c'en est une, car je n'en suis qu'au tout début de mes investigations, ment prudemment l'inspecteur principal en espérant que sa mine ne le trahit pas.

— Vous pouvez me donner une idée de cette affaire ? Est-elle politique ?

Stave réfléchit.

— Possible, au sens large du terme. Mais il s'agit avant tout d'une enquête discrète parmi les collègues de la police.

Ehrlich l'observe de ses yeux clairs, limpides.

— Des collègues qui enquêtent avec vous sur l'assassin des ruines ?

— Si je vous répondais, vous auriez vite compris. Il faut que cette affaire reste très confidentielle.

— Bien. De quels dossiers s'agit-il ?

— Oradour. Un village en France, envahi en juin 1944 par une compagnie blindée de la Waffen-SS.

— J'en ai entendu parler, l'interrompt le procureur. Une tuerie.

Puis il observe longuement l'inspecteur de la Brigade criminelle. Une minute passe. Stave est aussi à l'aise qu'un candidat à un examen. Il ne tient pas en place sur sa chaise. Il est inquiet tandis qu'Ehrlich ne le quitte pas des yeux, perdu dans ses pensées.

— Le bureau d'à côté est vide aujourd'hui, finit-il par dire. On va vous y apporter les dossiers. Vous pouvez les consulter, mais pas les emporter. Ils ne sont pas très épais.

— Il n'y a pas eu d'enquête ?

— Si, mais pas de coupables. Juste après le massacre, on a prétendu que le maréchal Rommel avait voulu que la justice militaire entame une procédure. Hitler en personne l'en aurait empêché. Il n'en a plus été question : le régiment a été anéanti fin juin 1944 durant les combats contre les Alliés. Jusqu'au dernier homme.

— Aucun survivant ?

Ehrlich arbore de nouveau son fin sourire.

— Il y a quelques instants encore, j'aurais répondu non. Maintenant, j'ai des doutes.

Stave sourit en retour.

— Merci beaucoup, monsieur le procureur.

— Tenez-moi au courant. Si vous trouvez quelque chose, je veux le savoir. Si vous ne trouvez rien, dites-le-moi aussi.

Peu de temps après, Stave jouit du calme du bureau voisin. Il y fait si chaud qu'il retire son manteau. Ehrlich lui a servi un thé qu'il sirote lentement. Finalement, la vie est belle, se dit-il.

Un documentaliste en blouse grise chaussé de lunettes à monture d'écaille dépose un classeur à levier sur le plateau du bureau. L'inspecteur principal fait un effort pour ne pas être déçu : le classeur est mince, en effet.

Stave a tôt fait de le dépouiller. Il connaît déjà l'histoire du massacre, les précisions de la fillette du foyer pour enfants concordent avec ce qu'il lit. Il survole la liste polycopiée de tous les soldats qui appartenaient à la 3ᵉ compagnie blindée de la Waffen-SS « Der Führer ». Quand il tombe sur « Herthge, Hans », il n'est pas surpris. Pas de « Maschke », en revanche.

Une seconde liste, bien plus courte : les noms des survivants. L'inspecteur principal la parcourt rapidement des yeux. « Desaux, Joseph ; Delluc, Yvonne ; Fouché, Roger ; Magaldi, Anouk. » Quelques autres noms encore, quelques brèves indications. Il recopie tous les noms, mais en réalité il n'a besoin que d'un seul : Magaldi, Anouk. C'est suffisant pour que la fillette soit crédible à la barre d'un tribunal.

Quelques témoignages suivent, dont un extrait du journal de guerre du commandement suprême de la Wehrmacht du 30 juin 1944 : « 3ᵉ compagnie du 1ᵉʳ bataillon du 4ᵉ régiment de grenadiers blindés SS "Der Führer", anéantie. »

Pour terminer, une communication en français, que Stave traduit péniblement avec ce qui lui reste de ce qu'il a appris à l'école : dans le but de les arrêter, le parquet de Limoges a ordonné une enquête et listé les noms de tous les Waffen-SS du régiment. Puis plus rien. Pas une pièce, pas un document qui témoignerait qu'un seul de ces bourreaux a été traduit en justice.

L'inspecteur principal se masse la nuque. Il peut accorder du crédit au récit de la fillette. Hans Herthge était bien un tueur. Reste à prouver que Maschke et Herthge sont un seul et même homme. Encore un dernier trait de crayon et le dessin sera terminé. Il a tout de même le vague sentiment que quelque chose d'important lui a encore échappé.

Stave repose le classeur sur le bureau du procureur Ehrlich.

— Vous voulez me mettre dans la confidence ? lui demande celui-ci.

— Bientôt. Il me reste encore une autre piste à suivre. (Il désigne le classeur.) Vous allez bientôt avoir l'occasion de compléter ces dossiers avec quelques nouveaux documents.

— Vous avez toute ma confiance.

Stave descend la Feldstrasse, traverse le lacis des petites rues de Sankt Pauli, et parvient à Altona. Pour garder sur lui l'agréable chaleur du bureau, il marche vite jusqu'à ce qu'il se retrouve devant le bâtiment de l'Office des disparitions. Il pousse le portail majestueux et jette un coup d'œil sur les rangées sans fin de destins classés dans les tiroirs. Il ne croise personne dans les corridors obscurs. Il semble que les recherches des disparus sont elles aussi prisonnières des glaces. Il frappe à la porte du bureau d'Andreas Brems et entre sans attendre d'y être invité. Il ne croûle certainement pas sous le travail, se dit l'inspecteur principal.

Brems lui sourit d'un air débonnaire et las.

— Vous cherchez votre disparu ou un disparu ?

— Un disparu. Lothar Maschke.

Brems lui désigne une chaise.

— Attendez, s'il vous plaît.

Il sort en traînant les pieds et revient avec une fiche de renseignement jaune.

« Maschke, Lothar, né en 1916 à Flensburg, habitant Hambourg depuis 1920, engagé dans la Marine de guerre en septembre 1939, dernier grade : quartier-maître première classe sur le U-453. 2 juin 1945, signalé comme disparu par sa voisine, Wilhelmine Herthge. »

— Je te tiens, murmure Stave.

Wilhelmine Herthge. Il s'agit sans doute de la mère de son collègue des mœurs, se dit-il. Elle signale la disparition de son voisin Maschke – au moment même où son fils rentre de la guerre. Son fils, qui a survécu aux combats en Normandie, dans lesquels tous ses camarades de la division blindée « Der Führer » ont probablement perdu la vie. Son fils, qui est un des tueurs d'Oradour. Un fils qui craint que ce massacre ne

lui soit un jour fatal. Et qui s'aperçoit qu'un voisin, à peu
près du même âge que lui, a disparu. Un voisin qui n'a plus
de famille, car sinon pourquoi Frau Herthge l'aurait-elle
signalé comme disparu, et pas sa mère ou sa femme ? Il ne
reste plus à Herthge qu'à cambrioler l'appartement vide,
à se procurer les quelques documents et papiers nécessaires
pour adopter son nouveau nom. Il lui suffit de convaincre sa
propre mère, qui ne trahira certainement pas son fils. Un fils
qui reste dorénavant gentiment confiné à la maison et qui ne
risque pas de la quitter. Elle peut même garder son nom. Qui
donc remarquerait que le fils a un nom différent de celui de
sa mère ? Et si cela arrivait, tout le monde penserait que la
mère – elle est peut-être veuve – s'est remariée et porte donc
le nom de son nouveau mari, alors que le fils a gardé celui de
son père. Rien d'inhabituel à une époque où des millions
de femmes ont perdu leur mari.

Le vrai Lothar Maschke est « disparu », mais n'a jamais été
déclaré « mort ». Pas d'enterrement, pas de certificat de décès,
pas de signalement à une administration quelconque. Et qui
ira comparer les noms de tous les habitants de Hambourg
avec ceux des fiches de l'Office des disparitions ? Personne.
Et c'est ainsi que Hans Herthge devient Lothar Maschke.
Le nouveau Maschke se procure tous les papiers nécessaires
– ce qui ne pose pas problème dans une ville où des dizaines
de milliers de cartes d'identité et d'actes de naissance ont été
brûlés dans l'enfer des bombes incendiaires. Qui va vérifier
chaque demande de renouvellement ? Le nouveau Maschke
reprend donc à son compte les attestations de l'ancien,
touche ses cartes de ravitaillement. Il est même possible qu'il
ait été contrôlé par un officier britannique pour vérifier s'il
a eu des liens avec les nazis. Mais les sous-mariniers ne sont
ni importunés ni poursuivis, on les déclare blanchis, on leur
délivre un « certificat Persil ». Et le tour est joué.

Le nouveau Maschke est libre et se sent tellement en sécurité qu'il parle sans complexe du temps passé en France. Il
s'installe dans un nid qui existe déjà et commence une nouvelle vie. Il peut postuler à un emploi. Et quelle plus belle
couverture que la police ?

— Je prends cette fiche, dit Stave à Brems. C'est une preuve à charge.

L'employé hausse les épaules.

— Personne ne s'est encore jamais inquiété de cet homme, il y aurait une annotation, sinon. Le temps d'une copie, pour le bon ordre des choses.

Il tire une fiche vierge d'un carton et transcrit toutes les données à la plume. Il fait tellement froid que l'encre coule difficilement, beaucoup de lettres sont très pâles. Personne ne pourra jamais lire ce gribouillis, se dit l'inspecteur principal. Mais cela n'a aucune importance.

Alors qu'il s'apprête à quitter les lieux sur un signe de tête et qu'il est déjà tourné vers la porte, Brems se racle soigneusement la gorge.

— Je ne voudrais pas vous donner de faux espoirs, monsieur l'inspecteur principal, mais nous attendons pour cette après-midi un courrier de la Croix-Rouge venant d'Union soviétique. Une nouvelle liste de prisonniers de guerre. Je sais bien qu'il est peu probable qu'elle comporte des noms que nous n'ayons pas déjà comptabilisés, mais je ne peux rien exclure non plus.

— Soyez aimable de jeter un coup d'œil sur les « St », répond Stave en espérant que sa voix ne tremble pas. Puis il sort rapidement.

Ne te fais pas d'illusions. Ne te fais surtout pas trop d'illusions.

Sur le chemin du retour à l'hôtel de police, Stave entre dans un café qui a survécu à la guerre – excepté la façade qui manque à l'immeuble de quatre étages, comme si un monstre lui avait arraché le visage d'un coup de dents. La devanture du local a été rafistolée avec des madriers entre lesquels on a posé des vitres fêlées qui laissent passer un peu de lumière, maintenues par quelques clous et du mastic. Un courant d'air glacé s'infiltre aux emboîtements. L'inspecteur principal commande une soupe de pommes de terre, une tartine de pain noir beurrée et du thé.

La soupe d'un jaune pâle a au moins le mérite d'être chaude. Le pain s'effrite entre les doigts, l'espèce de pâte finement étalée dessus est tout sauf du beurre. Le thé sent l'ortie. Il paraît que c'est sain, se console Stave en sirotant le breuvage amer. Lorsqu'il sort du café, il a encore plus faim qu'en y entrant.

Une surprise l'attend dans son bureau : MacDonald est de retour.

— Il faut que je vous parle, annonce le lieutenant, l'air grave.

— Décidément, c'est mon jour de chance, réplique Stave.

Il lui propose de prendre place. Erna Berg leur envoie des regards inquiets par la porte entrouverte. Elle ne sait pas ce que son chéri a sur le cœur, se dit l'inspecteur principal. Elle n'est donc pas informée. Il referme la porte du secrétariat.

— Vous êtes retourné chez Frau Hellinger, commence MacDonald.

Le ton de la voix est sobre. Une constatation, pas une question.

— Vous me faites suivre ?

Le Britannique a un sourire d'excuse.

— Pas vous. Nous surveillons Frau Hellinger.

— Qui « nous » ?

— C'est une longue histoire.

— Et vous êtes venu me la raconter ?

— Je n'ai plus le choix, répond MacDonald en soupirant.

Puis, de nouveau tout sourire, un charmant sourire à la Oxford, il tire d'une serviette trois chemises cartonnées.

Les dossiers des crimes.

— Désolé pour ce désagrément, mon vieux. Je pensais que je m'en tirerais. Mais vous êtes trop coriace. Je vais tout vous expliquer.

Stave fixe les dossiers, puis MacDonald, et il comprend enfin ce que le lieutenant lui dit.

— Que voulez-vous m'expliquer ?

— « Opération Bottleneck », répond le Britannique en souriant une fois encore.

Il lève les mains, les laisse retomber.

— J'aurais dû le faire tout de suite, la première fois que le nom d'Hellinger est apparu.

— Je me rappelle que vous aviez l'air bien ahuri, ce jour-là. Mais j'ai mis ça sur le compte de problèmes privés.

MacDonald jette un regard furtif en direction de la porte close du secrétariat.

— Cette affaire est encore plus compliquée que l'opération Bottleneck. Mais je pense que vous êtes au courant.

— Si je peux vous aider...

— Prenez votre arme de service et faites un mignon petit trou dans la tête du mari d'Erna Berg, réplique le lieutenant avec un rictus. Je plaisante. Il va bien falloir que je résolve ce problème tout seul – l'autre affaire, par contre...

— Celle de l'opération Bottleneck. Vous étiez là, le matin où Martin Hellinger a disparu.

— C'est moi qui l'ai enlevé.

Stave se penche en arrière.

— Racontez-moi ça depuis le début.

— Je suis un officier de Sa Majesté britannique, commence MacDonald. Mais je sers aussi une autre organisation, qui m'a recruté quand j'étais encore étudiant, le British Intelligence Objectives Sub-Committee. Ils avaient un excellent argument pour me convaincre de travailler pour eux : ils ont fait en sorte que le scandale avec la dame mariée de bonne famille s'éteigne comme un feu de paille.

— Il s'agit certainement d'une organisation très spéciale.

— Une sorte (il hésite, cherche le mot adéquat) de service secret.

— Comme la Gestapo ?

Pour la première fois, MacDonald perd contenance et lui lance un regard outré.

— Je vous en prie. Aucun rapport avec la police secrète des nazis. Nous ne sommes que quelques dizaines : des officiers de Sa Majesté, quelques fonctionnaires de divers ministères à Londres, des scientifiques et des techniciens qui enseignent dans des universités, des entreprises triées sur le volet. Nous dépendons directement du gouvernement. Notre boulot consiste à rechercher dans l'Allemagne occupée des scientifiques et des experts qui ont servi le régime nazi.

— Pour les punir ?

— Personnellement, j'en serais ravi. En fait, non, nous ne punissons pas ces messieurs. Nous recherchons des hommes dans tous les domaines de la connaissance. Des ingénieurs aéronautiques. Des physiciens, de ceux qui ont imaginé des bombes. Des gens capables de perfectionner des sous-marins. Mais aussi des experts qui peuvent être utiles à notre économie en bien piteux état : des chimistes qui essayent de mettre au point des engrais, des ingénieurs pour les aciéries et les mines, des techniciens qui ont dans leurs tiroirs des plans pour de nouveaux moteurs de voiture, ou pour des postes de radio plus puissants.

— Ou pour des horloges de précision.

— Et des calculateurs de solution de tir de torpilles. Les machines à calculer sont un domaine d'avenir, ce que le docteur Hellinger a reconnu avant bien d'autres.

— Ensuite ?

— Ensuite nous enlevons ces messieurs, répond Mac-Donald, comme s'il ne s'agissait ni plus ni moins que d'une blague de potaches. Nous frappons à leur porte et nous venons les cueillir. Une course en jeep jusqu'à l'aérodrome militaire le plus proche, un appareil avec les hélices qui tournent – et avant que ces messieurs comprennent ce qui leur arrive, ils sont les hôtes de Sa Majesté dans un château, quelque part dans les Highlands. Ou dans un laboratoire des environs de Londres, ou un chantier naval de Liverpool. Et là on procède à la traite. Nous écrémons le savoir de ces experts, nous les interrogeons, nous les laissons travailler à leurs calculs, faire des expérimentations, nous les laissons visser des trucs. Jusqu'à ce que nous sachions tout ce qu'ils savent. Dont nous nous servons ensuite pour nos propres recherches, militaires ou civiles.

— Et ces messieurs que vous trayez ainsi se laissent faire ? N'y a-t-il pas ce qu'on appelle des brevets d'invention ?

MacDonald s'esclaffe.

— Des brevets d'invention après vingt millions de morts ? Quel est l'intérêt de gagner une guerre ? Jadis, on détruisait les temples des vaincus, aujourd'hui nous nous approprions leurs savoirs. L'un dans l'autre, un prix loyal pour les ravages que vos compatriotes ont faits dans le monde entier. Disons que c'est de bonne guerre.

— Et vos experts partagent leurs connaissances sans broncher ?

— Plus vite ils parlent, plus vite nous les renvoyons chez eux. Nous ne sommes pas des barbares. Nous n'avons pas besoin d'utiliser les méthodes de la Gestapo. Nous attendons. La plupart du temps, nos candidats collaborent dès le premier jour et nous confessent tout ce qu'ils savent. Ils sont fiers de leurs inventions, comme des gamins pleins d'ambition. Même quand il s'agit des armes les plus meurtrières. Surtout là, d'ailleurs.

— Le docteur Hellinger va donc rentrer un jour ou l'autre ?

— Naturellement. Il ne fait pas partie des muets. Malheureusement, cette saleté de froid tient aussi ma patrie dans ses griffes. Nous n'avons presque plus de carburant pour avion. Beaucoup de ports sont gelés. Nous n'avons donc pas encore pu renvoyer Hellinger chez lui, ni en avion ni par bateau. Sitôt le dégel, il rentrera. Il racontera une histoire quelconque à sa femme, pour expliquer son absence. Nous y pourvoirons. Avec sa famille, il recevra des cartes de ravitaillement supplémentaires, réservées aux travailleurs de force, et tout ce petit monde s'engagera à se taire. C'est ça, l'opération Bottleneck. Jusque-là, tout s'est très bien passé. Hellinger serait rentré à un moment ou à un autre, sa femme aurait annulé le signalement de sa disparition. Ni vu ni connu, je t'embrouille. Pas de questions, la discrétion la plus complète.

« Mais il n'y a pas que le froid. Arrive l'assassin des ruines. Et enfin, vous. Hellinger n'a rien à voir avec l'assassin des ruines. Putain de hasard. Mais tout d'un coup, je tombe sur son nom dans les dossiers. Qui sait combien de personnes y ont accès et les lisent ? S'ajoute à cela ce funeste mot griffonné sur un bout de papier froissé. C'est moi qui lui ai révélé le nom de cette opération quand je suis venu le chercher, histoire de lui expliquer ce qui l'attendait, pour ne pas qu'il se rebelle et fasse du scandale. Et il a réussi à me tromper avec ce petit billet ! Je ne sais absolument pas comment il a fait pour l'écrire, il ne m'avait pourtant fallu que deux minutes pour le déloger tranquillement.

— Et c'est pourquoi vous avez, tout simplement, volé ces dossiers trop bavards.

— Je les ai empruntés, nuance ! Vous auriez fini par les retrouver, après le retour de Hellinger. Vous auriez rayé l'industriel de votre enquête, et tout finissait bien.

— Idée stupide.

MacDonald le regarde un instant, confondu, puis il rit.

— Exact. Pas très malin. J'étais venu voir Erna ce jour-là. Vous n'étiez pas dans votre bureau.

— Vous êtes entrés tous les deux dans mon bureau ?

— Ne faites aucun reproche à votre secrétaire. C'est moi qui l'ai convaincue. Nous y étions tranquilles – plus tranquilles que dans le secrétariat, si vous voyez ce que je veux dire...

— Dans ce bureau ! Vous l'avez..., commence Stave, mais il ne sait comment terminer sa phrase.

— Mon Dieu, mon vieux, vous n'avez jamais été amoureux ? On s'est retrouvés tout seuls, l'occasion était trop belle.

— Et vous en avez donc profité pour me piquer les dossiers des crimes. Un vol qui n'a vraiment rien d'une pulsion sexuelle soudaine...

— Ne soyez pas vexé. Je vous jure que seul notre désir nous a jetés dans votre bureau. Mais il est bien connu qu'après, on a les idées particulièrement claires.

— Apparemment pas dans votre cas. (Stave ferme les yeux et réfléchit.) Je vous crois, lieutenant, ne serait-ce que parce que votre histoire est peu ragoûtante et que vos mobiles manquent de jugeote. Je pense aussi qu'Hellinger n'a aucun rapport avec l'assassin des ruines. Mais son nom apparaît dans ces dossiers et, pour le bon ordre des choses, il faudrait que je note pourquoi la disparition de l'ingénieur ne concerne plus notre affaire.

— Et ça va intéresser qui ?

— Personne, vraisemblablement. Seulement j'aime bien procéder selon les règles quand je mène une enquête.

— Faites une exception.

— Sinon ?

— Une seule remarque écrite dans ces dossiers concernant l'opération Bottleneck, et vous êtes le prochain « invité » de Sa Gracieuse Majesté. Il nous restera bien encore un peu de combustible pour avion.

— Je m'en doutais, rétorque Stave. Cela fait longtemps que j'ai envie de visiter un château des Highlands.

— Pas par moins 20.

Stave se tait un moment.

— C'est un argument... Vous avez ma parole que je n'écrirai rien sur l'opération Bottleneck, promet-il. Rien au sujet d'Hellinger. Et pas un mot concernant les dossiers... empruntés.

MacDonald respire profondément.

— Je vous remercie. Il m'aurait été extrêmement pénible d'ordonner quelque chose d'aussi affreux que votre enlèvement. Mais tout doit être fait pour que cette opération reste secrète.

— Vous trouvez pénible d'enlever des gens comme Hellinger ?

— Non, répond le lieutenant sans hésiter. Pour leurs sales besognes, les nazis avaient leurs tueurs – à la Gestapo, dans les camps de concentration et d'extermination. Vous connaissez ces types. Brutaux, sans scrupules, mais trop idiots pour s'emparer du monde entier. Pour cela, Hitler avait besoin de têtes. Comme notre brave ingénieur Hellinger, avec ses calculateurs qui ont remarquablement bien fonctionné, dix mille veuves de marins peuvent en témoigner, de Halifax à Liverpool. Non, je n'ai aucune pitié avec un type comme ça.

— Ça nous fait un point en commun.

— C'est bien pour ça que j'aime tant travailler avec vous, monsieur l'inspecteur principal.

— C'est vrai aussi pour mon collègue Maschke ?

MacDonald se renfrogne, méfiant tout à coup.

— Pourquoi cette question ?

— Que savez-vous à son sujet ?

Le lieutenant hausse les épaules.

— Quand j'ai été détaché pour cette mission, j'ai évidemment consulté les dossiers personnels de mes futurs alliés et collègues.

— Que d'égards !

— Une maladie professionnelle ! En tout cas, il n'y a rien de compromettant dans le sien. Je n'en sais pas plus.

— Vous me montrerez ce dossier ?

— En reconnaissance pour votre coopération dans l'opération Bottleneck ? Avec plaisir. Mais pourquoi me posez-vous la question, précisément à propos de Maschke ?

— À dater de maintenant, moi aussi j'ai un secret pour vous, lieutenant. Mais je vous promets de vous le révéler dès que j'en saurai plus.

MacDonald hoche la tête et se lève.

— C'est de bonne guerre. Dites-le-moi le moment venu.

Alors que le lieutenant a déjà la main sur la poignée de la porte, Stave s'éclaircit la gorge.

— Promettez-moi de ne pas me prendre comme parrain pour votre enfant, dit-il. Même si vous l'avez conçu dans mon bureau.

— Vous vous trompez de date !

MacDonald met furtivement la main à sa casquette et disparaît.

Stave regarde longuement par la fenêtre, après le départ du lieutenant. Il est soulagé d'avoir récupéré ses dossiers. Je tiens à l'aspect formel des choses, se dit-il. Margarethe se serait moquée de moi, elle m'aurait tranquillisé aussi : ce n'est pas si grave.

Le brouillard se lève. Il pense qu'il peut faire confiance à MacDonald, à Erna Berg aussi, même s'il est choqué en pensant que cette femme mariée s'est donnée à un officier des forces d'occupation dans ce bureau, sur le plateau de *sa* table de travail.

La disparition des dossiers est éclaircie. Exit Hellinger. Pas un suspect, et Dieu merci, pas une victime de plus.

Stave a rassemblé suffisamment de témoignages et de documents pour que Maschke soit déféré devant un tribunal comme homme de troupe de la Waffen-SS et tueur d'Oradour. Il se demande s'il ne vaudrait pas mieux l'arrêter sur-le-champ, puis poursuivre son enquête sur l'assassin des ruines. Ou bien faut-il le laisser dans l'ignorance, rester aux aguets et attendre qu'il se trahisse ? Il va falloir que j'en parle à Ehrlich. Le procureur doit se douter du passé nazi de l'inspecteur des mœurs, sinon pourquoi aurait-il débarqué dans son bureau ? Avec sans doute l'intention de le fouiller. Mais Ehrlich ne sait probablement pas que Maschke était à Oradour. Le chasseur de nazis sera reconnaissant à Stave qu'il lui présente ses preuves. Encore un procès, à la Curio-Haus peut-être.

Un coup à la porte interrompt le cours de ses pensées. Erna Berg ouvre, jette un coup d'œil dans le bureau.

— Vous avez un visiteur.

Andreas Brems, de l'Office des disparitions.

Par politesse, Stave veut se lever, mais il a les jambes en coton. Il veut dire quelque chose, ouvre la bouche mais rien n'en sort.

L'employé de l'Office des disparitions, habitué à transmettre des informations pénibles, sourit poliment, approche la chaise réservée aux visiteurs, s'assied, puis sans un mot déplie une feuille de papier qu'il glisse sur le bureau : une liste ronéotypée. Des noms, des noms, des noms.

— Nous avons retrouvé votre fils, dit-il, et il ajoute aussitôt : vivant.

Stave se retient au plateau de son bureau. Ses pensées se bousculent dans sa tête. Karl. Un gamin de dix-sept ans dans un uniforme de la Wehrmacht bien trop grand pour lui, les yeux pleins de colère et le mépris aux lèvres lorsqu'il prend congé de son père.

Ce n'est encore qu'un gamin... Soulagement. Un sentiment de bonheur. Stave fait un effort pour remercier Brems, lui serre la main par-dessus le bureau, puis se penche sur la liste. Il la prend en main, déchiffre les noms. Peu lui importe que sa main tremble et que la feuille bruisse. Le seul lien avec son fils.

— Stave, Karl.

Puis un mot. Stave hésite dans sa lecture, épèle, ne comprend pas.

— Qu'est-ce que ça signifie ? Vorkouta ?

— C'est le lieu de séjour momentané de votre fils. (Brems se racle la gorge avec application.) Un camp de prisonniers. En Sibérie.

— En Sibérie.

Stave ferme les yeux. Depuis des mois, à Hambourg, les gens parlent d'un « froid de Sibérie ». Il a vu les morts congelés, collés contre le sol gelé. Il a entendu parler d'autres morts qui n'ont pas été tués par un assassin, mais rattrapés par le froid. Si, à Hambourg, il fait si froid, qu'est-ce que ça doit être là-bas !

— Que puis-je faire ? s'entend-il demander.

Sa voix est à la fois pleine d'espoir et altérée, éteinte.

— Rien. Pour l'instant. C'est la Croix-Rouge qui a obtenu cette liste. On autorisera peut-être un jour un représentant à se rendre dans les camps en Sibérie, pour s'entretenir avec les prisonniers ou leur apporter du courrier. Mais rien n'est sûr. Bien entendu, nous faisons le maximum pour améliorer le sort de votre fils.

— Quand sera-t-il libéré ?

— Demandez ça au camarade Staline. Personne ne le sait. Quand les trains roulaient encore, il y avait souvent des libérations de prisonniers. Il fait trop froid maintenant. Mais cet hiver va bien finir…

— Je peux au moins lui écrire ?

— Nous nous occuperons de votre courrier. Ne vous pressez pas. Ça va durer des semaines avant que notre représentant parvienne dans le Nord de la Russie. Si toutefois il y parvient. Vous êtes sous le choc. Heureux, mais troublé. Je comprends ça, je suis confronté à ces situations tous les jours. Laissez cette bonne nouvelle faire son chemin en vous. Donnez-vous un peu de temps. Et écrivez à ce moment-là.

— En tout cas, vous avez retrouvé sa trace.

— Lorsque quelqu'un est enregistré chez nous, nous ne le perdons jamais.

Stave réussit enfin à se lever péniblement de sa chaise.

— Merci beaucoup, marmonne-t-il. Et aussi pour vous être déplacé personnellement.

— Vous êtes venu assez souvent chez nous ! réplique Brems et il lui serre la main avant de sortir.

Stave regarde à nouveau par la fenêtre. La nuit couleur d'encre va descendre lentement. Il entend le bruit d'une chaise qu'on racle sur le linoléum du secrétariat quand Erna Berg la range devant son bureau avant de s'en aller. De l'eau gargouille dans un radiateur presque froid. Des pas dans le couloir, puis c'est le silence.

Il faut que je trouve une carte de la Russie, se dit enfin Stave. Que je voie où se trouve Vorkouta.

Une lettre

Mardi, 18 mars 1947

Stave se réveille et sent que quelque chose a changé. Il craint un instant qu'il y ait quelqu'un dans sa chambre. Il s'assied d'une pièce dans son lit, parcourt les lieux du regard. Personne. C'est alors qu'il comprend.

Dehors, un oiseau chante. Pas de carapace de glace sur les vitres, quelques petites flaques d'eau sur les entablements de fenêtres, venues à la fonte des fleurs de glace. Son haleine ne fume plus à sa bouche, ses mains ne lui font plus mal, pas d'appréhension quand les pieds vont toucher le sol, saisis par le froid.

Stave se lève avec lenteur, il ne fait pas confiance à cette douceur, va à la fenêtre, cligne des yeux. La lumière du soleil. Le mur d'en face baigne dans une lueur jaune et chaude. Trois, quatre passants qui marchent lentement, méfiants. Ils ont gardé leur écharpe et leur manteau. Un seul a retiré son bonnet. Quand est-ce que j'ai vu un tel spectacle pour la dernière fois ? se dit Stave. Une tête nue dans la rue.

Il renonce à son petit déjeuner, s'asperge le visage, s'arrête devant la porte de l'appartement. Prendra-t-il son manteau ? Ne sois pas trop téméraire, se dit-il en décrochant la lourde étoffe. Il attrape son pistolet et le fourre sous sa veste. Sa carte de police. Mais il laisse la lampe de poche sur l'étagère : inutile avec une telle luminosité.

Dès qu'il a posé le pied dans la rue, il se sent pris entre deux mondes : le froid du sol gelé qui lui monte aux genoux quand la tête et le torse baignent dans la chaleur du soleil et de cet air soyeux et doux. Stave respire profondément, il veut aspirer en lui la promesse du printemps, les bourgeons, les feuilles, l'herbe. Mais il est encore trop tôt. Le vieux mélange de poussière de ciment, de suie et de pourriture lui agresse les narines plus encore qu'auparavant, crisse entre ses dents. Il déboutonne son manteau, marche lentement, savoure chaque pas. Des dizaines de personnes patientent au coin d'une rue avec des seaux, des carafes, de vieux bidons. Ils attendent calmement leur tour pour les remplir avec l'eau d'une pompe qu'on actionne à la main – des malchanceux dont les conduites d'eau ont éclaté durant ces dernières semaines et qui n'ont d'autre choix que de s'alimenter aux fontaines publiques. Stave longe la file, la veille encore constituée de silhouettes enveloppées comme des momies. Plus personne ne dissimule son visage sous un châle, on parle à son voisin. Des éclats de rire poursuivent encore l'inspecteur principal alors qu'il a depuis longtemps dépassé l'attroupement. Un homme âgé qu'il croise sur le trottoir lève son chapeau pour le saluer. Alors qu'il porte le regard sur une femme, elle rougit timidement, avec un doux sourire. Deux écoliers tapent dans un morceau de brique avec leurs chaussures en loques et l'envoient dans les décombres. Des survivants, se dit Stave, nous sommes tous des survivants.

Est-ce que le dégel est aussi arrivé en Sibérie ? Ou est-ce qu'il y fait toujours froid ? Incapable de découvrir ce nom sur une carte de l'Union soviétique, Stave a trouvé Vorkouta avec l'aide de Brems. Un point minuscule au nord de l'Oural. Très éloigné de toute ville, de toute ligne de chemin de fer telles qu'indiquées dans les atlas. L'inspecteur principal s'est demandé comment son fils y était parvenu, comment il est allé de Berlin à Vorkouta. Il lui a écrit une lettre. Il lui a fallu toute une nuit à la lumière d'une bougie, une de ces nuits glaciales. Il a eu du mal à trouver ses mots. « On ne peut pas dire que vous soyez un poète », l'avaient moqué le procureur Ehrlich et Anna von Veckinhausen.

Évidemment, il n'a pas parlé d'elle dans sa lettre, il a honte devant son fils. Pas un mot non plus de l'assassin des ruines. Des souvenirs de Margarethe, des descriptions de Hambourg, enjolivées, il ne veut pas inquiéter son fils... Des banalités. À la fin seulement – il avait même déjà signé « Ton père » –, il a ajouté un post-scriptum : « Je t'aime, et tu me manques. » Quand a-t-il fait une telle confidence à son fils ? Lui a-t-il même jamais dit qu'il l'aimait ? Il ne parvient pas à se le rappeler.

Des survivants, se dit de nouveau Stave en observant furtivement les passants qui traversent la rue en courant, un air de liberté sur le visage. Si on survit à cet hiver à Hambourg, pourquoi pas à Vorkouta ? Karl est jeune et fort. Il survivra. Il le faut.

Quatre semaines ont passé depuis que MacDonald lui a avoué qu'il avait « emprunté » les dossiers, qu'il lui a révélé le contenu de l'opération Bottleneck. Quatre semaines depuis qu'il connaît la véritable identité de Maschke. Quatre semaines difficiles, sans nouvelle avancée.

Pas de nouveau cadavre, se dit l'inspecteur principal, c'est déjà ça. Chaque jour qui passe sans découverte spectaculaire est un jour où la laisse se fait un peu plus lâche à son cou. Stave a l'impression d'avoir les coudées plus franches, une plus grande liberté d'action. Pas de cadavre – pas de gros titres. Pas de gros titres – pas de panique parmi la population. Pas de panique – plus de questions embarrassantes du maire, de Cuddel Breuer, pas même du procureur Ehrlich. Et de plus, ce matin, cet air de printemps qui s'annonce comme par magie. L'assassin des ruines sera vite oublié.

Sauf par moi, se dit Stave. Sauf par moi.

Quand il parvient à l'hôtel de police, Erna Berg le salue en détournant la tête. L'inspecteur principal s'étonne, se penche sur elle. Elle a un coquard à l'œil droit.

— Votre mari ?

Elle montre son ventre qui s'arrondit déjà un peu.

— Je lui ai tout avoué. Difficile de cacher ça plus long-temps.

— Je vais régler ça, lance MacDonald.

Il a fait irruption dans le secrétariat sans qu'ils l'aient entendu venir.

— Parlons-en dans mon bureau, réplique Stave.

— Tous les trois, enjoint le lieutenant et il prend Erna Berg par le bras.

— Que comptez-vous faire ? demande Stave en s'asseyant.

Erna Berg occupe le siège réservé aux visiteurs, MacDo-nald reste debout derrière elle, les mains sur ses épaules.

— Je vais divorcer, répond sa secrétaire.

— J'ai déjà trouvé un appartement pour Frau Berg, com-plète le lieutenant. (Il sourit.) Dès que cette pénible histoire sera derrière nous, nous nous marierons.

— Mais vous avez un fils, intervient Stave en se tour-nant vers sa secrétaire. Inutile de se le cacher : vu la situation, n'importe quel juge attribuera l'enfant au père, la mère ayant commis un adultère.

— Je m'occupe de ça aussi, rétorque MacDonald, la voix assurée. Cet enfant grandira avec nous.

L'inspecteur principal le fixe longuement jusqu'à ce qu'il comprenne que le lieutenant parle très sérieusement – et qu'il gagnera ce combat. En réalité, il devrait avoir pitié du mari d'Erna Berg, qui a perdu sa jambe à la guerre et qui, à présent que la guerre est finie, perd aussi sa famille. Mais les traces de coups sur le visage de sa secrétaire bouleversent Stave. Et soudain, sans qu'il puisse s'en défendre, il est envahi d'une grande sympathie pour ce jeune officier britannique, si sûr de lui, si poli et si désinvolte, et qui lui ressemble si peu.

— Vous avez ma bénédiction, dit-il.

— Je ne savais pas que vous étiez aussi curé, réplique MacDonald, rigolard.

Le visage d'Erna Berg, le côté gauche, qui n'est pas enflé, est parcouru de frissons. Elle ne va pas tarder à pleurer, se dit Stave.

— Y a-t-il du nouveau concernant notre affaire ? demande-t-il rapidement avant qu'ils ne deviennent tous trois trop sentimentaux.

— Rien, monsieur l'inspecteur principal, répond sa secrétaire. (Elle respire profondément, se redresse, sourit timidement, l'air un peu conspirateur.) Pas de nouveau cadavre. Aucune nouvelle requête du directeur Breuer.

— Je me demande ce qu'il y aurait de pire, lance Stave, soulagé, un autre cadavre ou Breuer.

Il lève la main droite comme pour chasser Erna Berg et MacDonald du bureau, mais suspend son geste, qui hésite entre une bénédiction et un salut amical.

— Prenez votre journée, dit-il à sa secrétaire. Vous avez votre appartement à installer. Et sans doute encore quelques bricoles à régler.

Trente secondes plus tard, il est seul.

Stave fixe le regard sur les dossiers des crimes. Ils ne sont pas plus épais qu'un cahier d'écolier. Il les a disposés en éventail devant lui. Il finit doucement par accepter que son enquête fasse du surplace. Qu'elle ne progressera peut-être jamais plus.

Pas de nouveau crime. Soit. D'un côté, c'est rassurant. Mais cela signifie aussi qu'il n'y a aucune chance que l'assassin commette une erreur. Ou que l'une de ses victimes se défende avec succès. Qu'un témoin l'observe. Que quelqu'un finisse enfin par identifier une victime.

À présent que le dégel est là, il va aussi pleuvoir un jour, se dit l'inspecteur principal. L'eau va décoller les affiches, les photos anthropométriques vont glisser des colonnes, la pluie va délaver les textes incisifs de Stave. Il n'a pas l'autorisation de faire imprimer de nouvelles affiches, pour ne pas inquiéter la population.

Que faire de ces quatre crimes, consignés dans ces quelques documents étalés sur son bureau ? Toutes les investigations ont été menées, tous les témoins interrogés, toutes les pistes suivies. Le hasard le servira peut-être un jour. L'assassin se trahira, ivre dans un bistrot quelconque. C'est arrivé plus d'une fois. Peut-être quelqu'un va-t-il débarquer à Hambourg, qu'il verra une des affiches jaunies et délavées sur un mur, miraculeusement conservée, et qu'il s'écriera : « Mais je la connais, celle-là ! »

Et sinon ? L'assassin des ruines s'en tirera, reconnaît Stave, résigné. Et il m'obsédera ma vie durant. Et je me demanderai toujours : Qu'est-ce que tu as négligé, que tu n'as pas remarqué ?

Ces états d'âme ne vont pas t'avancer à grand-chose, se dit-il. Il rassemble les dossiers en soupirant, les empile, les range soigneusement à leur place, se lève péniblement de sa chaise et se dirige vers la porte, une autre chemise cartonnée à la main : le dossier personnel de Lothar Maschke, que MacDonald lui a laissé. Avec quelques autres documents intéressants. Il compte se rendre au bureau du procureur Ehrlich.

Qu'est-ce qui a bien pu t'échapper ? se dit-il de nouveau en longeant le couloir. Quelque chose que tu n'aurais pas vu. L'escalier et ses motifs géométriques déconcertants. Que tu n'as pas vu. Pas vu. Le hall d'entrée, l'éléphant en bronze. Pas vu. La sculpture de femme. Pas vu. Une Mercedes devant l'hôtel de police. Pas vu. Le chemin qui mène au parquet. Chez le procureur Ehrlich. Pas vu. La statue de femme. Ehrlich. La femme. Femme. Ehrlich.

« Mais que je suis con ! » s'écrie tout d'un coup Stave.

Et il se met à courir.

Des noms

Stave se hâte de rebrousser chemin vers l'hôtel de police. Cette satanée jambe ! Il court si vite qu'il trébuche. Il est hors d'haleine en arrivant devant l'imposant bâtiment. La Mercedes y est toujours stationnée. La clé de contact. Stave ouvre brutalement la porte, se jette sur le siège, démarre moteur hurlant. Il se soucie des consignes comme d'une guigne.

Partout des cyclistes, des promeneurs qui recherchent la chaleur du soleil. L'inspecteur principal jure et klaxonne, accélère, crispe ses mains sur le volant, pousse la vieille voiture dans le roulis des virages.

La solution est sur son bureau depuis un mois – mais pas dans les cotes des dossiers sur lesquels il a veillé avec tant de soin. Dans ses notes ! Et je n'ai rien vu ! Il pourrait se gifler. J'espère que mon témoin vit encore, se dit-il. Qu'il n'est pas mort de froid, de cet hiver, comme tant d'autres.

Yvonne Delluc.

C'est le nom qu'il a recopié, péniblement griffonné. Le nom d'une survivante d'Oradour. Et ce nom, il l'a déjà lu : dans les fiches de Maschke, ces fiches sur lesquelles l'inspecteur des mœurs a immortalisé les gagneuses et leurs maquereaux. Il se le rappelle à présent, comme s'il venait tout juste de sortir du bureau de Maschke : « Yvonne Delluc. *A de la famille ici.* »

Une survivante d'Oradour. Une Française. La boucle d'oreille d'un bijoutier parisien. Stave n'a aucune idée de ce qui a pu jeter cette femme sur les bords de l'Elbe. Pas étonnant que personne ne l'ait identifiée. Pas un voisin. Pas un Britannique. Pas un DP – les personnes déplacées sont d'anciens travailleurs forcés et des ex-détenus de camps de concentration échoués à Hambourg. Les survivants d'Oradour, quant à eux, sont des citoyens français ordinaires du Limousin, au centre de la France. Aucun d'entre eux n'a jamais été traîné de force dans le Reich.

« A de la famille ici », dit la note de Maschke/Herthge. Maschke, le seul des tueurs d'Oradour qui a réussi à s'en tirer. Il repère la survivante d'Oradour. Il note son nom et sait que d'autres membres de sa famille vivent à Hambourg.

Yvonne Delluc. Est-ce le nom de la jeune fille ? De la femme plus âgée ? De la fillette ? Stave le saura – peut-être. Il appuie à fond sur la pédale d'accélérateur, le moteur gronde, un pneu hurle lorsqu'il dérape dans un virage.

Comment Maschke a-t-il bien pu rencontrer Yvonne Delluc ? Le hasard ? Sur la Reeperbahn, l'une des filles a déclaré à l'inspecteur principal que le policier des mœurs était bien trop zélé – si zélé qu'il prenait même d'innocentes femmes pour des putains. Est-ce ainsi qu'Yvonne Delluc a croisé sa route ? Une femme élégante, qui n'avait rien d'une ouvrière, avec un nom français ? Beaucoup de prostituées s'affublent de ces noms français, sauf qu'il s'agit de son vrai nom. Maschke, qui pense interpeller une putain, s'aperçoit tout à coup qu'il a en face de lui un témoin de la tuerie – et il l'élimine. Puis, pour mettre toutes les chances de son côté, il massacre aussi le reste de sa famille. Il se porte ensuite volontaire pour l'enquête et il est ainsi toujours au plus près des investigations. Pour intervenir à temps si nécessaire. Pour guider l'équipe sur de fausses pistes. Ou pour disparaître au moment voulu.

« Centrale à voiture 1 – Centrale à voiture 1 – Signalez immédiatement votre position. »

Stave sursaute quand la voix grésille dans le haut-parleur. Furieux, le regard fixé sur la route, il cogne du poing sur l'appareil jusqu'à ce que la voix métallique se taise. Freins hurlants, la Mercedes s'arrête dans un gargouillement sourd. Stave en descend vivement. Devant lui s'élève le blockhaus d'Eilbek.

L'inspecteur principal ouvre la porte en acier avec une telle violence que le battant s'en va taper contre le mur. Il se rue au premier étage en longeant les cloisons de planches. L'air est encore plus humide que lors de sa première visite deux mois auparavant, tiède à présent, sentant le moisi, la pourriture. Le même ciré de marin en loques barre encore l'entrée qu'il cherchait.

Stave respire profondément, soulagé. Anton Thumann est vivant. Il entre précipitamment dans le réduit. Le vieux marin saute de sa couchette, poings en avant, le reconnaît.

— Ça peut se faire plus poliment, monsieur l'inspecteur principal ! lui crie-t-il, tout en restant en garde.

Stave ravale sa colère. Que de temps gagné si cette loque humaine avait parlé ! Une des premières personnes qu'il a interrogées, le jour même où ils avaient trouvé le premier cadavre. La jeune morte. Thumann avait parlé d'une famille française logée dans le réduit voisin, une famille qui avait été emmenée par un policier. Un policier !

Stave farfouille dans la poche de sa veste. Anton Thumann écarquille les yeux.

— Ne tirez pas ! crie-t-il.

L'inspecteur principal ignore sa supplication, lui colle les photos des victimes sous le nez d'une main tremblante de colère. Le vieux marin, soulagé, baisse les poings.

— C'était ceux d'à côté, dit-il d'une voix indifférente. Les Français.

L'inspecteur principal ferme un instant les yeux. Il a du mal à se contrôler.

— Pourquoi ne pas avoir signalé ça à la police ? demande-t-il.

— Et pourquoi donc ?

— Vous n'avez donc pas vu les affiches, dans toute la ville ? demande Stave, désemparé.

Thumann fixe la cloison de planches disjointes, le regard éteint.

— D'abord, faut vous dire que je sors très peu. Et quand ça m'arrive, je ne regarde jamais ces trucs-là. Parce qu'en fait, je ne sais pas lire. J'ai jamais vraiment appris. J'en ai pas besoin, non plus, faut dire.

Stave s'adosse aux planches brutes, se passe la main sur les yeux.

— Vous savez comment s'appelait cette famille qui habitait à côté de vous ?

— Ils ne se sont jamais présentés.

— Delluc ?

— Peut-être bien. Pas sûr.

— Décrivez-moi cette famille. Combien de personnes ? Des hommes, des femmes, des enfants ?

— Un vieux qui se déplaçait toujours avec une canne. Deux femmes. Des dames de la haute, si vous voyez ce que je veux dire. Une jeune, mignonne, mais effrontée. L'autre aussi était mignonne, mais plus si jeune. Et une gamine encore, une chieuse faut dire.

— Quel âge ?

— Aucune idée, j'ai pas d'enfants. Petite, quoi.

L'inspecteur principal respire profondément. Ça va nous faire un excellent témoin à la barre ! se dit-il, résigné.

— Plutôt six ans ? Ou quatorze ?

— Plutôt six.

— Y avait-il encore d'autres personnes dans cette famille ?

— Que les quatre des photos, pour autant que je sache.

Stave lui montre une autre photo. Un cliché tiré du dossier personnel de Maschke.

— C'est lui, le policier qui est venu chercher cette famille ?

— C'est lui. Il a enfumé tout l'étage, mais il m'a même pas donné une Lucky Strike. Un méchant con arrogant.

— Ils l'ont suivi de leur plein gré ?

— Vous avez déjà vu des gens, vous, qui suivaient des flics de leur plein gré ?

— C'est-à-dire ?

— Le policier n'a pas eu à les bousculer. Pas de matraque, pas de menottes. Il a même pas eu besoin de gueuler. Mais faut dire qu'elles n'avaient pas l'air contentes.

— Qui ça, elles ?

— La femme plus âgée et la fillette. Les deux autres étaient pas là. Aucune idée d'où ils pouvaient être. En tout cas, ils sont jamais revenus.

— Le réduit d'à côté est à nouveau occupé ?

— Oui, mais je connais pas le nom des locataires.

— Aucune importance. Est-ce qu'il reste encore des affaires de cette famille française ?

Thumann baisse la tête.

— Y a plus rien, marmonne-t-il.

— Plus rien ? Le policier a tout emmené ?

— Non. Quand les Français ont pas rappliqué après quelques jours, il y a quelques jeunes de l'étage du dessus qui sont descendus et qui ont tout piqué.

— Bien. Vous allez vous rendre à l'hôtel de police de la Karl-Muck-Platz. Vous vous présenterez à l'inspecteur Müller. Il recueillera votre déposition.

— Pourquoi vous m'y emmenez pas en voiture ?

— J'ai encore à faire.

— Et si j'y vais pas ?

— Je vous collerai dans un trou à côté duquel même ce bunker ressemblera à un palace.

Stave traverse la ville à toute allure. J'espère qu'ils ne recherchent pas déjà la voiture, se dit-il. Et qu'il reste assez d'essence. Il lui faut plus d'une heure pour se rendre au Warburg Children's Health Home. Il freine au dernier moment et manque emboutir le portail. Il klaxonne, descend, écrase son pouce sur la sonnette. Le jeune homme qui lui a ouvert la porte lors de sa première visite accourt.

— Il y a des enfants ici ! lui crie-t-il, outré, en lui ouvrant néanmoins le passage.

— Et je veux en voir un, rétorque l'inspecteur principal qui fonce sur l'allée en faisant gicler les gravillons.

Thérèse DuBois est debout devant une fenêtre de la véranda et l'observe. Quelques instants plus tard, elle l'accueille à la porte du foyer.

— Vous l'avez arrêté ? crie-t-elle.

— Il faut que je parle à Anouk Magaldi, répond Stave.

Cinq minutes plus tard, il présente à la fillette les photos des victimes. Au cours de ses deux précédentes visites, il n'avait pas osé les montrer aux plus jeunes des enfants. Et de plus, lui avait assuré la gouvernante, ils ne quittent jamais le foyer. Dans ces conditions, comment Anouk Magaldi aurait-elle pu les voir sur une colonne d'affichage ?

La petite examine les photos. Le regard est triste, mais elle ne semble pas particulièrement intéressée. La première. La deuxième. Stave retient son souffle. La troisième. Puis elle fixe la quatrième, prend son temps, soudain les larmes aux yeux. C'est celle de la jeune femme.

— Mademoiselle Delluc, murmure-t-elle.

L'inspecteur principal respire profondément, se laisse aller contre le dossier de son fauteuil en osier.

— Une survivante d'Oradour ? demande Thérèse DuBois.

— Qui a rencontré son meurtrier à Hambourg, complète Stave à voix basse.

— Votre collègue ?

Il opine, l'air accablé.

— Mon collègue qui s'est engagé dans la police sous un faux nom. Qui était un soldat de la Waffen-SS. Qui a réussi je ne sais comment à échapper à la mort et qui est le seul tueur d'Oradour encore en vie. Qui a rencontré cette femme dans une rue de Hambourg, un témoin de ses crimes, qui l'a étranglée pour se protéger et l'a entièrement dépouillée pour qu'on ne puisse pas l'identifier.

— Et les trois autres victimes ?

Stave questionne Anouk Magaldi et il sait rapidement qu'elle n'a jamais vu les parents d'Yvonne Delluc. La jeune française n'était pas d'Oradour, elle y était de passage chez des amis. Sa famille devait habiter ailleurs.

— À Paris, peut-être, murmure Stave.

Il pense à la boucle d'oreille. Et à la médaille. Il en montre une photo à la fillette. Elle lui sourit, et sort de dessous le col de son pull-over une médaille identique attachée à une chaînette. Stave écarquille les yeux sur le minuscule bijou qu'elle lui présente.

— J'étais si près de la solution, murmure-t-il. Si souvent, si près...

Il se ressaisit.

— Une croix et deux dagues ? Qu'est-ce que cela signifie ?

Anouk Magaldi parle, très vite. Avec de la fierté dans la voix. Thérèse DuBois traduit.

— Les armoiries d'Oradour. Ne me demandez pas ce que signifient ces symboles. Cette médaille, les survivants la portent, et beaucoup de leurs parents. Un souvenir.

— Leurs parents, répète l'inspecteur principal, satisfait. Je finis par avoir tous les éléments. La petite peut-elle encore me dire quelque chose sur Yvonne Delluc ? Sa profession ? Était-elle mariée ? Est-ce qu'elle a des enfants ?

La fillette réfléchit, secoue la tête, puis sourit.

— Elle est juive, comme moi, traduit la gouvernante qui ajoute : Pourquoi une femme juive, qui a réussi à échapper à un tel carnage, vient-elle dans le pays des tueurs ?

— Je n'ai pas la réponse, rétorque Stave, l'air morne. Mais patience. Vous allez probablement bientôt apprendre tous les détails. Au prochain procès à la Curio-Haus.

Pause de midi. J'espère qu'Ehrlich n'est pas au restaurant ou dans un club des Britanniques, se dit Stave. Il faut qu'il lui rende compte de ces informations. Il a de la chance et il a tôt fait d'être assis en face du procureur, qui le toise par-dessus le bureau derrière ses énormes lunettes.

Stave parle du passé de Lothar Maschke, qui en vérité s'appelle Hans Herthge et qui dans une première vie était un homme de troupe d'une division blindée de la Waffen-SS. Il lui parle de l'orpheline du foyer Warburg, de la carte de France trouvée dans le tiroir du bureau du policier des mœurs – sans toutefois raconter en détail comment il se l'est procurée. Ehrlich, se rappelant leur rencontre nocturne inopinée dans le bureau de l'inspecteur, comprend soudain, opine brièvement. L'inspecteur principal pose la fiche de Maschke qu'il tient de l'Office des disparitions à côté de la carte Michelin. Il rapporte ce qu'il sait du blason d'Oradour gravé sur les médailles trouvées à côté de deux des victimes. Du bijou de Paris. Du marin analphabète du bunker d'Eilbek, qui ne regarde pas les affiches parce qu'il ne sait pas lire et qui ne s'étonne pas qu'une famille qui a vécu à côté de lui disparaisse du jour au lendemain. Une famille française.

Ehrlich écoute patiemment. Puis il nettoie ses verres de lunette et sourit de contentement.

— Quelle est votre version du déroulement des faits ?

— Herthge alias Maschke rencontre par hasard Yvonne Delluc à Hambourg. Je ne sais pas s'il reconnaît tout de suite en elle une survivante d'Oradour. Ou si c'est elle qui le reconnaît et lui demande des comptes. Je ne sais pas non plus pourquoi la jeune femme est venue ici avec sa famille. Ni, incidemment, quels sont ses liens de parenté exacts avec les autres victimes.

« Ils se rencontrent donc. Herthge/Maschke se rend compte que cette jeune Française pourrait lui mettre la tête sur le billot. Il la tue. Pas tout de suite, vraisemblablement, pas dès cette première rencontre. Il la fuit peut-être. Peut-être qu'il lui raconte des histoires. Ou qu'il l'enlève et la retient prisonnière. De toute façon, il a pris le temps de l'inscrire sur une fiche où il mentionne aussi qu'elle a de la famille en ville. Ce qu'il a découvert je ne sais comment.

« Il est donc prudent, travaille avec méthode. Il attend de connaître la situation réelle d'Yvonne Delluc avant de frapper sans pitié, puis de supprimer toutes les traces. Il la tue quelque part et dissimule son cadavre dans les ruines. Je ne sais pas encore comment il l'a transportée. Il épie le vieil homme et l'assassine, apparemment là où il l'a agressé. Il a peut-être appris qu'il suivait toujours le même itinéraire. Et enfin, sous un prétexte quelconque, il attire hors du bunker la femme plus âgée et la fillette. Elles ne comprennent problablement pas ce qu'il leur veut, elles n'étaient pas à Oradour au moment du massacre. Il les tue et dissimule les deux cadavres. Bien possible cette fois qu'il les ait transportés sur les lieux où nous les avons trouvés avec une voiture et qu'il les ait déposés dans les décombres au moment où il s'est senti le plus en sécurité.

« Qu'a-t-il à craindre ? Yvonne Delluc et sa famille ont trouvé refuge dans le blockhaus, selon toute vraisemblance pour quelques semaines seulement. Les troglodytes des bunkers ne s'occupent pas de leurs voisins. Il y a de grandes chances pour qu'aucun d'entre eux ne se rappelle jamais cette famille. Et il semble aussi qu'aucun Hambourgeois ne l'ait connue. La petite n'allait pas à l'école, ce qui explique que toutes les recherches de ce côté-là ont été vaines. Pas de cartes de ravitaillement à leur nom. Pas un médecin qui ait soigné l'un d'entre eux, ni à Hambourg ni dans toute l'Allemagne. Il aurait fallu faire des recherches en France. Comment aurions-nous pu le savoir ?

« Quand on a enfin trouvé le premier mort, Herthge/Maschke se déclare volontaire pour la cellule d'enquête – afin de garder la situation en main. Il sait que nous allons trouver d'autres cadavres encore et que ça va faire des vagues. Mais il ne sait pas qu'en dépouillant les morts avec trop d'empressement, par crainte d'être surpris, il a oublié quelques menus objets. Et il ne se doute pas qu'il y a encore à Hambourg une autre survivante du massacre, un témoin qui a fini par me mettre sur la piste.

— Vous pensez qu'Herthge ne se méfie pas ? Ou qu'il se doute que vous êtes sur sa trace ?

— Hélas, concède Stave, j'ai envoyé Maschke alias Herthge dans le Nord pour chercher des informations sur l'assassin des ruines. Il devrait être en train de rendre visite à tous les chirurgiens du nord de l'Allemagne. Je n'ai appris sa double identité que lorsqu'il était déjà parti. À intervalles irréguliers, il nous a fait un rapport téléphonique. Mais depuis un mois, plus rien.

— Vous avez alerté tous les services et tous les postes de police ?

— Discrètement. Ils ont pour consigne de rechercher Maschke, mais je leur ai demandé ça de manière qu'ils croient que nous nous inquiétons à son sujet.

— Nous pouvons à présent nous passer de cette discrétion. Lançons un avis de recherche à l'encontre de Maschke/Herthge.

Ehrlich se laisse aller contre le dossier de sa chaise et, satisfait, il observe l'inspecteur de la brigade criminelle.

— Vous le soupçonniez depuis longtemps ? lui demande Stave.

Le procureur sourit.

— Parce que, moi aussi, je voulais rendre une petite visite discrète à son bureau ? Effectivement. J'avais des informations : des dépositions de membres de la SS qui – avec comme seule perspective d'avenir le billot ou la prison à vie – ont dénoncé des camarades. On s'entraide dans ces milieux-là ! Et si quelqu'un disparaît ou change d'identité, ça se sait rapidement. Le nom de Maschke est tombé. Un officier de police. Ça m'a mis la puce à l'oreille. Mais il n'y a aucun SS de ce nom dans aucun dossier. J'ai fini par penser que « Lothar Maschke » pouvait révéler un changement d'identité, et que cet homme s'était engagé dans la Waffen-SS sous son véritable nom. Nom que j'ignorais tout comme ses états de service. Je suis très impatient de questionner Herthge pour lui demander ces détails. Dans la salle d'audience. Je vous dois énormément.

— En ce cas, vous pourriez certainement me rendre deux services, réplique Stave.

Le procureur lève un sourcil.

— Et qui seraient ?

— Appeler Cuddel Breuer et lui expliquer pourquoi j'ai « emprunté » sa Mercedes.

Ehrlich rit.

— Entendu. Un bel euphémisme pour un vol, soit dit en passant, tel qu'un directeur de la police judiciaire n'en a certainement jamais entendu de la bouche d'un procureur. C'est avec plaisir que j'exaucerai cette prière. Ensuite ?

— J'aimerais savoir qui sont les trois autres victimes. J'aimerais des noms. Je sais que cela n'a plus aucune importance. Mort, c'est mort. Mais je me sentirais mieux si je pouvais mettre un nom sur leurs cadavres. Qu'au moins les noms restent en mémoire.

Le procureur opine.

— Je suis d'accord avec vous.

Un petit coup de téléphone et Ehrlich jette un coup d'œil rassurant à Stave, qui attend sagement sur sa chaise.

— Votre patron voulait simplement savoir si vous aviez cabossé sa Mercedes. Et il se réjouit de lire votre rapport. Il estime que la solution de l'affaire de l'assassin des ruines tombe bien avec la fin de l'hiver.

La conversation suivante est bien plus longue. Le procureur parle français, avec un fort accent, se dit Stave, mais couramment. Il acquiesce souvent d'un hochement de tête, prend des notes, fronce parfois brusquement les sourcils. Il n'apprécie pas ce qu'il entend, se dit l'inspecteur principal. Stave espère que ça ne va pas poser de problèmes. Pas maintenant.

Ehrlich repose enfin le combiné. Un geste doux.

— Les Delluc sont juifs, commence-t-il.

— Ça, je le savais.

— Une famille dont plusieurs membres ont été déportés. Les autres se sont cachés. Trois à Paris. Une femme à Oradour.

— Yvonne Delluc.

— Le grand-père, René Delluc, était chez des amis qui n'ont pas hésité à l'aider, même durant ces temps difficiles. Il a un fils et une fille. Le fils a été déporté. Sa fille Georgette s'est cachée avec lui.

— La femme à la cicatrice.

Ehrlich ponctue d'un hochement de tête.

— C'est la tante de la fillette : Sarah. Et aussi d'Yvonne Delluc. Sarah et Yvonne sont sœurs. Les filles du fils déporté.

— Qu'est-ce qui les a amenés à Hambourg ?

— La nostalgie de la Palestine, d'après mon collègue français. Il n'a aucune preuve de ce qu'il avance. Il y a néanmoins des indications concordantes selon lesquelles, à dater de 1945, les Delluc ont tenté d'atteindre la Terre sainte. Mais les Britanniques n'y laissent émigrer personne, comme vous le savez. (Stave se rappelle ce que Thérèse DuBois lui a confié.) C'est pourquoi ils ont voulu tenter leur chance depuis la zone d'occupation britannique, où les contrôles sont moins sévères. Parce que le port a déjà été gravement touché. Les Britanniques sont contents quand des cargos peuvent encore charger ou décharger sans problèmes leurs marchandises. Pour la zone d'occupation, c'est une question de vie ou de mort. Alors qui va contrôler tous les papiers de tous les navires ? Qui va vraiment vérifier si un bâtiment qui vient de livrer ce précieux blé met réellement le cap sur Chypre ? S'il n'accoste pas dans un port situé plus à l'est ? La route est longue jusqu'à la Terre promise. Mais, après tout ce qu'ils ont enduré ces dernières années, le jeu en vaut la chandelle : on les accepte toujours comme passagers clandestins sur des bateaux qui se rendent en Palestine. Des personnes déplacées, et des Juifs qui sont arrivés à Hambourg après 1945.

— Comme les Delluc.

— Oui. La malchance a voulu qu'ils arrivent trop tard. Ils ont quitté la France fin novembre 1946. L'Elbe était en train de geler, le charbon se faisait rare. Plus un navire ne quittait le port. Tout était bloqué, et eux avec. Ils attendaient certainement qu'il fasse moins froid pour reprendre la route. Ils ne se doutaient pas qu'ils seraient coincés ici durant des semaines. Et encore moins qu'ils croiseraient la route d'un des tueurs d'Oradour.

— Où Herthge peut-il bien être ?

Ehrlich écarte les bras.

— Il a dû se douter que nous étions sur ses traces. Peut-être qu'il ne sait rien de précis, mais il est prudent, et il a disparu après que vous l'avez envoyé dans le Nord. Il n'aurait plus jamais une aussi belle occasion.

« Dès que nous aurons lancé cet avis de recherche, nous enverrons évidemment un inspecteur chez sa mère. Mais je ne le crois pas assez stupide pour se cacher chez elle. Il compte peut-être passer en Amérique du Sud ? Argentine, Chili, Paraguay ; ce n'est un secret pour personne que des colonies de nazis s'y sont installées.

— Cela ne sera pas simple pour lui d'aller jusqu'en Amérique du Sud. Même avec l'aide des anciens camarades.

— Le seul port d'où appareillent des bateaux pour l'Amérique du Sud, c'est Hambourg. La glace va fondre. Dans une semaine ou deux, les premiers paquebots lèveront l'ancre.

— Vous pensez qu'il va rester caché aussi longtemps ?

— Il connaît bien les ruines, il l'a prouvé. Dès que le temps va s'améliorer, ça sera plus facile pour lui.

— Peut-être trouvera-t-il refuge chez une prostituée ? Ou un souteneur. Ce ne sont pas les contacts qui lui manquent.

— Ou chez un vieux camarade. Il y a assez de SS qui se promènent encore en liberté.

— Je vais faire imprimer des affiches, des avis de recherche, dit l'inspecteur principal en se levant. Pour arrêter l'un des nôtres. Ça va provoquer des remous dans la police. Mais je préfère voir la tête de Herthge sur une affiche que celle d'une fillette étranglée.

Ehrlich lui serre la main. Un geste, remarque Stave, qu'il a évité jusque-là.

— À l'occasion, nous devrions déjeuner ensemble, propose le procureur.

Stave sort du bureau d'Ehrlich. Il fait tranquillement à pied le trajet qui le conduit à l'hôtel de police. Il entre dans son bureau qui lui paraît encore plus exigu et silencieux que d'habitude, mais plus lumineux.

Sur sa table de travail, une grande enveloppe, avec le cachet de la Croix-Rouge.

La vie continue

Stave ne détache pas les yeux de la lettre. Il est pétrifié. Les deux pas qui le séparent de son bureau lui coûtent. Il la prend entre ses mains tremblantes, déchire l'enveloppe. Elle en contient une seconde, bien plus petite. Du papier gris, raide comme du papier toilette bon marché. Avec son nom et l'adresse de l'hôtel de police. L'écriture de son fils.

Stave se laisse tomber sur sa chaise. Il regarde fixement par la fenêtre, reporte les yeux sur la lettre. Karl est vivant ! Mais il se tient sur ses gardes : qu'est-ce qu'il peut bien lui écrire ?

Il finit par prendre son courage à deux mains, ouvre cette enveloppe, lentement, comme s'il soulevait le couvercle d'une malle au trésor. Une petite feuille, même pas de la taille d'une page de cahier d'écolier, déchirée à son bord inférieur, comme s'il s'agissait de la moitié d'une feuille coupée en deux. Des lettres à peine lisibles tracées d'un crayon gris clair, mais, sans confusion possible, l'écriture de tant de devoirs d'école que Stave a corrigés jadis pour que le maître n'y trouve plus de fautes.

311

Père,

Je n'ai que ce bout de papier, je serai donc bref. Je vais bien, vu les circonstances. J'ai été fait prisonnier à Berlin, condamné par un tribunal soviétique, je ne sais pourquoi. Je crois à dix ans de camp à Vorkouta, mais j'aurais peut-être une réduction de peine. Je suis encore jeune. Nous nous entraidons ici aussi bien que possible. Il fait très froid en Sibérie, mais dans un mois ou deux, l'hiver sera fini. Nous avons déjà la lumière du jour, la nuit polaire est terminée. J'espère être bientôt dans notre appartement à Hambourg. On reparlera de tout.

Karl.

Stave laisse tomber la lettre sur le plateau de son bureau. Il a manqué la froisser, alors qu'elle est si précieuse.

Il est déçu, et il a honte de sa déception. Que ces quelques lignes manquent de chaleur ! Rien sur la situation dans le camp, rien sur la manière dont il a vécu ces deux dernières années, pas un mot personnel pour lui. Encore mes putains d'états d'âme, se dit-il. Il relit la lettre, plus attentif cette fois. Karl n'a que ce morceau de papier, pas de place pour un roman. Et toute lettre passe certainement par la censure soviétique. Karl, ce garçon distant, fier, sensible, ne veut pas qu'un commissaire politique lise des confidences personnelles. Stave se dit que son fils lui a peut-être envoyé un message, dissimulé dans ces quelques lignes très sèches.

Il relit une fois encore et – « J'espère être bientôt dans notre appartement à Hambourg. »

Cet unique mot – « notre » – ne montre-il pas la complicité entre le fils et son père ? Que Karl veut rentrer ? Que cet appartement reste son chez-soi ? Et que signifie « chez-soi » ? Vie commune, confiance mutuelle et, espère Stave, amour.

Il aurait presque éclaté en sanglots s'il n'eût craint qu'un collègue fasse irruption dans son bureau et le trouve en pleurs. C'est le premier pas d'un retour, ni plus ni moins. Karl devra encore en faire des milliers. Il faut que je réfléchisse soigneusement à tout cela, se dit-il.

Il quitte l'hôtel de police, se dirige vers la Hansaplatz. Espérons qu'il n'y aura pas de razzia aujourd'hui, se dit-il. Et que personne ne se rappelera m'avoir déjà vu.

« Il fait très froid en Sibérie », lui a écrit Karl. On peut certainement envoyer des colis par l'intermédiaire de la Croix-Rouge. Il va donc aller au marché noir avec les cigarettes qu'il a économisées et quelques billets de banque, qu'il garde toujours sur lui par crainte des cambriolages. Pour y chercher quoi ? Un manteau, un bonnet, une écharpe. Des chaussures, de grosses chaussures pour l'hiver, et pourquoi pas des bottes.

Bien qu'il fasse moins froid, l'inspecteur principal relève le col de son manteau. Le visage ainsi dissimulé, du moins l'espère-t-il, entre l'étoffe et le chapeau qu'il porte incliné bas sur le front, il se fraye un chemin dans la foule, parmi tous ces gens qui se bousculent et errent sur la place, étrangement silencieuse. Il s'arrête ici, repère là une marchandise cachée sous un manteau, entend des offres murmurées, murmure lui-même :

— Chaussures d'hiver, taille 42. Chaussures d'hiver. Chaussures d'hiver.

— J'en ai, chuchote tout à coup une femme âgée, l'air acariâtre, venue à sa hauteur comme par hasard.

Il a l'impression de l'avoir déjà vue. Sans doute pendant la rafle, mais ce n'est pas lui qui l'a interrogée. Espérons qu'elle ne me reconnaîtra pas, se dit-il. Elle lui sourit timidement. Elle n'espérait certainement plus se débarrasser de ses lourdes chaussures à présent que le dégel approche. Elle marche un peu plus vite, il la suit jusqu'à une entrée d'immeuble. Profitant de la pénombre de la porte, elle entrouvre un vieux cabas. Deux chaussures d'homme brunes, semelles grossières, cuir épais, qui peuvent passer pour des chaussures d'hiver.

— Peu portées, ment-elle.

— Combien ? demande Stave en espérant qu'elles ont la bonne taille.

— Cinq cents Reichsmarks.

Elle ne manque pas de culot, se dit l'inspecteur principal, maintenant que l'hiver est fini.

— D'accord, murmure-t-il pourtant.

Il n'a pas le choix.

Deux mouvements rapides, des regards furtifs, et la transaction a eu lieu. La femme s'éloigne rapidement sans se retourner.

— Vous avez fait une bonne affaire ?

Stave tourne vivement la tête, alarmé, réfléchit un quart de seconde à une excuse embarrassée au cas où un collègue l'interpellerait. Puis il a le souffle coupé.

Anna von Veckinhausen.

Stave se sent rougir. Il ne pourrait bafouiller que des sottises, il cherche donc désespérément comment lui avouer la vérité.

Elle le devance et pointe les chaussures du doigt.

— À votre place, je les cacherais sous mon manteau, lui conseille-t-elle, sinon vous allez vous faire interpeller par tous les flics dans un rayon de cinq cents mètres. Cela dit, si nous étions pris dans une rafle, la cachette ne servirait à rien non plus – il faudrait vite les laisser tomber par terre et jouer les idiots.

— Ça tombe bien, je suis en train de m'entraîner pour la deuxième phase de votre plan, grommelle l'inspecteur principal, qui fait vite disparaître son butin sous un pan de son manteau.

— C'est pour vous ? Alors que voilà la fin de l'hiver ?

— Pour mon fils. En Sibérie, le dégel n'est pas pour demain.

Anna von Veckinhausen ne sourit plus.

— Il est prisonnier en Russie, dit-elle. (Une constatation, pas une question.) Ça doit être terrible pour vous.

— Franchement, non. Il y a un mois, je ne savais même pas s'il vivait encore. Un camp de prisonniers en Sibérie, c'est déjà une bonne nouvelle.

— Qu'est-ce qui nous est arrivé pour qu'une telle nouvelle nous rende heureux ? murmure-t-elle en passant son bras sous le sien. Me ferez-vous le plaisir de venir vous promener un peu avec moi ?

Stave est confus, il opine, se met en route d'une démarche encore plus raide que d'habitude, et il se sent aussi peu sûr de lui qu'un gamin de quatorze ans. La main d'Anna von Veckinhausen repose sur son avant-bras, seules les séparent des manches de manteau et de pull-over. Cela fait des années qu'il n'a pas été aussi près d'une femme.

— Qu'est-ce qui vous amène sur la Hansaplatz ?

— Mes affaires habituelles : un rendez-vous à la gare avec un officier britannique. J'ai trouvé une copie passable du *Moine au bord de la mer*, de Caspar David Friedrich. Le cadre est affreux, pseudo-baroque, et sa dorure est très écaillée. Mais c'est une huile, manifestement exécutée par un bon technicien.

— Vous avez fait une bonne affaire ?

Elle sourit, mais ne dit rien.

Stave se demande si elle a vendu cette copie pour l'original. On dit les officiers américains si béotiens qu'ils achètent n'importe quoi. Mais les Anglais ? Il n'insiste pas. Sinon, elle va encore me prendre pour un incorrigible flic, se dit-il.

— Et si on allait voir quelques tableaux de Friedrich ? Qu'est-ce que vous diriez d'une balade à la Kunsthalle ?

Ils en sont à quelques minutes à pied. Ils passent devant la gare centrale où trois trains sont à quai, cheminées fumantes.

— Il doit de nouveau y avoir du charbon, commente Stave. Je ne sais même plus quand j'ai vu autant de trains dans cette gare.

— On ne va donc pas tarder à livrer du charbon aux soupiraux des immeubles. Je pense que nous aurons du chauffage cet été, plaisante Anna von Veckinhausen en souriant. Je ne voulais pas être sarcastique. On fait ce qu'on peut.

Ils tournent à droite derrière la gare et la Kunsthalle se dresse à deux cents mètres. Une boîte noire oblongue avec, au centre, une rotonde coiffée d'une coupole – comme la pointe d'une gigantesque ogive de balle de pistolet restée coincée dans un morceau de lard. L'imposante façade du vieux musée est sale, mais elle n'a presque pas été endommagée. Quelques cicatrices d'éclats de bombes. Des traces de fumée sur la corniche. Devant la rotonde, un très vieil érable noueux au tronc plus épais que les colonnes de la façade.

— Incroyable qu'il ne lui soit rien arrivé ! marmonne Stave.

— Il y en a qui s'en tirent, c'est vrai même pour des plantes.

Dans l'ombre de l'érable, une grande sculpture en bronze : un cavalier. Excepté son casque suranné, il est nu sur son cheval.

— « *Cavalier* », lit Stave sur un cartel. Je n'aurais jamais trouvé ça tout seul.

— Un autre miracle encore : la statue équestre n'a pas été fondue.

— Elle a dû plaire à un bonze nazi. Plus que les cloches d'église qui ont presque toutes été transformées en obus.

Stave achète deux billets d'entrée, sa compagne lui adresse un signe de remerciement.

— Comment saviez-vous que c'était ouvert ?

— Je n'en savais rien. Un coup de chance.

Le musée a rouvert ses portes très peu de temps après la fin de la guerre. Les œuvres ont passé les années de bombardements dans des coffres de banque, en partie aussi dans un blockhaus du Heiligengeistfeld. Uniquement celles que les nazis n'avaient pas stigmatisées comme « art dégénéré » et vendues pour une bouchée de pain à l'étranger. Il était devenu impossible de chauffer ces grandes salles en hiver, entre autres parce que le toit avait été endommagé par quelques bombes et n'avait été que sommairement réparé. La Kunsthalle avait donc été fermée – la nouvelle saison commence avec ce jour plus doux.

Mais la plupart des flâneurs préfèrent jouir de la lumière du jour, presque personne n'a eu l'idée de passer ces heures trop précieuses enfermé sous un toit. Anna von Veckinhausen et Stave ont le musée pour eux seuls. Il savoure de traîner auprès d'elle de salle en salle. Certains murs sont noircis par des infiltrations d'eau, des galeries sont étrangement vides, celles dédiées à l'art moderne en particulier. Ils passent lentement, avec volupté, devant des chefs-d'œuvre de taille impressionnante. Qu'est-ce que je préfère dans tout ça ? se demande Stave. La réponse fuse : les couleurs. Les huiles et les aquarelles, les bleus et les rouges, les jaunes et les verts, l'or des vieux maîtres – quel repos pour l'œil après le gris et le noir des ruines, le brun sombre des vêtements. Anna von Veckinhausen a toujours le bras passé sous le sien. Il se demande ce qu'elle pense. Tous deux se taisent.

Ils sont face aux toiles de Caspar David Friedrich. Stave contemple intensément les paysages fantastiques, les petits personnages qui s'y perdent, les femmes en bonnet, les hommes en costume traditionnel allemand, tous dos au spectateur. Il examine attentivement *Das Eismeer*, une mer turbulente dans laquelle de monstrueuses plaques de glace broient un navire. Jadis, il y voyait une image irréelle – cet hiver a tout changé. Cela fait bien des années qu'il est venu ici pour la dernière fois. Avec Margarethe. Il refoule vite ce souvenir.

Stave montre les tableaux du doigt.

— Ils ont cent ans à peine. Mais ils ressemblent à des reliques d'une époque lointaine, d'un autre monde.

— C'est tout à fait ça. Rien de ce que Friedrich a vu n'existe plus aujourd'hui. Et on ne croit plus rien de ce qu'il croyait.

— Mais les œuvres sont toujours là. Et il y a des visiteurs pour les admirer. Comme nous.

— Parce que nous avons la nostalgie de cette époque. Parce que nous sentons que nous avons perdu quelque chose, sans être capables de dire quoi.

— Voilà qui aurait plu à Caspar David Friedrich.

— Mais c'est bien tout. Il a estompé des ruines dans des forêts et des montagnes. De nos jours, il aurait devant lui de vraies ruines et il perdrait le goût des fenêtres vides sur des cavernes et des chicots de murs.

Elle pose son bras libre sur sa poitrine et frissonne.

— J'ai envie de sortir. Au soleil.

Depuis la sortie, en traversant la large percée du Glockengiesserwall, il n'y a qu'un saut jusqu'à l'Alster. Le lac a la forme d'un bassin rectangulaire. Avant la guerre, ses eaux reflétaient les façades les plus renommées de Hambourg – le Jungfernstieg, où le psychologue a son cabinet, est situé juste en face du Glockengiesserwall. Des arbres le long des berges, des promenades ; derrière, les majestueuses façades d'imposants sièges d'armateurs, au-dessus, les toits étincelants et les clochers des églises les plus renommées de la ville. C'est ici qu'avant la guerre les Hambourgeois flânaient en habits du dimanche – et qu'ils se promènent à présent, ignorant superbement leurs vêtements élimés et les blessures des façades.

Ils traversent avec précaution les voies provisoires du Ballindamm, contournent deux wagonnets oubliés et vides dans lesquels, jusqu'au commencement de l'hiver, des ouvriers transportaient des gravats jusqu'à l'Alster, où ils les déversaient. La glace, qui a encore trois mètres d'épaisseur, ne brille plus sur le lac, mais, sous la tiédeur du soleil, sa surface a blanchi et s'est affadie comme du petit-lait. Quelques amateurs infatigables de patin à glace y tracent des cercles, l'eau gicle sous les lames. La plupart des badauds restent sur la berge, comme si en cette belle journée de printemps il était indécent de s'aventurer sur la glace.

Stave frissonne. La fraîcheur qui monte de l'Alster lui rappelle la morgue. Mais il ne veut pas enfiler le manteau qu'il porte sur son avant-bras libre avec les chaussures d'hiver qu'il a nouées par les lacets. Il faudrait qu'il quitte le bras d'Anna von Veckinhausen, qui elle aussi frissonne, comme si la glace réveillait en elle un sinistre souvenir.

— Ne restons pas là, longeons l'Alster, lui propose-t-elle.

Stave acquiesce, soulagé – et avant même qu'il s'en soit rendu compte, quelque chose s'est passé en lui. Peut-être parce qu'il est devenu un flâneur, lui qui n'a pas l'habitude de traînasser. La promenade au bord de l'eau suit un chemin bien précis, mais sans but réel. On déambule selon un itinéraire bien tracé, mais dénué de sens : c'est une promenade qui vous ramène à votre point de départ, un serpent qui se mord la queue. Cette marche insouciante qui consiste à avancer inutilement ouvre les vannes de son esprit. Et l'inspecteur principal se met à parler sans même savoir pourquoi. De son fils prisonnier en Sibérie. Il raconte pourquoi ils se sont disputés au printemps 1945, quand il est parti pour le front. Il parle du mépris et de l'idéalisme de ce garçon, si mal conseillé, si douloureusement sincère. De Margarethe et de cette nuit de bombardements. Et il parle de l'assassin des ruines, qu'il a démasqué et qui s'est révélé être l'un de ses collègues. D'une famille juive qui fuit parce qu'elle veut atteindre une nouvelle patrie et qui fait naufrage dans l'hiver glacial d'une ville hostile. Une ville où rôde un assassin, dont le destin est lié à celui de cette famille. Il parle de Lothar Maschke, en réalité Hans Herthge, dont il sait bien des choses à présent, même s'il en ignore encore beaucoup – et sur qui il ne parvient pas à mettre la main. Mais quel intérêt d'en savoir autant si cela ne lui sert à rien ?

Ils parviennent au bout du Ballindamm, mais au lieu de tourner vers le Jungfernstieg et de continuer leur promenade le long de l'Alster, ils rebroussent chemin sans même se concerter. Ils ont vu que des centaines de flâneurs déambulaient sur le Jungfernstieg et il y a moins de monde vers le Ballindamm et ses wagonnets abandonnés.

Plus loin, c'est encore plus calme. Ils traversent le Lombardsbrücke qui sépare les deux Alster. L'Alster extérieur s'élargit en un grand lac aux rives plantées de roseaux. La blancheur de l'Hôtel Atlantic se reflète sur la pellicule d'eau qui s'est formée sur la glace. Derrière cet hôtel de luxe, la plupart des maisons ont été bombardées, mais le périmètre des dévastations s'arrête après quelques centaines de mètres, à la lisière verte des jardins des villas – moins grandes que les splendides bâtisses de l'Alster intérieur, plus discrètes parce que construites à une plus grande distance du lac et dissimulées derrière des buissons et des arbres. Des propriétés réquisitionnées par les Britanniques qui n'ont pas eu besoin de couper les chênes de leur parc pour se chauffer.

Ils flânent vers le nord. Le soleil est déjà bas sur l'horizon. La lumière est dorée, chaude. Stave, épuisé et un peu honteux, s'est enfin tu. Il lui semble qu'Anna von Veckinhausen sait tout de lui alors qu'il ne sait toujours presque rien d'elle.

Elle l'a accompagné en silence, il est persuadé que c'est un silence bienveillant.

Ils s'arrêtent quelques instants derrière l'Hôtel Atlantic. Comme un rideau en lambeaux, les fines branches dénudées d'un saule pleureur les protègent de la vue des villas et de la rue. L'heure du couvre-feu approche. Les quelques rares flâneurs qui ont choisi cette promenade disparaissent lentement entre les maisons. L'Alster est vide.

— Désolé d'avoir tant parlé, murmure Stave, penaud. Ça ne m'arrive jamais.

— C'est mon jour de chance, alors, réplique-t-elle. J'ai pris beaucoup de plaisir à vous écouter.

— Je ne sais pas ce que je pourrais encore ajouter.

— Quand un homme ne sait plus quoi dire à une femme, il l'embrasse.

Stave croit avoir mal entendu. Mais Anna von Veckinhausen passe ses bras autour de son cou et l'attire vers elle.

Leur journée s'achève dans un hôtel bon marché. Quelqu'un a peint sur un écriteau en bois : « Hotel Pension Rudolf Prem. » C'est la seule maison encore debout entre l'Atlantic et les villas. Ils ont trop envie l'un de l'autre pour faire le long chemin qui les conduirait chez Stave. Pas question non plus d'aller dans la baraque en tôle avec ses cloisons de vieilles étoffes. Et l'argent leur manque pour l'Atlantic.

Stave loue donc une chambre à la Pension Prem, dépose quelques Reichsmarks sur le comptoir et les inscrit sous le nom de Herr et Frau Schmidt. Mais ça sent tellement son mensonge que le vieux patron à moitié aveugle de l'hôtel lève un sourcil réprobateur, marmotte quelque chose d'incompréhensible et leur tend une clé.

La chambre est au premier étage. Une petite chambre à peu près propre. Ils prennent à peine le temps de claquer la porte et de la verrouiller. Ils s'enfoncent dans le lit étroit, avides de se toucher et assoiffés de tendresse. Ce n'est que plus tard, la première faim assouvie, qu'ils sont plus calmes, plus doux, plus curieux l'un de l'autre.

Et puis, Stave tient Anna dans ses bras, son corps nu, blanc comme de l'albâtre. Il sent son pouls, son souffle sur sa poitrine, sa chaleur. Nous sommes vivants, se dit-il. Nous revivons.

Du bout du doigt, sous les couvertures, il caresse tendrement la longue ligne de son dos.

— Je ne sais toujours rien de toi.

Elle soupire, plus narquoise que fâchée.

— Vous n'êtes pas en service, monsieur l'inspecteur principal.

— Ce n'est pas le policier qui interroge, mais l'amant qui découvre.

Anna secoue la tête, l'embrasse.

— Laisse-moi un peu de temps. On nous a tellement volé que nous n'avons presque plus rien. Excepté le temps. Le temps, nous en avons suffisamment.

Il pense à ce qu'elle vient de dire. Un flic n'a jamais assez le temps. Il arrive toujours trop tard, c'est l'essentiel du travail. Après tout, il faut bien que quelque chose soit arrivé pour qu'on fasse appel à lui. Il y a toujours beaucoup à faire – après. Toujours cette pression pour arrêter le criminel le plus rapidement possible, avant qu'il ne recommence. Mais faut-il vraiment qu'il se conduise sans cesse comme si sa vie était une éternelle affaire criminelle ?

— Tu as raison, chuchote-t-il. Nous avons tout le temps.

Et il se sent soudain léger, serein, libéré.

Ils se faufilent hors de la chambre après minuit. Il ne faut pas qu'ils se fassent prendre au matin. Un vieux veilleur de nuit ronfle derrière le comptoir en bois. Stave laisse la clé près du timbre. Il pousse la porte et ils se glissent dans la nuit.

La carte de police de Stave l'autorise à circuler pendant le couvre-feu. Si une patrouille britannique l'interpelle, il pourra toujours prétendre qu'il est en service. Mais Anna ? Les policiers militaires l'arrêteraient-ils ? Mieux vaut les éviter. Il l'emmène vers Eilbek par des chemins détournés. La lueur argentée de la lune éclaire la ville. Les murs cicatrisés et les fenêtres vides qui n'ouvrent sur rien ressemblent soudain à des ruines antiques : l'immense champ de décombres se métamorphose en une cité de temples dédiés aux dieux, de forums, d'amphithéâtres et de palais. L'air est encore tiède, mais le froid emmagasiné durant des mois monte du sol. Stave a enlacé Anna sous son manteau, ils marchent en se tenant par la taille sur d'étroits sentiers qui serpentent entre des restes de murs. Il respire son haleine, heureux.

Son fils est vivant. Il a trouvé un nouvel amour. L'hiver est fini. Il sent subitement que tout recommence, il sent cet immense bonheur qu'il ne mérite sans doute pas, le bonheur de s'en être tiré. Un nouveau départ. Un renouveau. Une joie qui l'étouffe presque. Il aimerait crier et danser comme un fou. Ce qui ne serait pas spécialement intelligent dans une ville silencieuse sous couvre-feu. Il emploie ce silence et cette exaltation d'une manière plus agréable : il s'arrête, attire Anna à lui et l'embrasse passionnément en plein milieu d'une rue.

Quand ils rompent leur étreinte, elle le regarde en souriant, interloquée, à bout de souffle, mais ne lui demande pas pourquoi il vient de faire ça.

Ils atteignent enfin les baraques de Nissen, noires silhouettes de carapaces de tortues au carrefour. Ils osent à peine respirer en parcourant les derniers mètres. Surtout pas de bruit. Seuls quelques millimètres de tôle les séparent de centaines d'yeux et d'oreilles. Un dernier baiser devant la porte de la baraque. Stave griffonne son adresse sur une feuille de son calepin, l'arrache et la lui fourre dans la poche.

— Je viens chez toi demain soir, murmure Anna.

Puis elle se faufile sans bruit par la porte entrouverte et disparaît dans l'obscurité de la baraque.

Stave quitte discrètement la place, jusqu'à ce qu'il pense être suffisamment éloigné pour qu'on ne puisse plus le voir. Puis il marche plus vite, à grandes enjambées, tourne dans la Wandsbeker Chaussee. Il a l'impression d'être sur un petit nuage. Même sa jambe ne lui fait plus mal. Vivre ! se dit-il. Je revis !

C'est alors qu'on lui serre le cou par derrière avec un mince nœud coulant en acier.

L'assassin des ruines

Stave râle, il veut crier, échapper à l'étreinte, il lutte pour respirer. Il est pris dans l'étau terrible qui lui emprisonne le cou. Des images de la table de dissection du médecin légiste s'agitent confusément devant ses yeux, des images de pomme d'Adam écrasée, d'une fine marque rouge sur un cou. Gagné par la panique, il frappe aveuglément autour de lui. Ses poings déchirent l'air, rencontrent au mieux une ou deux fois un morceau d'étoffe dans son dos. Il porte un manteau épais, se dit Stave. Ressaisis-toi ! Réfléchis ! Le pistolet ! Mais l'étui est sous son manteau, qu'il a fermé après avoir quitté les baraques. Il agrippe les boutons, ne parvient à en ouvrir aucun. L'étreinte le terrasse, le sang lui bat aux tempes, comme si son crâne allait éclater. Il a le vertige, il sent qu'il va bientôt défaillir. Je vais crever, se dit-il. Il n'essaye plus d'arracher les boutons du manteau et lance à nouveau les poings derrière lui. Ses jambes flageolent. Il tombe à genoux. Son agresseur le domine à présent – la meilleure position pour serrer avec force. Les coups aveugles de Stave s'affaiblissent, deviennent plus spasmodiques.

Quelque chose de compact, de dur.

Les chaussures d'hiver de son fils ! Il en a fourré une dans la poche droite de son manteau, l'autre lui bat la cuisse. Stave y porte la main, empoigne une semelle, l'autre suit et il les balance derrière lui au jugé.

Un grognement sourd. Il a frappé son agresseur au genou. L'étrangleur est surpris, titube, desserre sa prise un instant.

Stave se redresse d'un seul effort et se jette en avant. Le fil d'acier lui entame le cou, le sang coule sur le col de sa chemise – mais la pression de la cravate diminue. Il réussit à passer la main gauche sous le collet, à le desserrer. Plus de sang encore, sur la main aussi à présent. Mais l'air passe à nouveau, enfin. Tout ce temps, il n'a cessé de cogner du poing derrière lui.

Il veut crier, mais de sa gorge ne s'échappe qu'une espèce de gargouillement.

Respirer. Cogner. Il décoche une ruade.

Et son agresseur renonce.

Tout d'un coup la pression sur son cou cesse. Il entend des éboulis qui roulent. Des pas précipités.

Un voile rouge flotte devant les yeux de l'inspecteur principal tandis qu'il se retourne, le nœud coulant encore autour de son cou ensanglanté. Une ombre devant un mur en ruines. Il agrippe son manteau à deux mains. Merde, merde, merde ! Stave l'ouvre brutalement en arrachant les boutons. Le métal froid de la poignée du pistolet. Il tire le FN 22 de son étui.

Le vacarme du coup de feu résonne à ses oreilles et retentit dans les ruines. Il tire encore une fois, puis une fois encore. À moitié aveugle, furieux contre lui-même à en perdre la raison, il vide le chargeur en direction de cette ombre.

Puis c'est le silence.

L'inspecteur principal s'affaisse en râlant dans la pâle lueur de la lune, dégage son cou du fil d'acier, respire à fond, respire, respire. Son cœur bat à se rompre. Ses mains tremblent. Mais son cerveau travaille à nouveau.

L'assassin des ruines, se dit-il.

Il se secoue, titube en direction des deux pans de mur où il a vu l'ombre disparaître. Une tache luit sur le sol.

Stave se baisse. Du sang. Je l'ai touché, se dit-il, triomphant. Il examine les lieux : un enchevêtrement sournois de gravats, de fers à béton, de câbles emmêlés, de tessons, mais aucune trace de sentier.

Une nouvelle tache.

Il a escaladé un monceau de ruines. Il suit la piste des taches de sang, sa jambe estropiée ripe, il jure en silence. Il a empoché les chaussures d'hiver, garde le pistolet au poing. Le chargeur certes est vide, mais l'arme assez lourde pour assommer quelqu'un. Deux morceaux de briques se détachent sous ses pieds et roulent le long des gravats en cliquetant, soulevant un petit nuage de poussière. Il ne suffoque plus, mais ses yeux larmoient encore.

De l'autre côté du champ de ruines, le quadrilatère d'un immeuble collectif désossé d'une hauteur de trente mètres environ. Sans toit, sans planchers. Que des monceaux de ruines entre quatre murs noirs de fumée. Un écriteau à côté d'une porte qui ne tient plus que par un gond : « Entrée interdite ! Risque de chutes de pierres ! »

Les traces de sang mènent vers l'intérieur.

Je t'aurai, se persuade Stave en pénétrant prudemment dans le périmètre du bâtiment calciné, très mal éclairé par les rayons de lune qui ne passent que par les ouvertures des fenêtres vides. Il est plongé dans la pénombre, s'arrête. Des ombres partout sur les murs, des taches noires, charbonneuses. Stave retient son souffle. Pas un bruit.

Si. Là, des pas, comme une jambe qu'on traîne après soi. Une jambe blessée ? Une lourde charge ? L'inspecteur principal est aux aguets. Quelque part dans ces ruines, l'assassin est en train de se déplacer. Stave cherche sa lampe torche. Rien dans la poche de son manteau. Comme un fait exprès, il ne l'a pas prise aujourd'hui. Parce qu'il pensait qu'il ne trouverait pas de cadavre dans les ruines, que le printemps arrivait enfin et qu'il faisait jour plus longtemps. Putain de négligence ! Il balaye les environs du regard, scrute l'obscurité, essaye de distinguer des détails. Pas de cloison derrière laquelle se cacher – où son agresseur peut-il bien se terrer ? Qu'as-tu appris de l'assassin des ruines ? se demande l'inspecteur principal. Qu'il dissimule toujours ses victimes aussi profondément que possible : une cave, une cage d'ascenseur, un cratère de bombe.

Une cave.

Stave s'avance. Les hauts murs paraissent osciller. Illusion, se dit-il. Ne te mets pas martel en tête. De la poussière de ciment ruisselle sous ses chaussures. Un craquement quelque part dans les gravats. Un pas, deux pas, d'autres encore. Presque au milieu de l'amoncellement de ruines. Plus proches à présent. Il lève son arme, avance encore.

Un escalier. Qui mène à la cave de l'immeuble. Si tout l'intérieur du bâtiment a été abattu par le souffle des bombes, l'escalier est encore là, à moitié enfoui sous des éboulis. La cave est peut-être intacte. À nouveau des pas. Stave croit même deviner une respiration. Des soupirs. Les gémissements de douleur d'un blessé.

L'obscurité est totale à présent. De la main gauche, il avance à tâtons dans la cave, la poignée du FN 22 serrée dans sa main droite qu'il brandit en avant. Un couloir, étroit, manifestement très long. Un courant d'air. Un goût de poussière de ciment sur les lèvres. Du bois grossièrement taillé. Stave tâtonne : c'est une poutre, calée entre sol et plafond, étai de sécurité provisoire qui remonte au temps des bombardements. Dès la fin des alertes, sur l'ordre du chef de district, des travailleurs forcés sécurisaient les caves avec des poutres et soutenaient les murs. Un travail fait à la va-vite, très dangereux. Pour empêcher les grandes ruines de s'effondrer, dégager les victimes ensevelies et frayer un passage aux sauveteurs.

Il avance de trois pas. Le couloir fait un coude. De la lumière : une crevasse au plafond, à travers laquelle la lueur argentée de la lune atteint le sol. Une silhouette, en chien de fusil.

Lothar Maschke. Hans Herthge.

Stave progresse avec précaution dans sa direction. Son ancien collègue presse la main droite sur son bas-ventre. Du sang coule entre ses doigts, visqueux comme de l'huile, jusque sur le sol de briques cassées. La gauche est crispée dans la poussière, les jambes tressaillent.

Touché au ventre, se dit Stave. Il doit souffrir horriblement. L'inspecteur principal s'approche, se penche prudemment sur lui, pistolet toujours au poing.

— Vous m'entendez ?

Des gouttes de sueur brillent sur le visage de Herthge. Ses yeux sont écarquillés.

— Tu ne renonces donc jamais ? halète-t-il entre ses dents serrées. Tu veux me voir crever.

— Ce n'est pas beau à voir, réplique Stave.

Il n'éprouve aucune pitié pour l'assassin. Il le redoute encore, couché là, baignant dans son sang. Il le hait peut-être aussi, mais il réprime ce sentiment, s'efforce de garder une curiosité strictement professionnelle. Il veut tout savoir sur ces meurtres – avant qu'il ne soit trop tard.

— Dites-moi ce que j'ignore encore, et je m'en irai, propose-t-il à Herthge. Vous pourrez mourir ici, seul. Je n'appellerai les collègues que quand vous aurez passé. Mais si vous ne parlez pas, je resterai pour vous regarder mourir. Même si ça doit durer des heures.

— C'est la meilleure affaire de ma vie que vous me proposez là, murmure l'ancien Waffen-SS dans une atroce grimace qui se voudrait un ricanement.

— Comment avez-vous rencontré Yvonne Delluc ?

— Je l'ai prise pour une poule de luxe : jeune, bien habillée, parlant français, articule péniblement le blessé. Je ne l'avais pas encore fichée, je l'ai donc interpellée et contrôlée. (Herthge cherche à happer l'air. La sueur perle sur son front.) Elle allait au marché noir, en fait. Je ne l'ai pas reconnue. Mais elle m'a remis aussitôt. Et tout d'un coup, elle s'est mise à hurler, à m'insulter, à me traiter d'assassin. Elle a menacé de me dénoncer à la police. Heureusement, tout ça en français, personne n'a rien compris.

— Et vous l'avez étranglée.

Herthge serre les dents. Il est si pâle que Stave craint qu'il ne meure avant d'avoir tout dit. Après avoir haleté un moment, il respire à nouveau presque normalement.

— Non, dit-il dans un gémissement. Je ne savais pas comment elle était venue à Hambourg. Ni si elle était seule.

J'ai donc tout nié en bloc, je lui ai dit que ça devait être une erreur, qu'elle me confondait avec un autre. Elle a fini par me croire, je l'ai laissée partir et je l'ai suivie.

— Jusqu'au bunker de Eilbek.

— Et j'ai su où elle habitait et avec qui. Le lendemain, quand elle est sortie pour aller au marché noir, je l'ai attendue dans les ruines et je l'ai étranglée. Je l'ai déshabillée pour qu'on ne puisse pas l'identifier. J'ai brûlé les vêtements plus tard dans mon poêle. Vous auriez pu organiser encore bien des razzias, monsieur l'inspecteur principal. (Il ricane, malgré ses douleurs.) Ensuite, je me suis rendu au bunker avec la Mercedes de la brigade, pour laquelle j'ai fait une demande officielle. Je n'ai malheureusement rencontré que la seconde femme et la fillette. Je n'ai eu aucun mal à les attirer dans la voiture. Je les ai ligotées, conduites dans une rue adjacente et réduites au silence. Exactement comme avec Yvonne Delluc. J'avais d'abord secoué un peu la femme pour savoir où était le vieux. Il était en train de se livrer au pillage de l'autre côté de l'Alster.

— Pourquoi n'avez-vous pas caché vos deux victimes ensemble, au même endroit ?

— Je ne voulais pas qu'on les trouve trop vite. (Herthge gémit.) Il fallait que je sois tranquille quelques heures, dit-il entre ses lèvres pressées. J'ai mis du temps à trouver le vieux. Il commençait déjà à faire nuit quand je l'ai repéré. Ensuite, tout a été facile.

— Facile, répète Stave sur un ton méprisant, puis il réfléchit. Pourquoi avez-vous essayé de me tuer ? Vous saviez bien que c'était trop tard. Que je sois mort ou pas ne changeait plus rien : vous êtes recherché. Pourquoi ne vous êtes-vous pas caché ?

Herthge a un pâle sourire. Sa respiration s'est faite plus courte. C'est à présent une flaque qui s'est formée sous lui et le sang continue à sourdre entre ses doigts.

— Je ne savais pas tout, reprend-il en gémissant. Je me disais bien que vous m'aviez dans le collimateur. Je pensais que la seule personne qui me menaçait encore était cette femme, ce témoin qui m'a vu sur Lappenbergsallee.

— Anna von Veckinhausen.

— Je n'ai pas eu beaucoup de mal à comprendre que c'était elle qui vous avait averti. C'était écrit dans le dossier. J'ai facilement trouvé où elle habitait. Je me suis dit que si je la tuais, je ferai taire le seul témoin. Je l'ai épiée.

— Aujourd'hui ?

— Oui, mais elle n'a jamais été seule. Vous êtes bien placé pour le savoir.

Stave s'imagine Herthge en train de les observer. Dans la Kunsthalle. Au bord de l'Alster. Il le voit en faction devant la pension où il a fait l'amour avec Anna. En train de se faufiler derrière eux, la nuit, parmi les ruines. Il a la nausée. Il se maîtrise pour ne pas balancer un coup de pied à cet homme qui agonise.

— Et c'est parce que vous n'avez pas pu la supprimer que vous m'avez agressé ?

— J'étais furieux. Vous vous dressiez sur ma route. Je n'ai pas réfléchi. Tout le monde peut faire une erreur.

La respiration du tueur d'Oradour est de plus en plus courte, saccadée. Ses jambes ne tressaillent plus. La flaque de sang a la taille d'une petite mare.

— J'ai froid, murmure-t-il.

— Il fait froid en enfer, dit Stave.

Il se redresse et quitte les lieux.

Dans un immeuble collectif presque intact, une centaine de mètres plus loin, la lueur jaunâtre de bougies ; celle d'ampoules de faible puissance luisent aux carreaux des fenêtres. Certaines sont ouvertes. Des appels dans la nuit. De la musique s'échappe de phonographes. L'inspecteur principal Frank Stave jette un dernier coup d'œil sur l'entrée de la cave où Herthge est en train de mourir. Il contemple longtemps les ruines. Elles paraissent majestueuses dans la lumière bienveillante de la lune. Puis il s'en va en claudiquant dans l'ombre d'un mur lézardé.

Postface

Il y a effectivement eu un « assassin des ruines » à Hambourg. Il a fait quatre victimes durant ce terrible hiver de 1946-1947. On n'a jamais su sa véritable identité.

Ce roman prend sa source dans ce fait divers authentique. Je me suis efforcé de décrire le plus précisément possible la réalité historique de cette ville bombardée, des cartes d'alimentation à la pièce radiophonique diffusée par la toute nouvelle NWDR. Quelques personnages ont réellement existé, comme le maire de la ville Max Brauer ou le patron de la police judiciaire « Cuddel » Breuer. Pour d'autres, je me suis accordé une plus grande licence poétique. Il a effectivement existé un fonctionnaire de police du nom de Frank Stave, mais mon personnage principal n'a rien à voir avec cette figure historique. La majorité des autres protagonistes sont inventés, toute ressemblance avec des individus réels ne saurait être que fortuite.

Dans ses grandes lignes, la série d'assassinats s'est déroulée comme je l'évoque. Les renseignements sur les victimes, les lieux de découverte des corps et le jour de leur découverte, beaucoup d'autres détails encore reposent dans des procès-verbaux d'investigations de la brigade criminelle et des constats médico-légaux. Les citations des avis de recherche sont tout aussi authentiques que les résultats d'autopsie.

À dire vrai, j'ai semé quelques petits indices supplémentaires décisifs qui ont fini par mettre l'inspecteur principal Frank Stave sur les traces de l'assassin – malheureusement, ils n'ont de réalité que fictionnelle. Les policiers ont tenté des années durant de résoudre l'affaire en employant d'importants moyens. Ils n'ont jamais trouvé une seule indication qui aurait laissé deviner l'identité du criminel, encore moins ses mobiles. La série des meurtres s'est arrêtée avec le quatrième, de manière tout aussi abrupte qu'elle avait commencé. Là encore, on ne peut que spéculer sur des abstractions.

Plus effrayant encore : les enquêteurs n'ont pas non plus réussi à percer l'identité des victimes. Malgré les efforts décrits dans le roman – les nombreuses affiches par exemple, avec leurs photos, placardées non seulement dans Hambourg, mais dans toute l'Allemagne occupée, y compris la zone russe – personne ne s'est jamais présenté pour identifier le vieil homme, les deux femmes ou la fillette. On ne sait si les victimes ont appartenu à une même famille, s'il y avait même un lien entre elles, ni pourquoi elles ont été assassinées.

Pendant mes recherches pour ce roman, j'ai consulté des montagnes de littérature, d'articles de journaux, de correspondances et autres documents divers. Parmi les personnalités les plus importantes qui m'ont guidé dans les détours de cette époque, je citerai le Dr Ortwin Pelc, du Musée de la ville de Hambourg et Uwe Hanse du Musée de la police de la ville, ainsi que Wolfgang Kopitzsch, ancien membre de l'école de police de Hambourg, actuellement directeur du district de Hambourg-Nord. Le Dr Uwe Heldt de Mohrbooks et Angela Tsakiris DuMont ont relu d'un œil critique le manuscrit. Je leur adresse tous mes remerciements – ainsi bien entendu qu'à ma femme Françoise et à nos enfants Léo, Julie et Anouk, pour leur indulgence envers tant d'heures matinales et tardives passées devant mon ordinateur.

Cay Rademacher a étudié l'histoire anglo-américaine et la philosophie à Cologne et à Washington avant de devenir journaliste et écrivain. Il a écrit, entre autres, pour *GEO* et *Die Zeit* et est le cofondateur du journal *GEO Epoche*. Ses romans et documents sont publiés dans huit pays. Il a vécu à Hambourg avant de s'installer avec sa famille en Provence. *L'Assassin des ruines* est le premier volet d'une trilogie et a été sélectionné pour le prix international Dagger de la Crime Writers' Association.